Verloren

Van Nicci French verscheen eveneens bij uitgeverij Anthos

Het geheugenspel
Het veilige huis
Bezeten van mij
Onderhuids
De rode kamer
De bewoonde wereld
Verlies/De mensen die weggingen
De verborgen glimlach
Vang me als ik val

Meer weten over Nicci French?
www.niccifrench.nl

Nicci French

Verloren

Vertaald door
Irving Pardoen

Anthos|Amsterdam

ISBN 90 414 0866 5 (gebonden)
ISBN 90 414 0851 7 (paperback)

© 2006 Joined-Up Writing
© 2006 Nederlandse vertaling Ambo|Anthos *uitgevers,*
Amsterdam en Irving Pardoen
Oorspronkelijke titel *Losing You*
Oorspronkelijke uitgever Penguin
Omslagontwerp Studio Jan de Boer BNO
Omslagillustratie Isolde Ohlbaum
Foto auteurs Mark Kohn

Verspreiding voor België:
Veen Bosch & Keuning uitgevers n.v., Wommelgem

Soms had ik nog een gevoel alsof ik aan het einde van de wereld terecht was gekomen. Het winterse licht viel laag in over het vlakke, kleurloze landschap; het gieren van de wind, de kreet van een zeevogel en het melancholieke loeien van een misthoorn ver op zee, ik kreeg de rillingen van dit alles. Maar ik stampte op de grond om te zorgen dat mijn voeten warm werden en bedacht dat ik over een paar uur ver weg zou zijn.

Rick legde de moersleutel neer, kwam onder de openstaande motorkap van de auto vandaan en rechtte zijn rug. Het was mijn auto. Hij wreef over zijn geschaafde knokkels. Zijn ongeschoren gezicht was schraal van de koude, striemende noordoosterstorm waaruit de eerste regendruppels al vielen, en zijn blauwe ogen traanden. Zijn krullerige haar was nat en plakte tegen zijn hoofd, zodat ik de vorm van zijn schedel kon zien. Hij blies op zijn wit geworden vingers, keek me aan en deed een poging zijn jongensachtige glimlach op zijn gezicht te toveren. Ik kon zien dat het hem moeite kostte.

'Rick,' zei ik. 'Het is heel aardig van je, maar het hoeft echt niet, hoor. Er zat alleen een rammel in de motor, dus ik dacht dat er iets loszat. Anders zou ik je nooit hebben gebeld. Ik breng hem wel naar de garage als we terug zijn van vakantie.'

Karen, zijn vrouw, kwam de voordeur uit met drie bekers koffie op een blaadje, met daarnaast drie volkorenbiscuits keurig op een rijtje. Ze was een lange vrouw, bijna net zo lang als

Rick, mager en met lange ledematen. Soms zag ze er heel aantrekkelijk uit, mooi bijna, en dan kon ik begrijpen dat ze elkaar hadden gevonden, maar ze zag er ook vaak uitgemergeld en afgetobd uit, alsof ze zichzelf verwaarloosde. Ze had bruin haar met hier en daar al een grijze pluk, dat ze haastig naar achteren had gekamd en in een knotje geknoopt. Haar huid was doorgroefd met zorgrimpels en haar nagels waren tot aan de riemen afgekloven. Ze maakte zich maar zelden op en droeg afgezien van haar trouwring bijna geen sieraden. De kleren die ze droeg pasten vaak niet bij elkaar. Vandaag had ze een aardbeikleurig gewatteerd jasje aan en een dunne zwarte rok die over de grond sleepte. Ik was bang dat ze erover zou struikelen. Ze had de bazige kortaangebonden manier van doen van iemand die in wezen verlegen is, en toen ze een keer laat op de avond een beetje aangeschoten was, had ze me toevertrouwd dat ze wel eens vond dat het leven uit een soort mist op haar afkwam en haar steeds voor verrassingen stelde. Misschien maakte ze daarom wel eens een onsamenhangende indruk en kon haar stemming ineens omslaan van een opgewekt sarcasme in een nauwelijks onderdrukte woede.

'Zwart zonder suiker voor jou, hè? Hoe gaat het? Alles geregeld?'

Rick trok een grimas van ergernis en keek toen naar de grond, waar de accu van mijn auto stond en nog wat andere onderdelen die ik niet kon thuisbrengen. Er blonk een lichtje in Karens ogen.

'Toen je terugkwam, zei je dat je maar een paar minuten nodig had.'

'Weet ik,' zei Rick nors.

'Dat was voor tienen.' Ze keek ostentatief op het horloge om haar pols. 'En je bent nou al bijna drie kwartier bezig.'

'Ook dat weet ik.'

'Nina moet haar vliegtuig halen.' Ze wierp me een geamuseerde glimlach toe, alsof ze wilde zeggen: mánnen! Ik keek weg en voelde me schuldig.

'Wéét ik.'

'Niks aan de hand,' zei ik. 'Ik heb mijn spullen en die van Jackson al zo'n beetje ingepakt, en Charlie heeft beloofd dat ze klaar zou zijn tegen de tijd dat ik terug ben.'

Ricks hoofd verdween weer onder de motorkap. Er klonken een paar harde klappen en een onderdrukte verwensing. Ik vond de situatie eigenlijk wel grappig, maar het was zo overduidelijk dat hij er op geen enkele manier de humor van kon inzien dat ik op mijn lip beet om te voorkomen dat er op mijn gezicht ook maar een zweem van een glimlach te zien zou zijn. Ik trok mijn handschoenen uit om mijn koffie te pakken en vouwde mijn beide handen eromheen. Ik was blij met de warme koffie en liet de stoom langs mijn gezicht omhoog kringelen.

'Kerstmis in de zon in plaats van deze eindeloze grijze, koude motregen,' zei Karen, en overdreven rillend trok ze haar jas nog wat strakker om zich heen. 'Hoe laat gaat je vliegtuig?'

'Iets voor zessen pas. Op weg naar Heathrow pik ik Christian op.'

Ik had het achteloos gezegd, maar even voelde ik een nerveuze prikkeling van geluk in mijn borst. Christian en ik kenden elkaar al bijna achttien jaar, maar waren pas sinds een paar maanden minnaars, en nu zouden we allemaal samen, met ons vieren, naar de Keys in Florida gaan. Toch weer een heel gezin, hoewel ik had gedacht dat dat voor mij voorgoed tot het verleden behoorde. We zouden tripjes ondernemen, plannen maken, allerlei dingen samen beleven, zodat we elkaar daar later steeds opnieuw verhalen over konden vertellen. Ja, we zouden zelfs samen ontbijten. Alleen Charlie deed niet aan ontbijten; het leek wel eens of een geroosterde boterham voor haar iets immoreels was. Ik hoopte dat ze zich zou gedragen.

'Ze zouden Kerstmis eigenlijk moeten afschaffen,' zei Karen. 'Eamonn heeft er een soort ideologisch bezwaar tegen en probeert ons altijd over te halen in plaats daarvan de zonnewende te vieren. Om middernacht als heksen om een vreugdevuur staan, je weet wel. Rick wil altijd ganzenborden of het woordenboekspel spelen of *Wie is de moordenaar?*, al kan dat laatste niet met z'n drieën, en ik…' Ze keek me aan en trok haar wenkbrauwen op. 'Ik drink altijd te veel en laat de kalkoen aanbranden.'

Rick liep naar het portier aan de bestuurderskant, boog zich voorover en draaide het contactsleuteltje om.

'Juist, ja,' zei hij beslist. De motor had even gesputterd en was er toen mee opgehouden.

'Je hóópt dat je Christian gaat oppikken,' zei Karen bijna blij.

Rick trok een potsierlijk gezicht, dat verwarring, bezorgdheid en hopeloosheid uitdrukte. Dit was zijn taak in het leven. Mensen helpen, dingen repareren, zich niet van zijn stuk laten brengen, charmant zijn en van alles verstand hebben. De mensen zochten hem op als er wat was, zoals ook vanmorgen.

'Nou ja, die rammel is er in elk geval uit,' zei Karen vrolijk, en ze snoof even diep.

'Hoezo?' zei Rick. Hij keek haar aan, maar ze deed alsof ze dat niet zag.

'Als de motor niet kan starten, rammelt hij ook niet.'

Hij kreeg een eng rood hoofd. Hij keek op zijn horloge, en ik wierp er heimelijk ook een blik op.

'Zullen we gewoon de garage bellen?' opperde ik. 'Of de wegenwacht? Ik ben lid.'

'Nou,' zei Rick, 'misschien is het alleen de…'

'Doe niet zo belachelijk,' zei Karen. 'Je hebt verder toch geen afspraken vandaag? Je zou alleen een beetje aan je boot gaan werken. God mag weten waarom je op een dag als vandaag aan je boot zou gaan werken. Het is bovendien je eerste vakantiedag. Je kunt toch niet Nina's auto uit elkaar halen en het daar maar bij laten? Ze moet naar het…'

'Dat wéét ik! Hoe oud is deze auto trouwens?' Rick keek naar de roestige oude Rover alsof het een lastige leerling van hem was.

'Een jaar of tien,' zei ik. 'Hij was al behoorlijk oud toen ik hem kreeg.'

Rick bromde iets, alsof het de auto z'n schuld was.

'Kun je niet gewoon in omgekeerde volgorde te werk gaan?'

vroeg Karen. 'Dan krijg je hem in elk geval weer in de staat waarin hij was toen Nina hem hiernaartoe reed.'

'Waar denk je dat ik mee bezig ben?' vroeg hij, en het was duidelijk dat het hem moeite kostte kalm te blijven.

'Maak je maar geen zorgen hoor, Nina,' zei Karen geruststellend.

'Ik maak me geen zorgen,' zei ik, en dat was waar. Ik bedacht dat we, al moesten we helemaal per taxi naar Heathrow, over een paar uur in de lucht zouden hangen, ver van de kleumerige, ijzige Engelse winter. Ik stelde me voor hoe ik naast Christian zou zitten, hoe ik uit het raampje zou kijken totdat ik van Londen langzamerhand weinig meer zag dan een ingewikkeld raster van oranje en witte lichtjes. Ik hief mijn hoofd op en keek langs het huis van Rick en Karen in de verte, naar wat daar te zien was.

Negenendertig jaar had ik in een stad gewoond waar ik soms dagenlang niet één keer de horizon zag. Hier op Sandling was het een en al horizon, het vlakke land, de slikken, de kilometers brede moerassen, de kwelders, de grijze, rimpelige zee. Het was nu midden op de ochtend, en van waar ik stond – met mijn gezicht naar het vasteland – zag ik alleen het glinsterende wad met zijn stroompjes weglekkend water, waarin waadvogels hun tere poten hoog optilden en klaaglijke kreten slaakten, alsof ze iets verloren waren. Het was eb. Bootjes die aan tot niets dienende boeien waren vastgemaakt, doken op en neer en toonden hun afgebladderde, bemodderde romp, de vlaggenlijnen klapperden en resoneerden in de wind. Vanuit mijn huis, iets verderop naar het zuidoosten, kon ik de zee zien. Als ik soms 's ochtends na het wakker worden over de uitgestrekte, grijze, voortdurend wisselende vlakte uitkeek, vroeg ik me nog steeds wel eens even af waar ik was en hoe ik hier ooit terecht was gekomen.

Rory had hiernaartoe gewild, al die jaren dat we getrouwd waren had hij ervan gedroomd weg te gaan uit Londen, zijn baan als advocaat op te geven en in plaats daarvan een restaurant te beginnen. Aanvankelijk was het niet meer geweest dan een dagdroom, een 'als-dat-eens-zou-kunnen' dat ik niet werkelijk met hem deelde, maar beetje bij beetje had het idee vastere vorm aangenomen, zelfs zodanig dat het op het laatst een obsessie was geworden, en uiteindelijk had hij op Sandling een pand gevonden en zijn onwillige gezin meegesleept om een nieuw leven te beginnen. Het was maar honderd kilometer van Londen, maar omdat het eiland was omgeven door de getijdenstroom in de delta en uitkeek op open zee, kreeg je er het gevoel dat je in een andere wereld was, een wereld beheerst door het weer en de jaargetijden, met overal open, eenzame ruimten, vreemde kreten van zeevogels en altijd het blazen van de wind. Als de weg over de dam die de verbinding met het vasteland vormde onderliep, wat regelmatig gebeurde, was het eiland zelfs helemaal geïsoleerd. Vanuit mijn slaapkamer kon ik het water op het kiezelstrand horen klotsen en de misthoorns op zee horen loeien. Soms, als het eiland omgeven was door een duistere hemel en het wisselende getij, kon ik het gevoel van eenzaamheid dat me overspoelde maar nauwelijks verdragen.

Toch was ik min of meer verliefd geworden op Sandling, terwijl Rory er gek van was geworden. In de droom van het eenvoudige restaurant, opgesierd met kreeftenfuiken, visnetten en etsen van kotters was ergens iets misgegaan. Er was ruzie geweest met een leverancier van ovens, de benodigde financiering was maar niet losgekomen, en het restaurant had uiteindelijk nooit zijn deuren geopend. Toen hij merkte dat hij de gevangene was geworden van de fantasie die hij zo lang had gekoesterd, wist hij niet meer wat hij wilde of zelfs maar wie hij was. En ten slotte restte hem nog maar één uitweg: de benen nemen.

'Sorry.' Ik richtte mijn aandacht weer op Karen, die iets tegen me zei.

'Je bent vandaag jarig, hè?'

'Dat klopt.'

'En het is niet zomaar een verjaardag.'

'Nee,' zei ik onwillig. 'Veertig. Geen verjaardag waar je blij mee hoort te zijn. Hoe wist je dat?'

Ze haalde haar schouders op.

'Iedereen weet hier alles van iedereen. Toch gefeliciteerd.'

'Dank je.'

'Vind je het echt erg?'

'Weet ik niet. Een vriendin van me heeft eens gezegd...'

'Ik vond het wel erg,' zei ze. 'Toen ik in de spiegel keek, dacht ik: ja, nu ben je veertig. Er valt niet aan te ontsnappen. Veertig. Het pakt allemaal heel anders uit dan je had gedacht, vind je niet?'

'Ik geloof dat ik het heb,' zei Rick. 'Geef me even mijn koffie, wil je?'

Er zat een zwarte veeg smeerolie op zijn wang die hem eigenlijk wel goed stond, en zijn jasje was gescheurd. Ik keek hoe hij een grote slok van de al wat afgekoelde koffie nam en vervolgens de helft van zijn volkorenkoekje in zijn mond stak. Ik had in gedachten een lijstje gemaakt waar ik steeds dingen aan toevoegde: zwemspullen, duikbril en zonnebrandolie inpakken; kerstcadeautjes niet vergeten, waaronder de snorkel en de zwemvliezen die ik voor Christian had gekocht, die zeebioloog was en toch een heel eind van de kust woonde; dollars; boeken voor in het vliegtuig; kaartspellen. En dan moest ik ook nog denken aan hondenvoer, instructies voor Renata, kerstfooien voor de postbode, de melkboer, de vuilnismannen... Ik begon inmiddels koude tenen te krijgen, en mijn gezicht voelde strak aan in de koude wind.

'Ik wilde je nog vragen, Nina.' Rick kwam dichter bij me staan en sprak zachtjes. 'Hoe is het nu met Charlie? Gaat het al wat beter?'

'Ik dacht het wel,' zei ik behoedzaam. 'Maar je weet het soms niet. Bij Charlie weet ik het in elk geval niet. Ze vertelt niet veel, weet je.'

'Ze is een tiener,' zei Rick. 'En tieners horen niet veel te vertellen. Vooral niet aan hun ouders. Denk maar eens aan Eamonn, godbetert.'

'Waar gaat het over?' vroeg Karen met een geïnteresseerde blik terwijl ze dichterbij kwam.

'Charlie heeft een moeilijke tijd gehad op school,' zei ik. Ik wilde er eigenlijk niet over praten, omdat het Charlies verhaal was, niet het mijne. Ik wilde er niet luchthartig over praten of er iets banaals van maken. Ik zag Charlies bleke, uitdagende gezicht voor me, dat terughoudende wat het uitstraalde, omkranst door het uitbundige rossige haar. 'Rick heeft het ontdekt. Hij heeft met de meisjes gepraat die haar pestten en met hun ouders. En met mij. Hij heeft echt zijn best gedaan. Hij heeft gedaan wat hij kon.'

'Meisjes kunnen heel wreed zijn,' zei Karen heel meelevend.

'De afgelopen nacht hebben ze met een stel bij een van de meisjes gelogeerd, en zij was er ook bij,' zei ik. 'Misschien is dat een doorbraak. Ik heb haar nog niet gezien. Het zou een goede manier zijn om het jaar af te sluiten.'

'Ze zal het prima redden nu,' zei Rick. Hij zette zijn beker neer en pakte de moersleutel weer. 'Het is vreselijk om gepest te worden. Soms denk ik wel eens dat wij vergeten zijn hoe erg dat kan zijn, hoe ondermijnend. Vooral wij leraren, omdat we het als een natuurverschijnsel zijn gaan zien, denk je niet? Maar Charlie kan wel wat hebben, hoor. Ze is slim, heel zelfstandig in haar denken en ze heeft een brede blik. Ik vind het altijd een genoegen om haar in de klas te hebben. Je mag trots op haar zijn.'

Ik glimlachte dankbaar naar hem.

'Ze heeft wel veel piercings, hè?'

'In hemelsnaam, Karen, wat heeft dat er nou mee te maken?' Rick draaide een moer vast met zijn sleutel.

'Nou, ik dacht dat ze misschien de pik op haar hadden omdat ze er anders uitziet.'

'Anders? Heb je Amelia Ronson de laatste tijd gezien? Die heeft haar ene oog half dichtgenaaid, en over anders-zijn gesproken, kijk eens naar onze eigen zoon... O, als je het over de duivel hebt...'

In de deuropening was een barok uitziende figuur verschenen, gehuld in een flesgroene regenjas die bijna tot de grond reikte en waaronder een paar vieze blote voeten uitstaken. Eamonns gezicht was zo bleek dat het bijna een masker leek, maar dan een masker met op verschillende plaatsen ringen – door een wenkbrauw, door zijn neus en in zijn oren. Hij had de ogen van Rick, maar hij keek droevig. In zijn lange, matzwarte haar zaten plukken groen. Zijn vingernagels waren zwart geverfd en op zijn rechteronderarm had hij een krullerige tatoeage. Hij zag er altijd ongewassen en mismoedig uit, alsof hij een kater had en onder de verdovende middelen zat, maar als hij glimlachte had hij iets liefs en verlorens en leek hij jonger dan zeventien, zijn werkelijke leeftijd. Ik wist van Rick dat hij een probleemkind was, een echte gothic, die op het kleine eiland door iedereen met achterdocht werd bekeken of het mikpunt van hun spot was, een einzelgänger, een slimme knaap die het gevoel had dat hij nergens bij hoorde. Ik wist ook dat hij en zijn ouders, vooral Karen, nauwelijks een minuut bij elkaar konden zijn zonder ruzie te maken. Maar met hem had ik altijd goed kunnen opschieten. Tegen mij praatte hij graag over getallenraadseltjes die hij in boeken tegenkwam – ten slotte was ik vroeger accountant geweest en pretendeerde ik nu wiskundelerares te zijn – en over God (of het gemis van een god). Ook verkeerde hij graag in mijn gezelschap voor het geval Charlie ineens binnen zou komen lopen. Moeders hebben oog voor dit soort dingen.

Karen keek op haar horloge.

'Weet je wel hoe laat het is?' vroeg ze.

'Nee,' zei Eamonn.

'Het is al over halfelf.'

'Over tien minuten is het laagwater,' zei hij, alsof dit de meest logische reactie was. Hij vertrok zijn gezicht in een vertoon van walging. 'Overal om ons heen hangt een verpestende modderlucht.'

'Ik dacht dat je misschien al op was en de deur uit was gegaan.'

'Hoe weet je dat dat niet het geval was?'

'Nou, dat zou in de krant mogen,' zei Rick onder de motorkap.

'Hallo, Eamonn,' zei ik opgewekt, in een poging een nieuwe ruzie te voorkomen.

'Hartelijk gefeliciteerd.' Hij maakte een houterig buiginkje, waarbij zijn regenjas openviel. Ik zag dat hij er niets onder droeg.

'Blijkbaar weet echt iedereen het,' zei ik lachend. Teenslippers, dacht ik bij mezelf, denk aan de teenslippers en de acculader van de camera.

'Charlie vertelde het me,' zei hij.

'Heb je haar pas nog gezien?' vroeg ik, maar toen begon mijn mobiele telefoon in mijn zak een irritant deuntje te spelen, dat Jackson zonder dat ik het wist ingeprogrammeerd moest hebben. Ik liep weg van de auto. Degene die belde was al halverwege zijn eerste zin toen ik de telefoon tegen mijn oor drukte, en ik had een paar seconden nodig voordat de stroom geluiden de kans kreeg zich om te vormen tot een reeks herkenbare woorden. Het was alsof ik halverwege de uitzending in een radioprogramma viel.

'…en shit, als ik had geweten dat jij het soort moeder was dat mijn kinderen met Kerstmis van me weghoudt, en niet alleen ze van me weghoudt, maar er ook nog eens met een man die ze nauwelijks kent mee naar de andere kant van de wereld…'

'Rory, Rory, wacht nou eens even…'

Ik liep een paar passen verder de oprit af.

'Dat ik nou toevallig een paar keer in de fout ben gegaan, betekent nog niet dat ik geen recht meer heb om ze te zien, en ze groeien nu zo snel, die kindertjes van me, dat ze nou natuurlijk geen kindertjes meer zijn, en nu is het Kerstmis, en binnenkort zullen ze me helemaal niet meer als vader zien, daar ben je op uit, hè, maar je zei altijd…'

'Wat is er nou?' Ik vond het vreselijk om te merken dat mijn stem iets kalmerends en vriendelijks kreeg, alsof ik onzinwoordjes mompelde tegen een bang paard dat ik alleen het hoofdstel om wilde doen. Ik zag zijn gezicht voor me nu hij zo tekeerging, helemaal verwrongen van woede, met een schrikbarende overeenkomst met dat van Charlie als ze van streek was.

Ik wist dat hij tranen in zijn ogen had en dat hij had gedronken. 'Je weet al weken dat we weg zouden gaan. Je zei dat je het prima vond. We hebben het erover gehad.'

'Je had me in elk geval de gelegenheid kunnen geven ze nog een keer te zien voordat ze weggaan,' zei hij.

'Hoe bedoel je?'

'Even maar, om ze een goede kerst te wensen.'

'Dat kan nou niet,' zei ik. Ik hoorde het grind achter me knerpen, en toen ik me omdraaide, zag ik Karen met haar armen druk naar me gebaren, terwijl ze met haar mond onbegrijpelijke woorden vormde. Achter haar rug begon mijn auto te hoesten en te kuchen, waarna hij tot leven kwam. Ik stak mijn wijsvinger op ten teken dat ik nog een paar seconden nodig had. Ik voelde me een vreselijke hypocriet. Ik probeerde te doen alsof ik geen ruzie had met Rory en deed vertwijfelde pogingen om bij de nieuwsgierig meeluisterende Karen de indruk te wekken dat ik een normaal, beschaafd gesprek voerde. 'Over een uur ongeveer vertrekken we naar de luchthaven.'

'Ik bedoel theoretisch. Het gaat om het principe. Ken je dat woord? Principe? Het principe dat een vader het recht heeft zijn dochter te zien.'

'Je hebt ook een zoon,' zei ik. Ik ergerde me er altijd aan dat hij blind van liefde was voor Charlie en vaak nauwelijks oog had voor Jackson, die hem adoreerde.

'Dat een vader zijn kinderen mag zien. Daar heb ik het over.' Even leek het alsof hij geheel overmand was door zijn emoties.

'Je belt mobiel. Je zit toch niet achter het stuur, hè?' Dronken achter het stuur, had ik eigenlijk willen zeggen.

'Ik heb de brief van je advocaat gekregen.'

Ik was ineens op mijn hoede. Ik had mijn advocaat Sally, die ook een goede vriendin van me was, een brief laten schrijven naar zijn advocaat. Het was de eerste stap op de onaangename weg die ik te gaan had. In de brief werd hij gewaarschuwd dat als hij zich niet normaler ging gedragen tegenover Jackson en Charlie, ik gedwongen zou zijn hem door de rechter te laten verbieden contact met hen te zoeken. Ik had het initiatief genomen toen hij bij hun laatste bezoek dronken was geworden en Jackson tegen de grond had geslagen. De kinderen hadden me er niets van verteld totdat ik zag dat Jackson een blauwe plek op zijn schouder had en ik per se wilde weten hoe hij daaraan kwam.

'Je wilt ze gewoon van me weghouden.'

'Dat is niet zo,' zei ik met een gevoel van hopeloosheid. 'Het is Kerstmis en ik krijg ze niet te zien.'

'Ik moet nu weg. Ik bel je thuis wel.'

'Kap me nou niet af.'

'Dat doe ik niet. Ik zeg net dat ik je over een paar minuten terug zal bellen. Neem ondertussen een kop sterke koffie of zo, ik bel je zo terug.'

'Wat bedoel je daar nu mee?, "neem een kop sterke koffie"?'

'Dag, Rory.'

Ik drukte de telefoon uit. Ik knipperde met mijn ogen en hoopte maar dat het zou lijken alsof het door de wind kwam.

'O, jee,' zei Karen. 'Is het mis?'

'Nee, hij redt zich prima.' Ik voelde mijn medelijden overgaan in een neiging hem in bescherming te nemen tegen Karens schaamteloze nieuwsgierigheid.

'Kerstmis kan wel eens moeilijk zijn voor een vader die niet bij zijn gezin is, hè?'

'Tja.'

'En Rory was tenslotte altijd nogal…' Ze aarzelde, leek het juiste woord te zoeken. '…lichtgeraakt,' zei ze uiteindelijk tactloos. 'Net als Charlie,' voegde ze eraan toe. 'Heel anders dan jij en Jackson. Jij bent altijd zo goedgemanierd en zorgvuldig.'

Met een gevoel van opluchting keek ik naar mijn inmiddels aangenaam ronkende auto.

'Fantastisch, Rick. Heel erg bedankt.'

'Graag gedaan, hoor.'

'Nou kun je tenminste aan je boot gaan werken.' Ik ging op mijn tenen staan en gaf hem op zijn beide smoezelige, met smeerolie besmeurde wangen een kus.

'Nee, zover is het nog niet,' zei Karen. 'Ik heb hem nog voor iets anders nodig.'

Ik voelde dat ik ervandoor moest voordat er echt ernstige ruzie uitbrak.

'Ik ga Jackson ophalen en de rest inpakken. Dag, Karen.' Ik draaide me om en gaf haar ook een kus, die echter haar wang miste en op haar neus belandde. 'Bedankt voor de koffie. Hou je haaks, Eamonn.'

Ik stapte in de auto, trok het portier dicht en draaide het raampje omhoog.

'Prettige kerstdagen!' riep ik, terwijl ik achteruit de oprit afreed. Ik zwaaide en draaide de smalle landweg op. 'En de beste wensen vast voor het nieuwe jaar.'

Ik schakelde naar de eerste versnelling en reed weg. Eindelijk vrij. De auto rammelde nog steeds toen ik optrok.

Zodra ik was afgeslagen en uit het zicht was, zette ik de auto aan de kant. Ik haalde mijn mobiele telefoon uit mijn achterzak en belde Christian. De motor liep nog, en de verwarming blies warme lucht op mijn handen, maar mijn voeten bleven nog koud. Buiten zwiepten windvlagen de kale takken van de bomen heen en weer, takjes en lege blikjes werden over de weg voortgeblazen. Ik kreeg geen gehoor op zijn vaste telefoon en probeerde toen zijn mobiele, maar kreeg alleen zijn voicemail.

'Ik ben het maar,' sprak ik in, 'en ik weet eigenlijk niet waarom ik bel.'

Ik had Christian voor het eerst ontmoet in het derde jaar van mijn wiskundestudie. Hij was aan het promoveren als zeebioloog. Ik had toen al een relatie met Rory, bij wie ik elk weekend in Londen doorbracht. We waren ons aan het voorbereiden op een toekomst samen, en de universiteit hoorde voor mijn gevoel al tot het verleden. Ik was wel gesteld op Christian en zijn vriendenkring, maar omdat hij deel uitmaakte van een wereld waarvan ik afscheid aan het nemen was, herinnerde ik me hem niet zo goed. Ik had het wel geprobeerd, maar het was allemaal vaag, ik herinnerde me zijn gezicht maar half. We hadden destijds een paar keer wat met elkaar gedronken. Ik geloof dat ik één keer bij hem thuis ben geweest, waar ik toen samen met nog een heel stel andere mensen heb gegeten. Hij beweert dat we meer dan eens met elkaar hebben gedanst, en hij zweert dat hij een keer een arm om me heen heeft geslagen toen we in een café aan de rivier zaten. Een paar weken geleden heeft hij me een foto van zichzelf als student laten zien – smal gezicht, warrige bos donker haar, sigaret in de mond. Toen ik ernaar keek, voelde ik een verlangen in me opkomen naar de knaap die hij toen was, maar destijds was daar geen sprake van. We kenden elkaar maar oppervlakkig, en hoewel we hadden afgesproken dat we contact zouden houden, was dat uiteindelijk niet gebeurd. Een aantal jaren geleden had hij me een ansichtkaart gestuurd toen hij voor een congres in Mexico was, en toen had ik even tijd nodig gehad om te bedenken wie die 'Christian' ook weer was die met een zwaar aangezette krul zijn naam vermeldde onder een paar regels die ik nauwelijks kon ontcijferen. Twee jaar geleden had ik van een gemeenschappelijke kennis gehoord dat de relatie die hij had verbroken was, en toen heb ik overwogen om contact met hem op te nemen, maar dat heb ik niet gedaan. Ik had hem wel een verhuisbericht gestuurd toen we naar Sandling verhuisden, maar ik twijfelde eraan of hij die wel had ontvangen, want ik wist niet eens of zijn adres nog klopte.

Zes maanden geleden had hij me ineens zomaar opgebeld om te zeggen dat hij naar East Anglia zou komen voor een congres en te vragen of we dan misschien weer iets konden afspreken. Ik heb toen nog bijna een smoes verzonnen. Rory was in een chaos van tranen, onbetaalde rekeningen en uiteengespatte dromen vertrokken, en ik was eenzaam, verward, geïsoleerd en verdrietig. Ik had toen al een uitzichtloze, kortstondige affaire achter de rug, en ik wist dat dat geen oplossing bood. In elk geval niet voor mijn eenzaamheid, en zeker niet voor mijn verdriet. Eigenlijk wilde ik niets anders dan bij mijn kinderen zijn en op de momenten dat zij er niet waren aan het huis werken en iets doen aan mijn tuintje, dat vol brandnetels stond. Ik wilde een veilige haven voor ons drieën scheppen, waar het rook naar pas geverfd hout en appeltaart, en ik voelde er eigenlijk niets voor om moeite te moeten doen voor een man die ik vroeger had gekend maar van wie ik me nu nog maar weinig herinnerde.

Uiteindelijk ben ik alleen maar ingegaan op zijn voorstel om met elkaar af te spreken omdat ik niet snel genoeg een reden kon bedenken om het niet te doen. Dat heb ik hem aan het einde van onze eerste afspraak ook eerlijk gezegd, want zelfs toen – na tweeënhalf uur – wilde ik open kaart met hem spelen. Ik voelde dat ik hem kon vertrouwen. Hij leek er niet op uit te zijn om indruk op me te maken of om zich anders voor te doen dan hij was. Zou hij vroeger ook zo geweest zijn, vroeg ik me af – en waarom was me dat dan toen niet opgevallen?

Hij was nog steeds slank en had nog steeds iets jongensachtigs, maar zijn warrige haar was nu korter en doorschoten met grijze haren, en hij had kraaienpootjes om zijn ogen en groeven langs zijn mond. Ik keek hem aan en probeerde in het gezicht van de veertiger die hij nu was het gladde, enthousiaste gelaat van toen terug te vinden, en ik voelde dat hij bij mij hetzelfde deed. De schimmen van het verleden speelden mee. We maakten bij laagwater een wandeling langs de zeewering, en terwijl het prachtige licht van de vroege avond in mei langzaam wegviel en het begon te schemeren, praatten we met elkaar en zwegen we soms ook. Hij noemde me de namen van de vogels die over het kolkende water gleden. Ik vond dat ik die als eilandbewoner eigenlijk zelf had moeten weten, en daar maakten we al flirtend grappen over. Hij was met me mee naar huis gegaan, waar we een glas wijn dronken. Hij had een computerspelletje gespeeld met Jackson (dat hij verloor), en bij de kennismaking met Charlie, die de kamer binnen was komen stormen met modder aan haar schoenen en een dreigende blik in haar ogen, was hij aardig tegen haar geweest, zonder vleierig of overdreven kameraadschappelijk te doen. Vrijwel meteen nadat hij de deur uit was, belde hij op. Hij vertelde dat hij over de dam reed en dat het water bijna over de weg stroomde en hij vroeg of ik hem de volgende dag te eten wilde uitnodigen. Hij zou dan het toetje en de wijn meenemen, en hij vroeg wat de kinderen lekker vonden.

Ik zette de auto weer in beweging, sloeg af en reed verder landinwaarts in de richting van het dorpscentrum, langs de winkels en de kerk, de garage, het bejaardenhuis, het tuincentrum, langs het pand dat Rory's visrestaurant had zullen worden en waar nu boven ramen waarachter niets te zien was een bordje 'Te huur' heen en weer waaide in de wind. Ik voelde al een afstand tegenover dit alles, alsof ik nu al tien kilometer hoog in de lucht zat en er gelukkig niets meer mee te maken had. Vermengd met mijn afstandelijkheid had ik een miniem schuldgevoel. Ik had Jackson vlak na het ontbijt afgezet bij Ryan, zijn beste vriend, en had beloofd hem gauw te zullen ophalen. Gauw is een rekbaar begrip, maar ik had Bonnie, Ryans moeder, horen zeggen dat ze kerstinkopen wilde gaan doen, en de dag was al een aardig eind gevorderd. Binnen enkele minuten was ik bij Ryans huis – praktisch alles op het eiland lag op een paar minuten rijden van elke andere plek. Ik belde aan en werd binnengelaten. Ik verontschuldigde me uitvoerig.

'Het spijt me vreselijk,' zei ik tegen Bonnie. 'Je zou boodschappen gaan doen. Ik heb je hele dag in de war gestuurd.'

'Geeft niks,' zei Bonnie met een glimlach.

Maar daarmee maakte ze het nog erger. Hoewel we inmiddels al bijna twee jaar op het eiland woonden en ik nog steeds mijn draai niet had gevonden, had ik wel bedacht dat Bonnie een van de mensen was met wie ik bevriend wilde raken. Ze verkeerde in dezelfde positie als ik – ook zij stond in haar eentje voor de taak een nog jonge zoon op te voeden – en ze deed alles opgewekt en zonder klagen. Ze had kort haar en een bleek gezicht met rode wangen, en ik had het gevoel dat er niet veel voor nodig was om van haar een circusclown te maken.

'Je zei toch iets over kerstinkopen doen?'

'Ja, dat klopt. Ik heb een stelregel, of misschien is het eerder een uitdaging: alle kerstinkopen moeten op één dag gedaan worden. En die dag is vandaag.'

'Nou, in dit geval dan maar een halve dag,' zei ik bezorgd.

'Driekwart dag. Het is nog niet eens elf uur. Tijd zat. Ryan en ik gaan naar de stad en over een uur of zes zul je ons beladen als pakpaarden zien terugkomen.'

'Nou, dan wens ik je nu maar vast prettige kerstdagen,' zei ik. 'En een gelukkig nieuwjaar en zo.'

'Ja, dat is waar ook,' zei Bonnie. 'Jullie stappen zo meteen in het vliegtuig. Dat is dé manier om veertig te worden. Jammer dat ik niet bij je…'

Ze zweeg ineens.

'Niet bij wat?' vroeg ik.

'Ik bedoel, dat we je tijdens de feestdagen niet zullen zien. Maar laten we dat in het nieuwe jaar maar eens goed inhalen.'

Ik zei dat me dat een goed plan leek. Toen ging ik op zoek naar Jackson en ik liep naar de plaats waar ik hem had achtergelaten, voor de computer waarop hij een spelletje aan het spelen was met Ryan, die alleen wat bromde en nauwelijks opkeek toen wij Bonnie prettige feestdagen wensten en de deur uit gingen. Toen we in de auto zaten, haalde Jackson een miniatuurcomputerspelletje uit zijn zak en begon te spelen. Ik keek even naar zijn ernstige gezicht. Hij was in diepe concentratie, het puntje van zijn tong stak uit zijn mond, hij had zijn wenkbrauwen zo ver opgetrokken dat ze zijn zwarte kuif raakten en hij deed zelfs geen poging een gesprek te beginnen. Ik liep in gedachten mijn lijstje nog eens na: paspoorten, tickets en creditcards. Als ik dat alles in mijn zak had en in het gezelschap van twee kinderen en één nieuwe vriend de luchthaven zou weten te bereiken, deed de rest er eigenlijk niet zoveel toe.

Ik nam de pittoreske route naar huis. In plaats van kriskras door de zijstraten te rijden, reed ik de dorpsstraat door, die men met veel fantasie The Street had genoemd, waarna ik linksaf sloeg en doorreed tot aan het strand. Daar ging ik linksaf en passeerde het lege caravanpark en vervolgens de dichtgetimmerde strandhuisjes en het terrein van de scheepswerf, dat nu vol lag met bootjes die voor de winter op de wal lagen.

Ons huis stond in een bont geschakeerde rij woningen pal tegenover de botenhuizen, reparatiebedrijven en steigers. Ze dateerden uit een tijd waarin de mensen klaarblijkelijk niet veel waarde hechtten aan een uitzicht over zee, omdat dat niet opwoog tegen nadelen als een ijskoude wind en incidentele overstromingen. De grote vooroorlogse huizen, de herenhuizen en de pastorieën stonden allemaal meer landinwaarts, waar het beschut was. De huizen langs The Saltings waren allemaal verschillend en nogal eigenaardig. Ze stonden schots en scheef door elkaar alsof ze allemaal op een net iets te klein stukje grond moesten passen. Het onze was waarschijnlijk het raarste. Het was gemaakt van dakspanen en het zag er nog het meest uit als een rechthoekige houten boot die aan land was gesjord, omgedraaid en op weinig overtuigende wijze als huis was vermomd door er een dak van grijze leien op te zetten. Het was moeilijk te verkopen geweest omdat het maar een klein achtertuintje had en nauwelijks een voortuin, en omdat het vochtig was en de kamers pietepeuterig waren, maar Rory en ik waren er meteen op gevallen. Vanuit onze slaapkamer konden we de slikken en de zee zien, en daarachter niets anders dan weidse luchten.

Toen Jackson en ik naar de voordeur liepen, hoorden we binnen een druk gekrabbel, gejank en gekreun.

'Hou daarmee op, Sludge,' riep ik, terwijl ik met de sleutel aan het slot stond te morrelen. Toen de deur openging, vloog er een zwarte verschijning op ons af.

De periode tussen onze komst naar het eiland en Rory's vertrek werd gekenschetst door een rampzalige hoeveelheid rekeningen en half afgemaakte bouwactiviteiten, waarna er nog meer rekeningen waren gekomen. Vrijwel de enige bijdrage van Rory aan het huishouden in die vreselijke tijd had eruit bestaan dat hij had toegegeven aan het al jaren durende, niet-aflatende gezeur van Charlie en Jackson om een hond. In een wirwar van gebeurtenissen die elkaar zo snel opvolgden dat ze vrijwel tegelijkertijd schenen plaats te vinden kocht hij een labrador die eruitzag als een enigszins overmaatse mol, doopte haar Sludge, liet haar bij mij achter en vertrok. Toen Rory bij me wegging kon ik dat niet geloven. Ik kon er letterlijk met mijn verstand niet bij dat hij ergens anders was dan bij mij – dat wil zeggen, na de daaraan voorafgaande paar weken kon ik het me wel een klein beetje voorstellen. Toch kon ik er niet bij dat hij niet bij de kinderen was.

Algauw werd maar al te duidelijk dat Sludge nooit meer bij ons weg zou gaan. Iedere keer als we de deur uitgingen om boodschappen te doen, leek ze een acute aanval van verlatingsangst te krijgen. Nu we het huis binnengingen en haar emotionele verwelkoming ondergingen, vroeg Jackson voor de honderdste keer waarom we haar niet mee op vakantie konden nemen. Omdat ze een hond is, zei ik. Hij zei dat we dan een hondenpaspoort voor haar moesten halen. Ik zei dat een hondenpaspoort veel tijd en geld kostte en dat ik niet eens zeker wist of dat wel geldig was voor de Verenigde Staten, waarop zijn reactie was: 'Nou, én?' En daar had ik niet van terug.

Charlie en ik hadden de vorige avond over de telefoon een felle discussie gehad. Ik had gezegd dat ik niet wist of het wel zo'n goed idee was dat ze de nacht voordat we op vakantie gingen niet thuis zou slapen. Ze was ineens fel tegen me uitgevallen, zoals ik dat van haar zo goed kende en had me gevraagd waarom. Ik zei dat ze nog veel te doen had, maar zij vond dat ze dat best kon doen als ze weer thuis was. Het dreigde geen ogenblik uit te draaien op echte ruzie, omdat het voor mij een opluchting was (en omdat zij wist dat het voor mij een opluchting was) dat haar vijanden nu haar vriendinnen zouden worden, althans misschien. Ik reageerde dus niet sarcastisch, ik lachte haar niet uit en ik trok er zelfs geen gezicht bij. Wel zei ik dat ze ook haar krantenwijk nog moest doen, maar ze zei dat ze die onderweg naar huis wel deed, en dat ze daarna alle andere dingen zou doen. Ze had tijd zat. En daar had ze gelijk in. Ze had tijd zat.

Ik had Sludge die ochtend geen eten gegeven omdat Jackson

en Charlie dat graag doen; ze is dan altijd overdreven dankbaar. En Sludge had gedaan wat ze altijd doet als ze geen eten heeft gehad. Ze had iets anders gevonden om op te eten, of als dat niet lukte tenminste iets waar ze op kon kauwen. In dit geval was dat een pak havermout. De havermout lag door de hele huiskamer verspreid, en ook talloze stukjes van de doos. Ik zuchtte diep. Dit was de eerste dag van de vakantie. En op de eerste dag van de vakantie liet ik me door niets of niemand van mijn stuk brengen. Ze had tenminste niet de post opgegeten die tijdens mijn afwezigheid door de brievenbus was gegooid – meer dan normaal, en voornamelijk verjaardagskaarten, zo te zien.

Ik legde de post opzij met de bedoeling die later open te maken. Ik raapte de stukken van de doos op, pakte de stofzuiger uit de kast, en na een paar minuten zag de kamer er weer uit alsof er niets was gebeurd. Jackson gaf Sludge te eten, hoewel dat eigenlijk niet eens nodig was nu ze haar buik vol havermout en karton had.

Ik werd evenmin boos toen ik de keuken in ging en zag dat de kleren nog in de wasmachine zaten. Als Charlie Sludge niet te eten had gegeven, was ook niet echt te verwachten dat ze wel de was zou hebben opgehangen. Dat betekende natuurlijk dat de kleren die we voor onze vakantie nodig hadden in de droger gestopt moesten worden, maar dat was niet zo'n groot probleem. Ik gooide ze erin en zette de tijdklok op veertig minuten. Dat moest voldoende zijn.

En vanzelfsprekend was het ook bijna onvermijdelijk, ongeveer net zo zeker als twee plus twee vier is, dat als Charlie Sludge geen eten had gegeven en de was niet had opgehangen, ze ook haar kamer niet had opgeruimd en haar spullen niet ingepakt had. Ik ging naar boven en wierp een zeer terloopse blik in haar kamer. Ik wist dat het bed die nacht niet beslapen was, maar het zag eruit alsof het dat wel was en alsof er vervolgens iemand op had staan springen. Op de vloer lagen kleren op dezelfde plaats als waar ze uitgetrokken waren. Er lag een riem, een lege vioolkist, een vloerkleed van namaaktijgervel, potloden, een gebarsten liniaal, een schaar, een paar teenslippers, cd's zonder het doosje waar ze in hoorden, cd-doosjes zonder de cd die erin hoorde, een boodschappennet, een paar tienerbladen, een opengeslagen boek, een pyjamajasje, een grote, opgezette, groene hagedis, een paar stapeltjes vuile kleren, een kapotte föhn, losse make-upspullen, een paar niet bij elkaar passende schoenen en drie badlakens. Charlie leek er de voorkeur aan te geven om elke keer als ze in bad of onder de douche was geweest een schone handdoek te pakken, maar dan zonder dat ze de reeds gebruikte handdoek in de wasmand deponeerde.

Haar computer stond op haar bureau, met daarnaast een pennenetui met een Schotse ruit, een paar opschrijfboekjes, een deodorant met een roze dop, een fles Clearasil, een schoenendoos, een wollige speelgoedkoe, een aantal stapels schoolboeken en -schriften, en nog heel veel meer.

Zelfs nu ik alleen even door een kier van de deur haar kamer inkeek, had ik het gevoel dat ik in overtreding was. Sinds ze deze eigen kamer had, was die voor haar zeer beslist privéterrein. Ik maakte hem niet schoon. Zij trouwens ook niet, hoewel we daar wel afspraken over hadden gemaakt. Ze mocht van mij in haar kamer doen wat ze wilde en hem inrichten zoals ze wilde, zolang ze elders in huis haar rommel wel opruimde. Zij was haar aandeel in de overeenkomst niet werkelijk nagekomen, maar ik het mijne wel. Dat vond ik natuurlijk wel vervelend. Vroeger was ze naar mij toe altijd open geweest, griezelig open zelfs, over al haar angsten, zorgen en problemen, soms zelfs zo dat ik me bezwaard voelde dat ze me zoveel toevertrouwde. Dat was veranderd, en dat kon ook niet anders, omdat ze zelf was veranderd en zich had ontwikkeld. Het was niet zo dat ik dacht dat ze belangrijke dingen geheimhield voor me. Ik begreep dat ze het nodig had af en toe de deur op slot te kunnen doen en een ruimte te hebben die van haar alleen was. Soms voelde ik me buitengesloten, maar ik kon dat niet los zien van alle emoties die bij me opkwamen nu ik zag hoe mijn enige dochter een vrouw aan het worden was, iemand die los van mijzelf stond, iemand met een eigen leven.

Ik ruimde dus niets op. Ik pakte geen spullen voor haar in. Ik keek op mijn horloge. Maar het zat niet om mijn pols. Waar was het? Op de rand van het bad laten liggen? Op de vloer naast mijn bed? In een zak van een ander kledingstuk? Bij de gootsteen? Maar op dat moment kwam er een schaap tevoorschijn uit Charlies belachelijke schaapsklok en blaatte de juiste tijd. Elf uur. Ik hoefde me niet te haasten. Ik deed de deur dicht, maar raapte wel eerst haar teenslippers op met de bedoeling die in mijn koffer te stoppen, omdat zij ze waarschijnlijk zou vergeten, zodat het er uiteindelijk op zou uitdraaien dat ik nieuwe voor haar moest kopen.

Ik nam ze mee naar mijn slaapkamer en legde ze in mijn koffer, die nu bijna vol was. Toen ik de trap afging, kon ik maar net een botsing voorkomen met een naar boven komende merkwaardige figuur, half jongen, half robot. Het was Jackson, die door de videocamera keek die Rory een jaar geleden voor ons had gekocht en die ik zelfs nog nooit uit de verpakking had gehaald. Ik was van plan hem mee te nemen naar Florida en had hem al ingepakt, maar Jackson had een fijne neus voor elektronische apparaten, zoals Charlie een fijne neus had voor chocola.

'Wat ben je aan het doen?' vroeg ik.

'Aan het filmen,' zei hij. 'Fantastisch!'

'Ik had hem ingepakt voor de vakantie,' zei ik. 'Het heeft toch geen zin om ons huis te filmen; we weten wel hoe dat eruitziet.'

'Wat geeft dat nou?' zei Jackson.

'Ja, dat geeft wel. Ik had hem speciaal opgeladen.'

'Dan laad ik hem wel weer op,' zei hij, terwijl hij doorliep en mij met open mond op de trap achterliet. Vakantiefilms zijn al erg genoeg zonder dat je daarvóór nog verplicht bent om tien minuten lang te kijken naar schokkerige opnamen van het interieur van je eigen huis. Maar ik wist dat als Jackson eenmaal iets technisch in handen had, je van goeden huize moest komen, wilde je hem dat kunnen afnemen. Ik had trouwens andere dingen aan mijn hoofd. Het was elf uur. Charlie had het verdiend om na een moeilijk en vermoeiend trimester op school eens lekker te kunnen uitslapen, maar ze moest haar krantenwijk doen, haar koffer pakken en zich klaarmaken voor de vakantie. Ik pakte de telefoon van het lage tafeltje onder aan de trap en toetste het nummer in van haar mobiele telefoon. Ik kreeg onmiddellijk haar voicemail te horen, maar dat wilde niet veel zeggen. Zoals ik het afgelopen jaar tot mijn spijt had ondervonden, waren er op het eiland verscheidene gebieden waar je geen signaal ontving op je mobiele telefoon. Charlie kon dus haar toestel uit hebben gezet of op haar kamer in een la hebben laten liggen, maar het kon ook zijn dat ze al aan haar krantenwijk was begonnen. Ik nam me voor om het een paar minuten later nog eens te proberen.

Nu ik zo in de huiskamer stond, was ik even van mijn à propos. Ik moest een stuk of acht dingen doen, en er leken geen dwingende redenen te zijn om een daarvan voorrang te geven boven de andere.

Het was mijn verjaardag, mijn veertigste verjaardag. Ik dacht ineens weer aan de stapel ongeopende post en besloot die door te nemen voordat ik iets anders ging doen. Ik zou een kop koffie drinken en de kaarten en intrigerende pakjes bekijken die op de keukentafel lagen. Ik zette de waterkoker aan, maalde koffie en pakte de wit porseleinen kop en schotel die Rory me vandaag precies een jaar geleden had gegeven. Ik herinnerde me nog dat ik het pakje openmaakte en hij aan deze zelfde tafel naar me zat te kijken. Een jaar geleden, toen ik negenendertig werd, was ik nog getrouwd en waren we samen aan een nieuw avontuur begonnen. Dankzij het voordeel te weten wat ik nu weet, kan ik achteraf wel meedogenloos scherp de omineuze voortekenen onderscheiden die er toen al waren. Als ik die toen had gezien, zou ik ons huwelijk misschien hebben kunnen redden. Ik herinner me de dag heel goed. Rory had me deze prachtige kop en schotel gegeven, en ook nog een hemd dat een paar maten te groot was, en later op de dag hadden we in de regen nog een lange wandeling over het eiland gemaakt.

Nu was ik veertig en weer alleen, en de rokende puinhopen van mijn huwelijk lagen achter me. Maar door Christian voelde ik me jonger dan ik me in jaren had gevoeld, en ook aantrekkelijker, energieker en optimistischer over de toekomst. Dat is het effect van verliefd worden.

Toen het water kookte, goot ik het uit over de gemalen bonen, waarna ik de eerste kaart opende, die afkomstig was van mijn oude schoolvriendin Cora. Ik had haar in geen jaren gezien, maar op onze verjaardagen dachten we nog altijd aan elkaar, en zo hielden we nog een laatste restje vriendschap in stand.

Er waren een stuk of tien kaarten en drie cadeautjes: een paar oorbellen, een boek met spotprenten over ouder worden en een cd van een sensueel kijkende zangeres van wie ik nog nooit had gehoord. Het scheelde niet veel of ik had geen aandacht besteed aan de in keurige hoofdletters geadresseerde grote bruine envelop onder op de stapel, omdat ik ervan uitging dat daar een reclamefolder in zat. Toen ik mijn vinger onder de gegomde flap door had gehaald, zag ik dat er een glanzend stuk papier in zat, en dat haalde ik er voorzichtig uit. Het was een foto op A4-formaat van Jackson en Charlie, met in het wit aan de bovenkant in het flamboyante handschrift van Charlie: 'Hartelijk gefeliciteerd met je 40ste verjaardag', en daaronder allebei hun handtekeningen.

Ik glimlachte om de gezichten die mij toelachten. Jackson stond er nogal statig en houterig bij, zijn donkere haar was keurig gekamd en over zijn voorhoofd hing een haarlok, hij had een aarzelende glimlach op zijn gezicht en keek met zijn bruine ogen recht in de lens. Naast hem stond Charlie, haar koperkleurige haar was een weelderige wirwar, om haar brede mond speelde een glimlach, wat in een van haar wangen een kuiltje veroorzaakte, en haar blauwgroene ogen lichtten op in het bleke, sproetige gelaat.

'Jackson!' riep ik naar boven. 'Dit is fantastisch!'

'Wat?' klonk zijn stem.

'Die foto. Die met de post kwam.'

'Dat was Charlies idee. Ze zei dat het spannender was om per post dingen te krijgen.'

'Hij is echt mooi,' zei ik, terwijl ik de afbeelding met de twee paar heldere ogen nog eens bekeek. 'Wie heeft 'm genomen?'

Hij stak zijn hoofd om de keukendeur en keek ernaar.

'Wat?'

'Wie heeft die foto voor jullie genomen?'

'O, weet ik niet. Een of andere vriendin van Charlie, toen jij er een keer niet was.'

'Afgelopen zondag?'

'Ja. Ik weet alleen haar naam niet meer.'

'Nou, bedankt. Ik zal er zuinig op zijn.'

Hij liep weer weg, alsof hij het niet had gehoord.

Later zou ik hem inlijsten, maar voorlopig hing ik hem met een magneet aan de deur van de koelkast. En wat ging ik nu doen? Wat zou ik als eerste gaan doen van alles wat er gedaan moest worden? Ik wierp een denkbeeldige achtzijdige munt op. Eerst zette ik de tas met de snorkel, de zwemvliezen en al ons badgoed achter in de auto, dan stond die tenminste niet meer in de weg. Ik stopte de dollars die ik vorige week bij de bank had besteld in mijn portefeuille. Ik schreef een briefje voor de melkboer dat hij de eerstkomende twee weken geen melk hoefde neer te zetten, rolde het op en stak het in de hals van een lege fles, die ik vervolgens buiten bij de voordeur neerzette. Ik deed de afwas die in de gootsteen stond, droogde af en ruimde op, waarna ik de keukenvloer grondig schoonveegde – Renata moest een opgeruimd huis aantreffen, vond ik. Ik trok de lakens van al onze bedden af en gooide die in de keuken op de grond, om ze later in de was te doen. Toen de klok op het fornuis dertien over elf aanwees, belde ik Charlie nog een keer en kreeg nogmaals haar voicemail.

Ik besloot snel even mijn haar te wassen voordat Charlie thuis zou komen en de badkamer in bezit zou nemen – ik ken niemand anders die voor één enkele douchebeurt de hele inhoud van de boiler nodig heeft. Ik was halverwege het uitwassen van de crèmespoeling toen er aangebeld werd. Ik kreunde, omdat ik ervan uitging dat het de visverkoper zou zijn die elke zaterdagochtend met zijn bestelauto langskwam. Ik ergerde me daar vooral zo aan omdat er drie minuten lopen verderop aan de zeeweg een viswinkel zat waar de vis verser en goedkoper was en je bovendien meer keus had. Maar af en toe streek ik toch weer met mijn hand over mijn hart, wat kennelijk voldoende bemoediging voor hem was om langs te blijven komen.

Er werd nog een keer aangebeld, harder deze keer, en ik dacht: het is Charlie, die haar sleutels weer eens kwijt is. Ik stapte onder de douche vandaan, trok de sjofele grijze badjas aan die Rory had laten hangen toen hij vertrok en rende naar beneden, terwijl ik ondertussen mijn haar droogwreef. Ik deed de deur open met de bedoeling iets in de trant van 'de terugkeer van de verloren dochter!' te zeggen, maar hield mijn mond, want het was Charlie niet, noch de visman.

Er stond iemand luidkeels te zingen. Er stonden meerdere mensen luidkeels te zingen. Ik telde minstens tien gezichten voor mijn deur. Er ging een gevoel van afschuw door me heen zoals je overkomt wanneer je ziet aankomen dat er een ongeluk zal gebeuren en je niets kunt doen om het te voorkomen. Het moment nadat je een vaas omgestoten hebt, vóórdat hij op de grond valt. Als je het rempedaal te laat hebt ingedrukt en je voelt dat de auto onontkoombaar op die van je voorligger afglijdt. Ik begreep dat er buiten mijn medeweten een feestje voor me was georganiseerd.

Daar stond Joel, die met kop en schouders boven alle anderen uitstak, gekleed in zijn werkkleding – een spijkerbroek en een zwaar groen jack. Hij glimlachte verontschuldigend naar me. Maar hij zong tenminste niet. Hij had beloofd nooit meer naar mijn huis te komen, maar evengoed stond hij er. En daar, achter hem, stond zijn vrouw Alix – die niet glimlachte en niet zong. En alsof dat niet erg genoeg was, stond daar niet de dominee? Hij zong duidelijk wel. Hij ging de anderen voor in het zingen, alsof hij in de kerk stond en een trage gemeente probeerde op te wekken. Achter me begon Sludge in paniek te janken. Als waakhond had ze nooit gedeugd.

'...*Happy Birthday to you-ou-ou-ou!*' besloten ze.

'Had je niet gedacht, hè!' riep Joel.

Even dacht ik erover de deur gewoon voor hun neus dicht te gooien en op slot te doen. Maar dat kon ik niet. Dit waren mijn buren, mijn mede-eilandbewoners, mijn vrienden. Ik deed mijn best om anders te kijken, om te glimlachen in plaats van schrik en verwarring uit te stralen.

'Heeft Charlie georganiseerd,' zei Ashleigh, die naast de dominee stond en gekleed was in een over de grond slepende zwart fluwelen jas met daaronder een korte groene rok met ruches. Haar gezicht zag er fris en glimmend uit, ze had volle rode lippen en een gladde perzikhuid. In haar hals kronkelden mooie lokken donker haar. Ashleigh is Charlies beste vriendin. Soms was ik wel eens bezorgd over wat ze samen allemaal ondernamen.

'O ja?' zei ik. 'Is dat de reden dat ze er niet is?'

'Ze had elf uur gezegd, maar dat vonden we een beetje vroeg.'

'Kwart over elf lijkt mij ook een beetje vroeg voor een feestje,' zei ik zwak. Maar misschien was dit gebruikelijk op het platteland.

'Niet als je jarig bent!'

'En niet met Kerstmis!'

'Nou ja, het is in elk geval een verrassing,' zei Alix droog, en ze keek me aan terwijl ik de ceintuur van de mij veel te grote badjas nog eens aantrok en mijn best deed nonchalant over te komen.

'Laat ons binnen, Nina. We krijgen het koud hier buiten.'

Ik richtte mijn blik op een man die met een fles bubbeltjeswijn stond te zwaaien. Had ik hem ooit eerder ontmoet? Hij had iets vertrouwds, maar ik kon hem niet plaatsen, net zomin als de vrouw om wie hij zijn arm heen had geslagen.

'Ik ben aan het pakken,' zei ik.

De man – heette hij niet Derek of Eric? – ontkurkte de fles, waarna condens en schuim over de hals gutsten. Ik deed een stap achteruit toen de menigte als een legertje mijn huis binnen-drong. Iemand duwde me een bosje bloemen in handen.

'Ik ga over een paar uur op reis,' wilde ik zeggen.

Toen iedereen binnen was en ik de deur dicht wilde doen, zag ik nog meer mensen met flessen en pakjes de hoek om komen. Carrie van de basisschool en haar man, de moeder van Ashleigh, die aardige vrouw die advocaat is, Joanna of Josephine of zo. En achter haar aan kwamen Rick en Karen, en achter hen liep Eamonn, die niet eens een jas aanhad, alleen een T-shirt.

Ik keek mijn bezoekers aan.

'Doen jullie maar alsof je thuis bent,' zei ik, maar de meesten deden dat al. Alix was bezig een zak chips over schaaltjes te ver-delen, en de dominee had een paar glazen tevoorschijn gehaald voor de champagne. 'Kan iemand misschien opendoen? Ik ga me even aankleden.'

'Neem een glas mee naar boven,' werd er geroepen.

'Dat kan ik niet,' zei ik. 'Het is nog niets eens middag, en trouwens, ik moet zo nog rijden.'

'Eentje maar. Je bent tenslotte jarig! Ik neem er in elk geval een.'

'Ik zal koffie voor je zetten,' zei Joel.

'Dank je,' zei ik.

'Ga jij je maar aankleden. Ik weet alles wel te vinden. Sorry voor mijn werkkleding. Ik heb straks nog een klusje.'

'Het geeft niet,' zei ik, en ik bedoelde dat het niet uitmaakte hoe hij gekleed was of dat hij nog een klusje te doen had. Hij hoefde mij niet te vertellen wat hij allemaal deed.

Ik vluchtte naar boven en stak mijn hoofd om de hoek van Jacksons kamer. Jackson zat in een volmaakt opgeruimde ka-mer op zijn bed en was voor zover ik kon zien zijn eigen voeten aan het filmen.

'Er is een hele horde mensen beneden,' siste ik.

Jackson richtte de videocamera op mijn gezicht.

'Charlie zei dat ze zouden komen. Ik mocht het alleen niet te-gen jou zeggen.'

'Ja, dat snap ik.'

'Moet jij je trouwens niet eens gaan aankleden?'

'Goed idee. Maar waar is Charlie? Heeft ze ook nog andere dingen georganiseerd?'

'Weet ik niet.'

Ik hoorde hoe er weer anderen aan de voordeur aanbelden, ik hoorde Sludge aanslaan. Het geprat en gelach beneden zwol aan.

'Hou alsjeblieft op me te filmen,' zei ik.

Hij legde de videocamera op zijn bed.

'Ze zal zo wel komen,' zei hij. 'Je weet hoe ze is. Ze heeft het alleen maar gedaan omdat ze dacht dat jij dat leuk zou vinden.'

Ik ging naar mijn slaapkamer en belde Charlie nog een keer.

'Waar ben je?' vroeg ik, waarna ik een boodschap insprak. 'Charlie, het moet niet gekker worden. Je moet nu naar huis komen. Dankzij jou staan er tientallen mensen beneden te drinken, maar wij vertrekken zo naar Florida. Je hebt nog niks gepakt en... nou ja, doet er niet toe, kom gewoon naar huis.'

Zonder me nog iets gelegen te laten liggen aan de zo spontaan begonnen festiviteiten die in mijn afwezigheid voortgang vonden, trok ik de spijkerbroek en het truitje aan die ik voor de reis had klaargelegd, en voor de spiegel borstelde ik mijn nog vochtige haar, waarna ik het losjes achteroverstreek en opstak. Ik deed de oorbellen in die Christian me een paar dagen geleden alvast als kerstcadeautje had toegestuurd. Ik knielde neer voor mijn koffer en ging na wat erin lag: lichte rokken, hemden in heldere kleuren, shorts, sandalen. Had ik voldoende boeken, vroeg ik me af. Ik kon er op de luchthaven altijd nog een paar kopen. Waren we daar maar vast, dacht ik, wij met ons vieren, lekker niksdoen op zo'n rare plek, waar tijd en plaats er niet toe leken te doen, wachten op ons vliegtuig, dingen kopen die we niet nodig hadden. In een opwelling belde ik Christian nog een keer op zijn mobiele telefoon. Deze keer kreeg ik hem wel aan de lijn.

'Hoi,' zei ik zachtjes. 'Weer met mij. Meer heb ik eigenlijk niet te zeggen. En dat ik naar je verlang.'

'Ik ook naar jou,' zei hij. Zijn stem klonk alsof hij glimlachte. 'Klaar met pakken?'

'Niet helemaal.'

'Waar ben je? Het klinkt net alsof je uit een café belt.'

'Dat vertel ik je later wel.'

'Kom je niet te laat?'

'Nee hoor. Tenzij ik Charlie niet kan vinden.'

'Hoe bedoel je?'

'Doet er niet toe. Ik zal er zijn.'

Even bleef ik voor het raam staan. De vloed kwam inmiddels opzetten en kroop over de slikken. Ver weg op zee dobberden de bootjes aan hun boeien al los van de grond. Het was mistig, over alles hing een fijn waas, maar vanaf de plaats waar ik stond kon ik de omtrekken van de oude scheepsrompen nog zien, en daarachter de gedrongen vormen van de betonnen bunkers. Ze waren tijdens de oorlog gebouwd als verdedigingswerken tegen een mogelijke invasie. Er zouden in die tijd soldaten in hebben gezeten, die hun geweren door de nauwe spleten naar buiten staken om te voorkomen dat de Duitsers op Sandling aan land zouden komen. Alle moeite en al dat beton waren voor niets geweest, want de Duitsers waren niet gekomen. En nu stonden ze er nog te wachten, gebarsten, onbeweeglijk, scheefgezakt boven op de duinen.

Toen ik naar beneden liep moest ik me een weg banen door een stel jongelui. Ik kende niemand van hen, en zij leken niet te weten wie ik was.

'Hallo,' zei ik. 'Ik ben Nina.' Geen reactie. 'Charlies moeder.'

'Is Charlie op haar kamer?' De jongeman die me aansprak was lang en mager, en hij had een dikke bos zwart haar en ogen die groen leken in het gedempte licht op de trap. Alles aan hem leek los te zitten: de veters van zijn zware schoenen zaten los, zijn hemd was maar half dichtgeknoopt, en zijn mouwen waren gerafeld.

'Nee,' zei ik. 'Alleen Jackson is er. Waar ís Charlie trouwens? Heb jij haar gezien?'

Hij haalde zijn schouders op.

'Ik heb tegen haar gezegd dat ik haar hier zou zien. Typisch Charlie, te laat komen op je eigen feestje.'

'Theoretisch gezien is het mijn feestje. Mocht je iets van haar horen...'

Maar ze waren al weg, en ik liep verder naar beneden, waar het rumoerig was en het feestje inmiddels een eigen leven was gaan leiden. Ik bleef een ogenblik naar het gedoe staan kijken en voelde me een indringer in mijn eigen huis. Anderhalf jaar geleden was ik uit Londen hiernaartoe verhuisd. Ik had een oude wereld achtergelaten, en dit was mijn nieuwe wereld. Maar het was niet echt mijn wereld geworden, niet zoals het al wel voor Jackson en Charlie gold. Zij hadden hier hun vrienden en vriendinnen, zij voelden zich hier op hun gemak. Ik was me niet op die manier thuis gaan voelen. Dit waren mensen wier namen ik wel kende, mensen die ik kende omdat we elkaar op straat groetten, mensen met wie ik wel eens koffiedronk. En er was er één met wie ik wel eens naar bed was geweest. En toch, als ik zo naar deze eilandbewoners keek, vroeg ik me af wat ze van me verwachtten, of ze misschien iets van me vroegen wat ik hun niet kon geven.

Ze dromden samen in mijn keukentje en in de daaraan grenzende huiskamer. Ik wist genoeg van hen om te weten wat hun onderlinge connecties waren. Ik zag Karen geanimeerd met Alix praten en gebaren maken, wat ze alleen af en toe onderbrak om zichzelf bij te schenken uit de fles die ze in haar hand had. Ze kenden elkaar van het werk. Karen was assistente in Alix' huisartsenpraktijk in het dorp. Rick stond te praten met Bill. Waarschijnlijk over boten. Rick was leraar natuur- en scheikunde op Charlies school, een paar kilometer van de school waar ik zelf lesgaf, maar zijn passies waren zeilen, kajakken en windsurfen, het maakte niet uit, als het maar met water te maken had. 's Zomers gaf hij daar les in. En Bill werkte op de scheepswerf. Zijn gezicht leek van donker gegroefd hout door jaren van geploeter in weer en wind.

Bij de koelkast stond een stel mensen, en Eamonn zat op de schommelstoel bij het raam. Hij droeg een zwart T-shirt met wijd uitlopende mouwen, zwarte handschoenen met afgeknipte vingers en een zwarte broek met wijde pijpen die over zijn hoge zwarte laarzen vielen. Zijn haar zat in een prachtige groen met zwarte paardenstaart. Hij zag eruit alsof hij een avondje uitging in een of andere vale Londense disco, en hij leek niet in de gaten te hebben dat hij in een keuken zat met om zich heen mannen en vrouwen van middelbare leeftijd, die spraken over kerstcadeautjes en verkeersopstoppingen. Ik had wel een soort bewondering voor hem. Sludge zat dubbelgevouwen onder zijn stoel zielig te janken. Ik bukte me en raapte de stapel vuile lakens op waarop Eamonn zijn voeten had geplant.

'Jij weet ook niet waar Charlie is, hè?'

Het viel me op dat hij een kleur kreeg, wat hem iets jongs en onhandigs gaf.

'Is ze hier dan niet?' vroeg hij.

'Ze is verdwenen. Of ze moet nog een extra verrassing hebben georganiseerd, iets om het allemaal nog geweldiger te maken.' Ik draaide me om en liet mijn blik over de mensen gaan. 'Ashleigh! Ashleigh, je moet het me nu maar zeggen. Heeft Charlie nog een verrassing voor me in petto? Is dat de reden dat ze er nu niet is?'

Ashleigh haalde haar schouders op en trok haar perfect gelijnde wenkbrauwen omhoog. 'Tegen mij heeft ze niks gezegd, Nina. Eerlijk waar. Ze zei alleen dat ik om kwart over elf op je verjaardagsfeestje moest komen, en dat ik niet mocht roken.'

'Dus je hebt helemaal niks van haar gehoord?'

'Wacht even.'

Ze haalde een roze mobiele telefoon ter grootte van een luciferdoosje tevoorschijn, keek ernaar en drukte ontspannen en kennelijk met verstand van zaken op een paar toetsen.

'Nee,' zei ze na een paar seconden. 'Sorry.'

'Hartelijk gefeliciteerd, adembenemend mooie Nina,' zei een gezette man, die me van opzij aanschoot en mij en mijn vuile was omhelsde. 'Ik wed dat je nooit had gedacht dat je mij hier zou zien, hè?'

'Nee,' zei ik, geheel naar waarheid. 'Nooit gedacht. Heeft Charlie…'

'Jazeker. Een prachtmeid, die dochter van jou. Wordt al groot, hè?' Hij knipoogde.

'Wil je me even excuseren?'

Ik wurmde me los en liep het vertrek door naar de wasmachine, stopte de lakens erin en selecteerde 'snelwas'. Op die manier zou ik nog de tijd hebben om ze uit te hangen voor ons vertrek. Net toen ik opstond schoot er een kurk langs me heen, en toen werd er nog een keer aangebeld. Ik baande me tussen de mensen een weg naar de voordeur. Op de stoep stond een vrouw met warrig donker haar en een hoogrode kleur op het gezicht. Ik was zo van mijn stuk door de plotselinge drukte van het feest dat ik een paar seconden lang geen woord kon uitbrengen, al kende ik haar en had ik haar verwacht.

'Nina, wat is er aan de hand? We hadden toch afgesproken dat ik vandaag zou komen, niet?'

Renata was mijn nicht, of in elk geval een soort nicht. Ik kende haar al mijn hele leven zonder haar echt te kennen, en ze was hier om op Sludge te passen als wij naar Florida gingen. Dat was tenminste het excuus. Haar man, met wie ze tien jaar lang tevergeefs had geprobeerd kinderen te krijgen, was net bij haar weggegaan, en de afgelopen twee maanden had ze alleen maar gehuild en had ze niet uit bed kunnen komen. Ik had gedacht dat het haar misschien goed zou doen om een tijdje in ons huis op Sandling te zitten, ver van de omgeving waarin ze vernederd en in de steek gelaten was. Ze had zich duidelijk gekleed op een verblijf op het platteland en droeg groene kaplaarzen, een stevige broek, een waxjas en een dikke sjaal. Maar het leek bij haar altijd of de dingen die ze droeg niet echt bij haar pasten. Alsof ze een rol speelde waarvan ze de tekst niet goed had ingestudeerd. Ze was flink afgevallen, zodat haar kleren los om haar lijf hingen. Haar gezicht was een beetje pafferig, en ze had rimpels die

37

er een paar maanden tevoren niet waren geweest. De glimlach op haar gezicht was te vrolijk en te dapper. Ik had haar altijd nogal kortaf en bazig gevonden, maar nu vertederde ze me. Ik omhelsde haar en kuste haar ijskoude rode wangen.

'Wat fijn dat je er bent. Kom gauw binnen, het is koud buiten. En ja, we hadden vandaag afgesproken. Sorry, het is allemaal een beetje raar, niet zoals het zou moeten. Maar we gaan gauw weg, en zij ook allemaal.'

'Zal ik dan mijn bagage gaan halen?'

'Vind je het goed als ik dat aan jou overlaat? Ik zal de deur openlaten.'

Ik sloop weer naar binnen. Iemand duwde me een glas wijn in handen, dat ik op de dichtstbijzijnde plank neerzette. Ik ging op de trap zitten en keek met een half oog hoe Karen de dominee herhaaldelijk in de borst prikte om hem te overtuigen van een standpunt dat me door het gedruis ontging. Ik had de dominee voor het eerst ontmoet op de dag nadat we op het eiland waren aangekomen. Hij had aan de keukentafel koffiegedronken en tegen me gezegd dat ik hem Tom moest noemen. Vervolgens had hij me verteld wat de beste winkels en stranden op het eiland waren, en pas helemaal op het eind had hij bijna schuldbewust mompelend gevraagd of hij ons af en toe eens in zijn kerk, de Saint Peter, zou mogen begroeten. Met mijn hele hart had ik ja willen zeggen. Ik had de kerk al gezien en was er al van gaan houden, een middeleeuws ding, helemaal verweerd door de noordenwind en doorleefd door eeuwen devotie. Ik kon me makkelijk voorstellen dat ik daar samen met de andere eilandbewoners psalmen zou zingen; het enige was dat ik niet geloofde. Met een glimlach had hij gezegd dat dit voor de meeste mensen geen bezwaar leek te zijn. Ik had mezelf beloofd dat ik met Kerstmis naar zijn kerk zou gaan, maar het was allemaal anders gelopen, en nu zou ik de kerst op een strand in Florida doorbrengen.

Als we daar ooit zouden aankomen. Ik belde Charlies mobiele nummer nog eens. Het werd langzamerhand belachelijk. Als zij dit allemaal had georganiseerd, kon ze toch niet nog op haar logeeradres zijn? Ik keek rond en zag Alix in de huiskamer, waar ze stond te praten met Sarah, en met tegenzin liep ik naar haar toe.

'Sorry dat ik je onderbreek,' zei ik.

'Ja?' Als ze iets tegen me zei, was dat nog steeds op een toon van koele, subtiele beleefdheid. Misschien zou dat nooit meer veranderen.

'Ik weet niet waar Charlie is. Was ze nog bij jou thuis toen je de deur uit ging?'

Ze fronste haar wenkbrauwen.

'Ik dacht het niet. Maar zo gaat dat bij die logeerpartijen. Je weet niet wie er zijn en je weet niet hoe laat ze weggaan, of je moet ze toevallig tegen het lijf lopen in de badkamer. Je kunt alleen maar hopen dat ze niet aan de wodka gaan en dat ze de rommel opruimen als het voorbij is.'

'En, heb je haar zien weggaan?'

'Nee, ik heb haar niet gezien. Ben je haar kwijt?'

Ze sprak over Charlie alsof ze het over een sleutelbos had.

'Is Tam nog thuis?'

Tam was de dochter van Alix en Joel, een klein, tenger, teer gebouwd, serieus, blond meisje, de lieveling van alle leraren maar ook degene die Charlie het meest consequent had achtervolgd met haar pesterijen.

'Ik weet het niet.' Alix glimlachte weer ijzig. 'Maar je weet hoe dat gaat met tieners, ze…'

'Kun je me haar mobiele nummer geven, alsjeblieft. Charlie neemt niet op, en ik begin me een beetje zorgen te maken. We zouden over een paar uur met vakantie gaan.'

Ik toetste het nummer in terwijl ze het opgaf en hoorde het toestel overgaan. Toen de voicemail het overnam, vroeg ik of Tam me onmiddellijk wilde terugbellen en noemde mijn beide nummers.

Achter me hoorde ik Karen zeggen: 'Tja, een leuke jonge minnaar is natuurlijk nooit weg.'

Renata kwam de trap af. Ze had haar sjaal afgedaan en de stijve waxjas uitgetrokken en ze had haar haar gekamd en lippenstift opgedaan die te fel voor haar was. Ze zag er een beetje spookachtig uit, maar ze deed tenminste haar best.

'Vertel eens wie dit allemaal zijn,' zei ze. 'Je schijnt hier al heel wat vrienden en vriendinnen te hebben!'

'De helft ken ik zelf niet eens. Charlie heeft ze uitgenodigd om me te verrassen.' Maar goed. Ik keek de kamer rond. 'Dat is Joanna of Josephine, ze is advocaat. Ze woont in een prachtig huis verder naar het noorden op het eiland. Dat is Carrie. Zij had Jackson vorig jaar in haar klas, en hij mocht haar graag. En dat is Karen.'

'Die vrouw die een beetje boven haar theewater is...'

'Ja. Ik geloof dat ze al behoorlijk wat op had toen ze binnenkwam. Ze is de doktersassistente en getrouwd met Rick, die leraar is op Charlies school, maar die zie ik nu even niet. O nee, daar is hij. Lang, knap, donker krullend haar. Haar zoon Eamonn is die knaap die zo weggelopen lijkt te zijn uit een griezelfilm. Maar hij deugt volgens mij wel. En dat is Bill; die zul je misschien wel tegenkomen, want hij werkt op de werf hier tegenover. Ik zal je zo aan hem voorstellen, als je wilt. En het meisje dat daar staat te roken en denkt dat ik dat niet zie, is Ashleigh, Charlies beste vriendin.'

'En wie is dat? Hij probeerde je aandacht te trekken. Hij lijkt me aardig.'

'Dat is Joel. Hij is boomchirurg, daarom draagt hij dat soort kleren.'

Ik wendde me half af om te verbergen dat ik bloosde. Ik had nogal wat weggelaten bij mijn beschrijving van Joel. Toen ik hem voor het eerst ontmoette, leefde hij al meer dan een halfjaar gescheiden van Alix, wat haar initiatief was en niet het zijne. Ik was niet lang daarvoor door Rory verlaten. We kenden elkaar via onze dochters. Hij was in bijna elk opzicht de tegenpool van Rory: capabel, evenwichtig en praktisch. We dronken samen wijn, we vertelden elkaar ons levensverhaal en het verhaal van onze relaties, we testten bij elkaar uit wat de ander vond van het relaas van wat ons was overkomen, we namen elkaar in vertrouwen, we werden sentimenteel en verdrietig en we huilden samen. We hebben geprobeerd elkaar te troosten. En we zijn een paar keer met elkaar naar bed geweest, al had het nooit veel te maken met verlangen. Voor mij was het steeds alsof we twee drenkelingen waren die zich aan elkaar vastklampten en elkaar naar de diepte sleurden. Ik denk dat het er mij om ging te weten of ik nog aantrekkelijk was voor een man, maar al heel snel voelde ik me schuldig dat ik het had laten gebeuren, omdat Joel verliefd op me werd en mij meer nodig had dan ik hem. Toen Alix Joel een paar weken later terugnam, heb ik het snel uitgemaakt. Ik dacht dat het allemaal strikt geheim zou blijven, maar het bleek algauw dat Joel zijn vrouw alles had verteld. Zij liet dit alleen blijken door haar ijzige blikken en droge opmerkingen. Ik dacht er maar liever niet aan wat er in hun gesprekken over ons werd gezegd nu zij hun relatie weer aan het opbouwen waren. Het zou me niet veel hebben kunnen schelen, maar de onvriendelijke blikken van Alix en de steelse vriendelijke blikken van Joel waren wel vervelend.

De telefoon in mijn zak ging over.

'Neem me niet kwalijk,' zei ik tegen Renata. 'Hallo. Met Nina.'

'U spreekt met Tam.' Ze klonk op haar hoede. 'U had gevraagd of ik u wilde terugbellen.'

'Ja, bedankt. Ik wilde weten of Charlie daar nog is.'

'Charlie? Nee. Die is al heel lang weg.'

Ik voelde iets verstrakken in mijn borst. 'Hoe laat is ze weggegaan?'

Ik hoorde Tam met iemand anders praten.

'Jenna, hoe laat is Charlie weggegaan? Wat denk je? Ja, we denken tussen negen en halftien. Ze moest haar krantenwijk doen en nog wat voorbereiden voor uw… eh, voor wat er nu bij u aan de gang is, uw verjaardagsfeestje, hè? Ja, toch?'

'Ja,' zei ik.

41

'Ze ging nog een taart bakken of zo. Of er een kopen.'

'Dus ze is om een uur of negen weggegaan, en je hebt verder niets van haar gehoord?'

'Klopt.'

'Hoe was haar stemming?'

'Heel goed,' zei Tam luchtig.

'Dus er was niets…?'

Maar ik maakte mijn zin niet af. Ik wist niet wat ik wilde vragen.

'Bedankt, Tam,' zei ik, en ik verbrak de verbinding.

'Was ze er niet?' vroeg Renata.

Ik schudde verstrooid mijn hoofd en zag uit een ooghoek dat Sludge onder de schommelstoel vandaan was gekomen en inmiddels bezig was om smakkend en met een woest heen en weer zwaaiende staart een zak cashewnoten te verorberen.

'Ik begrijp het niet. Ik bedoel, Charlie is nou niet bepaald het meest betrouwbare meisje, maar ze weet dat we op vakantie gaan.'

Ik baande me een weg naar de achterkant van het huis, liep naar buiten en toetste, door de muur beschut tegen de snijdende wind, opnieuw een nummer in.

'Christian?'

'Ha, daar ben je weer.'

'Sorry. Luister eens. Ik weet niet waar Charlie is. Er zal heus niks aan de hand zijn, maar ik dacht dat ik je maar vast moest waarschuwen dat we misschien te laat zullen komen.'

'Je weet niet waar ze is?'

'Ik maak me helemaal geen zorgen,' zei ik om de bezorgdheid die meteen in zijn stem klonk te temperen. 'Ze zal wel een lekke band hebben gekregen tijdens haar krantenwijk of zo. Of ze is weer eens een verdwaalde poes aan het redden of… nou ja, je kent Charlie. Ze is heel impulsief. Maar ze heeft nog niets ingepakt, en ze ligt nou wel een beetje achter op schema.'

'Wel raar, toch.'

'Ik bel je wel zodra ze er is.'

Binnen waren er geen tekenen die erop wezen dat er spoedig een einde zou komen aan het feestje. Karen stond nu halverwege de trap en zwaaide langzaam heen en weer terwijl ze pogingen deed om nog een fles wijn open te maken. Onder haar werd Renata voorgesteld aan Sludge door Jackson, die de videocamera nog om zijn nek had hangen. Alleen Rick, die in zijn dikke jas de trap afkwam lopen, maakte godzijdank aanstalten om te vertrekken.

'Jij ziet nu zeker eindelijk je kans schoon om naar je geliefde boot te vluchten?' zei ik tegen hem. 'Je hebt groot gelijk.'

'Het begint al zo vroeg donker te worden,' zei hij. 'Wat een afschuwelijk idee was dit van Charlie, hè?'

'Afschuwelijk, ja. En ze is er niet eens.'

'Als ik haar zie, zal ik haar wel even de waarheid zeggen.'

'Zeg maar gewoon dat ze naar huis moet komen. Ik ga nu iedereen eruit gooien.'

'Dat was dan wel een kort feestje!'

'Ik moet nog van alles doen, Rick. Pakken. Mijn dochter zien op te sporen. Het vliegtuig halen.'

'Oké. Nou, dan zal ik maar zeggen...'

Hij kreeg de kans niet om te zeggen wat hij wilde. Er klonk een kreet, en toen vloog er een vage vorm voorbij die leek te bestaan uit een hond en twee menselijke figuren, waarna een groot kabaal van brekend glas op de harde vloer weerklonk. Sludge veranderde in een jankende zwarte massa en schoot langs me heen de trap op, en vóór me op de vloer lagen Karen en Renata. Plotseling heerste er een doodse stilte.

'Wauw,' zei Jackson, en hij hield de videocamera al omhoog om te gaan filmen, maar ik sloeg zijn arm naar beneden.

'Nou zeg,' zei Renata, terwijl ze langzaam overeind kwam en haar jasje rechttrok, waarna ze vluchtige blikken naar links en naar rechts wierp, alsof ze bij vergissing een toneel op was gelopen waar een klucht werd opgevoerd.

Alleen Karen bewoog zich niet, althans aanvankelijk niet. Ze was van halverwege de eerste verdieping naar beneden gevallen en lag nu onder aan de trap, met naast zich een kapotte fles. Haar arm maakte een vreemde hoek ten opzichte van haar lichaam. Ik knielde bij haar neer en rook de zoete geur van alcohol in haar adem. Ze ademde dus in elk geval wel. Ze deed één oog open en keek me glazig aan.

'Shit,' zei Rick. 'Shit, shit, shit. Wat nu weer?'

'Als ze nou per se dronken moet worden, zou ze wel wat meer lol mogen hebben,' zei Eamonn hardop, terwijl hij naar de plek slenterde waar zijn moeder lag.

'Hou je kop,' zei Rick.

Terwijl ik naar het op de grond uitgespreide lichaam en het bleke gezicht van Karen keek, kon ik toch niets anders bedenken dan dat ik Charlie moest zien te vinden en dat ik niet van plan was me door dit alles van de wijs te laten brengen.

'Joel!' riep ik, terwijl ik overeind sprong. 'Kun jij Alix gaan zoeken? Er is een ongeluk gebeurd. Gaat het een beetje, Karen?'

'Ik geloof niet dat er iets…'

'Mooi. Jammer dat dit allemaal is gebeurd. Oké, mensen, ik geloof dat jullie nu beter weg kunnen gaan. Het feestje is afgelopen.'

Alix kwam de kamer binnenrennen. Ze deed haar werk professioneel en met zorg, en ze leek een heel ander mens dan de onheilspellende figuur die ze eerder was geweest. Ze boog zich over Karen heen, die nu ineens haar patiënt was.

'Laat eens kijken,' zei Alix. Karen deed haar ogen open, keek wazig om zich heen en probeerde overeind te gaan zitten. Ze gaf een kreet van pijn, en toen werd er weer aangebeld. Toen er werd opengedaan stond daar Ben van verderop in de straat met een grote bos bloemen voor zich. Zijn bebaarde gelaat was een en al glimlach.

'Het spijt me dat ik zo laat ben, maar eh… heb ik iets gemist?'

Alix keek op naar mij, alsof ik de leiding had.

'Ze heeft haar arm gebroken,' zei ze. 'En er zit een forse snee in haar schouder, waar iets aan gedaan moet worden voordat ze nog meer bloed verliest. Ik denk dat we maar een ambulance moeten bellen.'

'Shit,' zei Rick. 'Weet je heel zeker dat hij gebroken is? Misschien is hij alleen...'

'Hij is gebroken. Kijk maar.'

'Au! O, wat doet dat pijn! Die hond sprong zomaar tegen me op.'

'U sprong op de hond!' zei Jackson verontwaardigd. 'U viel om alsof u een boom was.'

'Bel jij de ambulance, Rick,' zei ik. 'Ik moet Charlie zien te vinden. Renata, kun jij ervoor zorgen dat al deze mensen weggaan?'

'Maar...'

'Ik ben er net,' zei Ben. 'Ik dacht dat het nog lang zou doorgaan. Mag ik dan ten minste een borrel?'

'Nee. Het spijt me, dat kan niet.'

Ik rende de trap op, weg van de warmte, de drukte, de rommel en de verwarring. Ik keek op de wekkerradio naast mijn bed. Elf uur zesendertig. Een paar seconden bleef ik bij het raam staan kijken naar de zee, die steeds dichterbij kwam en naar de grijze lucht, die zachtjes tegen het grijze water kabbelde, naar het grijze licht, dat in brede wazige banen naar beneden straalde. Ik zag hoe zich door de wind een strak patroon van kleine golfjes op de grotere golven aftekende en hoe de zeevogels ver weg boven zee om een eenzame, door de mist bijna niet meer zichtbare vissersboot cirkelden.

Ik pakte de telefoon.

'Christian? Daar ben ik weer. Ja. Nee, ze is er nog niet. Luister, het spijt me vreselijk, maar je zult in je eentje naar Heathrow moeten. Dan zien we elkaar daar. Ja, als Charlie thuis is. Sorry, het spijt me. Dag.'

Ik haalde diep adem en liep de trap af. Alix stond te bellen, en dat deed ze op gebiedende toon. Zij had in deze situatie de leiding genomen. Een fractie van een seconde was ik daarover gepikeerd, maar toen bedacht ik dat ik niet zo stom moest doen. Karen lag op de vloer met een van onze dekens over zich heen. Ze had haar ogen wel open, maar ze zag er slaperig uit. De schouder van haar blouse was donker van het bloed. Alix legde de hoorn neer en richtte toen gedecideerd het woord tot Rick.

'Jij moet Karen naar het ziekenhuis brengen,' zei ze. 'Ik rij met je mee. Dan kan Joel achter ons aan rijden.'

'Maar die boom dan,' zei Joel. 'Ik moet naar die boom gaan kijken.'

'En de ambulance dan…' zei Rick verbouwereerd. Hij zag de ernst van het gebeurde kennelijk niet in. Het was bijna komisch zoals hij probeerde te doen alsof het een gewone zaterdag was, waarop hij kon doen wat hij wilde.

'Dat duurt me te lang,' zei Alix op een toon die geen tegenspraak duldde. 'Ik ben bang dat ze in shock is en ik maak me zorgen over het bloedverlies. We moeten nu meteen weg.' Toen keek ze mij aan. 'Jammer dat je feestje zo in het honderd loopt.'

Dat was Alix ten voeten uit. Midden in een crisis had ze nog de tegenwoordigheid van geest om mij een steek onder water te geven. Wat er tussen haar man en mij was geweest zat haar duidelijk nog steeds niet lekker.

'Kan ik iets doen?' vroeg ik.

Alix vroeg of ze de deken mee mochten nemen. Karen had die al om zich heen, en omdat het misschien zou helpen voorkomen dat haar shocktoestand verergerde, wilde ik dat niet weigeren. Het was een vervelend einde van een samenzijn dat op zich al moeizaam was geweest. Karen werd, ondersteund door haar man en Joel, naar haar auto gebracht, waar ze haar op de achterbank legden. Rick en Alix reden met haar weg, waarna Joel me op een onbeholpen manier omhelsde.

'Het spijt me,' zei hij.

'Wat een onzin.'

Hij keek om zich heen of er niemand binnen gehoorsafstand was.

'Alix doet nog steeds een beetje moeilijk,' zei hij. 'Over ons, bedoel ik.'

'Dat is allemaal verleden tijd,' zei ik. Ik wilde alleen maar dat hij weg zou gaan.

46

'Je gaat weg met de kerst, hè?' zei hij.

Ik wilde zeggen dat het de plaats noch het tijdstip was om een babbeltje over de vakantie te maken, maar haalde alleen mijn schouders op. 'Ja, als het me lukt om Charlie op te sporen,' zei ik.

'En je gaat met je nieuwe… eh…'

'Joel,' zei ik. 'Ik geloof dat het de bedoeling is dat je achter Alix aan rijdt.'

'Ik weet de weg,' zei hij. 'Nou…' Hij zweeg, alsof het feestje nog aan de gang was en we ongedwongen met elkaar stonden te kletsen en niet in een crisissituatie zaten. 'Nou, dan wens ik je een fijne vakantie. En prettige kerstdagen, en echt veel geluk in het nieuwe jaar.'

Hij boog zich voorover en gaf me een kus op mijn wang.

'Je moet weg, Joel. En ik heb nog een hoop te doen.'

Hij bleef dralen, alsof hij een excuus zocht om niet weg te hoeven.

'Nou, als ik je niet meer zie…' begon hij.

'Ga nou maar,' zei ik zo geruststellend als ik kon, en ik duwde hem zowat in zijn auto.

Ik keek hoe hij wegreed, maar ik zag eigenlijk niets. Ik dacht na. Dit was belachelijk. Ik moest meteen iets ondernemen. Belde je in zo'n geval het alarmnummer? Was dit wel een echte noodsituatie? Toen ik weer binnen was, deed ik een kast open, pakte het telefoonboek en bladerde door het bedrijvengedeelte. Tussen 'Poliklinieken' en 'Politieke partijen' stond niets, maar uiteindelijk vond ik een hele waslijst met nummers van de politie. Ze hadden bijvoorbeeld speciale nummers voor personeelszaken, voor het aangeven van dealers in harddrugs en om bijzondere transporten aan te melden. Er was een informatielijn voor homo's en lesbo's, voor slachtofferhulp, voor buurtwachten, voor huiselijk geweld. Je kon zelfs telefonisch aangifte doen van gepleegde misdaden. Ik liet mijn vinger langs de lijst gaan totdat ik het informatienummer voor Sandling had gevonden.

Het was bijna niet te geloven, maar het feestje bij mij in huis ging nog door, alsof het een of ander insect was dat niet dood wilde, wat je ook probeerde. Daarom besloot ik me met de telefoon terug te trekken in de bijkeuken, en deed de deur achter me dicht. Een vrouw nam op. Op dat moment realiseerde ik me dat ik er niet over had nagedacht wat ik precies wilde zeggen.

'Het klinkt misschien stom,' zei ik, 'maar ik geloof dat mijn dochter vermist is.'

De vrouw onderbrak me meteen en vroeg mijn naam en adres, en vervolgens ook Charlies volledige naam en leeftijd. Ze leek niet erg onder de indruk van wat ik vertelde.

'Hoe lang is uw dochter al vermist?'

'Dat is lastig om precies te zeggen. Ze heeft de afgelopen nacht bij een vriendin gelogeerd, maar ze zou een paar uur geleden al thuis zijn gekomen en...'

'Een paar uur? En ze is vijftien? Ik zou haar toch echt wat meer tijd gunnen.'

'Wacht even,' zei ik. 'Ik snap wel dat het niet erg lang lijkt, maar er moet iets mis zijn. We zouden op vakantie gaan, we zouden voor één uur weggaan, en het is nu tien over halftwaalf. Ze weet dat we gaan, en ze heeft er zin in. Ze had thuis moeten komen en haar spullen moeten pakken. En dat is het niet alleen. Ze had vanmorgen een feestje voor me georganiseerd, maar daar is ze zelf niet komen opdagen. Waarom zou dat zijn? Er moet iets zijn gebeurd.'

'Ze zal wel ergens opgehouden zijn.'

'Natuurlijk is ze ergens opgehouden,' zei ik. 'De vraag is alleen waardoor. Stel dat het iets ernstigs is.'

Het was haar wil tegen de mijne. Ik wist niets van deze vrouw. Was het een politieagente? Of nam ze alleen de telefoon aan? Het was zonneklaar dat ze zo snel mogelijk een einde aan het gesprek wilde maken, zodat zich vanzelf een oplossing voor het probleem zou aandienen. Maar ik liet me niet met een kluitje in het riet sturen. Ik legde de telefoon niet neer, maar droeg argumenten aan en hield voet bij stuk, en ten slotte vroeg ze me om aan de lijn te blijven. Blijkbaar hield ze haar hand over het mondstuk van de hoorn, want ik hoorde haar met gedempte stem iets aan iemand vragen. Toen ze weer aan de lijn kwam, zei ze dat iemand van de politie bij me langs zou komen om te beoordelen wat er aan de hand was.

'Maar gauw,' zei ik. 'Want als er iets aan de hand is, dan is er haast bij. Tijd is van het grootste belang.'

Ik beëindigde het gesprek pas toen de vrouw had toegezegd dat er binnen enkele minuten iemand bij me langs zou komen. Nu moest ik wachten op de komst van de politie. Wat kon ik in de tussentijd doen? Ik kon daar niet gewoon blijven staan. Ik moest de rest van onze spullen nog pakken. Ik kon de laatste zogenaamde gasten de deur uit zetten. Nee. Dat kon allemaal wachten. Het ging om Charlie. Verder was niets belangrijk. Kon ik op de een of andere manier iets productiefs doen voordat de politie kwam?

Ik opende de deur. Een tiener die ik niet kende deed net de deur van mijn koelkast open. Ze wierp een ongeïnteresseerde blik op mij.

'Die tijdschriftenwinkel in The Street,' zei ik. 'Weet jij hoe die heet?'

Met een pak sinaasappelsap in de hand bleef ze even staan en dacht na.

'Walton,' zei ze, waarna ze een glas sap inschonk.

Ik zocht de naam op in het telefoonboek en belde het nummer.

'Hallo,' zei ik toen een vrouw opnam. 'Mevrouw Walton?'

'Nee,' zei de vrouw.

'Maar dit is wel het nummer van Walton?'

'Jazeker.'

'Mijn naam is Nina Landry. Ik ben de moeder van Charlotte. Heeft zij vanmorgen haar krantenwijk gedaan?'

'Ik geloof het wel.'

'Hebt u haar niet gezien?'

'Gerry,' riep de vrouw. 'Wie heeft er vanmorgen de kranten rondgebracht?'

Ik hoorde een stem iets zeggen wat ik niet verstond.

'Ja,' zei de vrouw. 'Zij was het.'

'Hoe laat was ze er?'

'Voordat ik kwam. Waarschijnlijk tussen negen uur en half-tien, meestal komt ze dan.'

'Dank u.'

Ik legde neer. Was dit goed nieuws of slecht nieuws? Ze was gesignaleerd, maar dat was uren geleden. Ineens werd het me duidelijk. Mijn aanstaande ex-man... Ik toetste zijn nummer in. Een vrouw nam op.

'Dag, is Rory thuis?'

'Met wie spreek ik?'

'Neem me niet kwalijk, maar wie bent u?'

'Na u.'

'Ik ben Nina.' Er viel een stilte. Nadere uitleg leek noodzake-lijk. 'Zijn ex.'

'Ja, Nina. Ik weet alles van je. Ik ben Tina.'

Tina. In zijn appartement. Neemt zijn telefoon aan. Weet al-les van mij. Ik had niks gehoord over deze Tina. Waar kwam zij vandaan? Hoe lang was ze er al? Ik trok een gezicht naar de hoorn en was blij om te horen dat Rory ook iemand anders had gevonden, maar had ook een gevoel van vervreemding dat we allebei al zo snel een ander hadden. Kon een huwelijk van jaren dan zo snel verdampen?

'Is Rory thuis?'

'Hij is de deur uit.'

Tina leek met me te willen praten, maar ik beëindigde het ge-sprek meteen en toetste Rory's mobiele nummer in.

'Hoi, Nina,' zei hij.

'Rory. Is er iets wat ik zou moeten weten?'

'Dat zou ik denken. Er is heel veel wat je zou moeten weten. Had je iets bijzonders in gedachten?'

Ik probeerde mezelf te kalmeren. Al heel lang had ik bij alle gesprekken met Rory het gevoel dat we op de rand van een diep ravijn stonden. We hoefden maar één misstap te maken of we zouden ruzie krijgen en steeds verbitterder worden.

'Je had het er daarstraks over dat je Charlie wilde spreken.'

'Ik had het erover dat ik de kinderen wilde spreken, dat ik de kinderen miste.'

'Dat bedoel ik.'

'Ga je je verontschuldigingen aanbieden?' vroeg hij.

'Verontschuldigingen waarvoor?' vroeg ik, maar ik had het nog niet gezegd of ik had er al spijt van.

'Ik geloof dat we daar maar niet op in moeten gaan. Ik wil je alleen zeggen dat ik me ervan bewust ben dat we verschillend over van alles denken, maar dat ik echt had gehoopt dat je de kinderen erbuiten zou laten.'

'Rory, als je eens wist wat ik er allemaal voor over heb gehad om de kinderen erbuiten te laten.'

Ik hoorde niets meer. Hij had de verbinding verbroken. Ik toetste het nummer opnieuw in.

'Voel je je nou wat beter?' vroeg hij.

'Is Charlie bij jou?'

'Zou het een probleem zijn als dat het geval was?'

'Draai er niet omheen. We staan op het punt naar het vliegveld te gaan. Als jij haar hebt opgehaald, dan…'

'Wat dan?'

Diep inademen. Langzaam en diep inademen.

'Breng haar dan terug. We hebben ontzettende haast.'

'Maar ik heb haar niet opgehaald.'

'Is ze echt niet bij jou?'

'Wou je soms zeggen dat ik lieg?'

'Ik snap het niet,' zei ik. 'Ik heb de politie al gebeld, en er is iemand naar me onderweg. Dus als…'

'Waar beschuldig je mij nou verdomme van?' zei Rory, en zijn stem klonk boos. 'Ik ben haar vader. Wat gebeurt er allemaal? Waar is ze?'

'Ik weet het niet. Ik hoop dat er niks aan de hand is; nou ja, het kan niet anders dan dat het niks betekent. Ze zal zo meteen wel gewoon op komen dagen.'

'Maar je hebt de politie gebeld?'

'Alleen voor het geval dát.'

'Voor het geval dat wat?'

'Het leek me verstandig.'

'Oké. Ik kom naar je toe. Ik kom nu naar je toe.'

'Nee, Rory. Alsjeblieft…'

Maar het was te laat. Hij had de verbinding weer verbroken.

Zonder een greintje medelijden, zonder schroom en zonder gêne liep ik door het huis en stuurde mensen weg. Ik joeg een paar tieners van de trap, ik zei tegen de dominee dat ik het leuk vond hem te hebben gezien maar dat ik op het punt stond te vertrekken. (Moest hij niet naar zijn kerk? Of een preek schrijven?) Ik stuurde Derek of Eric het tuinpad af. Ik wekte Eamonn, die op de bank lag te slapen. Maar bij iedereen nam ik wel de tijd om te vertellen over Charlie. Dat als ze haar zagen, ze moesten zeggen dat ze mij moest bellen. Dat het dringend was.

Jackson en een vriendje liepen nog opnamen te maken met de videocamera. Ik trok het vriendje opzij, herenigde hem met zijn moeder en wenste hun prettige kerstdagen terwijl ik hen met vaste hand de straat op stuurde. Op mijn mobiele telefoon zag ik dat het elf minuten voor twaalf was. Over ongeveer een halfuur zouden we volgens plan in zuidelijke richting naar de A12 rijden en Christian ophalen, en dan zou de vakantie beginnen die we al zo lang geleden gepland hadden.

Bij het tuinhek draaide ik me om en pakte Jackson stevig bij zijn schouders.

'Luister goed,' zei ik. 'Charlie is zoek. In elk geval is ze niet hier. Ik weet zeker dat het allemaal in orde komt, maar een beetje vreemd is het wel. Heb jij enig idee waar ze zou kunnen zijn?'

Zwijgend schudde hij zijn hoofd.

'Heeft ze niks tegen jou gezegd?'

'Nee.'

'Als ze niet gauw komt opdagen, missen we het vliegtuig,' vervolgde ik.

'Maar dan kunnen we toch wel een later vliegtuig nemen, hè mam?'

Zijn ogen stonden vol tranen, hij rukte zich van me los en schopte tegen een steen.

'Het belangrijkste is dat we Charlie vinden,' zei ik.

'Ja,' mompelde hij. En toen: 'Er zal toch niks mis met haar zijn, hè?'

'Vast niet,' zei ik.

Toen we weer binnenkwamen, was Renata bezig glazen op te halen en die in de afwasmachine te zetten, en dat deed ze niet op een kordate manier, maar met een lome triestheid waar ik het wel bij uit zou hebben willen schreeuwen. Toen ik een einde maakte aan het feestje was het nog maar nauwelijks begonnen, en toch was het een enorme rommel – kommetjes met chips, sigaretten uitgedrukt op schoteltjes, straatvuil op vloerkleden en tegels, een bloedspoor van de onderkant van de trap door de gang, een kapotte fles bij de voordeur.

'Oké, Nina,' zei ze, terwijl ze een kom oppakte en er met een verslagen blik naar keek. 'Laat het allemaal maar aan mij over. Ik zal beginnen met al die bloemen in het water te zetten.' De tranen stroomden over haar wangen, en ik zag dat ze een beetje mank liep, waarschijnlijk als gevolg van haar botsing met Sludge en Karen.

'Nee,' zei ik. 'Het spijt me heel erg, en ik weet dat je daarvoor niet hiernaartoe bent gekomen, maar ik zou je het volgende willen vragen, Renata. Zou jij met Jackson en Sludge een rondje door het dorp willen maken en vragen of iemand Charlie heeft gezien?'

Ze keek weifelend.

'Aan wie? Aan iedereen?'

'Jackson zal wel aanwijzen aan wie. Ja hè, schat?'

'O,' zei Renata enigszins verbouwereerd. 'Ja, natuurlijk. Dan zal ik even mijn jas halen en…'

'Heb je een mobiele telefoon?'

'Ja.'

'Bel me als je wat hoort.'

'Blijf jij dan hier?'

'De politie komt hiernaartoe.'

'O.' Ze keek ernstig. Ze keek opzij naar Jackson en trok haar gezicht weer in de plooi van haar weinig overtuigende opgewektheid. 'Goed dan. Laten we gaan,' zei ze flink. 'Ga jij maar voor, speurneus.'

'Hè?'

Bij elke andere gelegenheid zou ik in lachen zijn uitgebarsten bij de aanblik die het geheel bood – Sludge die met haar idiote, krabachtige manier van voortbewegen, tong uit de bek en de oren binnenstebuiten een houterige Renata achter zich aan trok, die haar probeerde af te remmen, met in haar voetspoor Jackson, die er in zijn veel te grote ski-jack uitzag als een trol.

Ik draaide me om en ging weer naar binnen. Waar bleef de politie? Een paar minuten maar, was er gezegd. Op de tijdklok van het fornuis zag ik dat het elf uur drieënvijftig was. Ik pakte een bosje bloemen op, stak mijn neus in de satijnen koelte die van de blaadjes uitging en dacht koortsachtig na. Ze was om een uur of negen van haar logeeradres weggegaan, en ik wist inmiddels dat ze direct door was gegaan naar de tijdschriftenwinkel...

De bel ging, en ik rende naar de deur om open te doen.

'Nina Landry?'

De man die voor me stond was gezet en klein van stuk, en hij droeg een uniform dat hem iets te strak zat. Hij had kort bruin haar, flaporen en een verweerd gezicht, dat een misplaatste opgewektheid uitstraalde.

'Politie,' zei hij. 'Mahoney is de naam.'

'Komt u binnen,' zei ik. 'Past u op voor de glasscherven.'

We liepen de huiskamer door, die eruitzag alsof er een delict had plaatsgevonden, en betraden de chaos van de keuken. Hij had waarschijnlijk verwacht dat ik hem een kop thee zou aanbieden, maar voor dat soort dingen had ik geen tijd. Ik trok een stoel voor hem bij, ging zelf ook aan mijn met allerlei rommel bezaaide tafel zitten en keek hem aan. Nadat hij een kom chips opzij had geschoven haalde hij een opschrijfboekje en een pen

tevoorschijn, likte aan zijn wijsvinger en sloeg een paar bladzijden om. Boven aan een lege bladzijde noteerde hij de datum,
vervolgens keek hij op zijn grote horloge en schreef toen ook de
tijd op. 11.54, las ik, ondersteboven.

'Ik wil even een paar bijzonderheden noteren.'

'Die heb ik al opgegeven. Toen ik opbelde.'

'De volledige naam en de leeftijd van uw dochter.'

'Heb ik al opgegeven, zei ik toch. Aan die vrouw op het politiebureau.'

'Alstublieft,' zei hij.

'Charlotte Oates. Mijn achternaam is Landry, Oates is de
naam van haar vader,' voegde ik er nog aan toe omdat ik de volgende vraag al voelde aankomen.

'Is meneer Oates aanwezig?'

'Hij woont niet bij ons,' zei ik, en ik zag hoe zijn gezicht iets
oplettends kreeg toen ik het zei. 'Hij is begin dit jaar weggge-
gaan.' Ik wachtte de volgende vraag niet af. 'Charlie is vijftien.
Op 3 februari wordt ze zestien.'

'Bijna zestien dus.'

'Ja, maar…'

'En sinds wanneer is ze vermist? De dienstdoende agente zei
dat het maar een uur of zo geleden was.'

'Ik weet het niet precies. Ze heeft bij een klasgenootje gelogeerd, en daarna heeft ze haar krantenwijk gedaan. Ik was de
deur uit om boodschappen te doen, en ik dacht dat ze hier zou
zijn toen ik thuiskwam, wat een beetje later was dan ik had verwacht omdat ik op het laatst nog een vriend had gebeld of hij
even naar mijn auto kon kijken, en toen… Ach, wat doet het er
toe. Waar het om gaat, is dat ze er niet was toen ik thuiskwam…'

'En hoe laat was dat?'

Ik herinnerde me dat Karen tegen Eamonn zei dat het al halfelf geweest was toen hij op zijn blote voeten en gekleed in een regenjas hun huis uit kwam schuifelen. En toen ik Charlies kamer
in ging, had haar schaapsklok het hele uur geblaat. 'Het moet
ongeveer elf uur zijn geweest. We zouden op vakantie gaan,

maar ik denk dat we het nu niet meer redden. We zouden om een uur of één op zijn laatst weg hebben moeten gaan, en daarvóór zou zij thuis zijn gekomen om haar spullen te pakken. Daarbij komt nog dat ze een feestje voor me had georganiseerd. Ik zou me anders geen zorgen hebben gemaakt, maar dit slaat nergens op. Ze was er heel enthousiast over. We hebben het er al maanden over.'

'Waar zou u naartoe gaan op vakantie?'

'Florida,' zei ik ongeduldig.

'Leuk. Met z'n drieën?'

'Met z'n vieren. Mijn vriend gaat ook mee.'

'Uw nieuwe vriend?'

'Precies. Wat heeft dat er nou…?'

'Kan uw dochter het goed met hem vinden?'

'Ja. Ik bedoel, ze hebben wel eens… Maar in principe wel.'

'Hmm. Heeft Charlotte een mobiele telefoon?'

'Ik heb het nummer een paar keer geprobeerd, maar ze geeft geen gehoor. Ik heb de vriendin gebeld bij wie ze afgelopen nacht heeft geslapen om na te gaan of ze haar krantenwijk is gaan doen. Ik heb haar beste vriendin gesproken. Niemand weet waar ze heen is gegaan.'

Ik wilde dat hij tegen me zou zeggen dat ik me geen zorgen hoefde te maken, maar toen hij het zei, raakte ik geïrriteerd omdat ik wist dat het niet waar was.

'Ik ken Charlie,' zei ik met nadruk. 'En ik weet dat dit niks voor haar is. Er is iets mis. We moeten haar gaan zoeken.'

'Mevrouw Landry,' zei hij vriendelijk. 'Ik weet hoe tieners zijn. Ik heb er zelf ook een.'

'U kent Charlie niet.'

'Het gebeurt zo vaak dat tieners zoek zijn,' vervolgde hij, alsof ik niets had gezegd. 'U zou me niet geloven als ik u vertelde hoe vaak het voorkomt dat er een als vermist wordt opgegeven die dan een paar uur later of de volgende dag gewoon weer op komt dagen. Ik ben ervan overtuigd dat uw dochter gauw weer thuis zal zijn. Hebt u onlangs ruzie gehad?'

'Nee.'

Dit was natuurlijk strikt genomen niet waar. Ik verloor zelden mijn geduld, maar Charlie maakt ruzie met iedereen, of je erop ingaat of niet. Ze is altijd en bij iedereen in de contramine. Als ik me haar probeer voor te stellen, zie ik haar provocerend met haar handen in haar zij of met haar armen over elkaar staan. Ze tart mensen, kijkt ze uitdagend aan, maakt ruzie en dan stormt ze vervolgens de kamer uit en slaat ze met deuren. Ze lijkt op Rory, of liever gezegd op de Rory van vroeger: snel boos en ook snel bereid om zich te verontschuldigen of te vergeven, grootmoedig en overdreven schuldbewust tegelijk, en nooit rancuneus. Gisteren heeft ze nog ruzie met me gemaakt, en eergisteren ook en waarschijnlijk de dag daarvoor ook, omdat ze haar werkstuk voor natuurkunde verkeerd had opgeslagen op de computer en het niet meer kon vinden, over waarom ze op een gewone schooldag niet met Ashleigh naar een concert in Londen mocht, waarom ze naar haar vader moest als er die avond toevallig net een groot feest op het eiland was, wat er mis was aan het opeten van een heel pak ijs en vervolgens de lege bak terugzetten in de vriezer, waarom ik er wat van zei als ze zonder het te vragen mijn schoenen had geleend en de hak had gebroken... Maar het waren allemaal maar kleine kibbelarijen, dagelijkse kost voor Charlie.

'Nee,' herhaalde ik, 'we hebben geen ruzie gehad.'

'Problemen met vriendjes?' vroeg hij.

'Nee,' zei ik. 'Charlie heeft geen vriendje.'

'Dat denkt u,' zei Mahoney met een geamuseerde glimlach.

'Dan zou ze me dat wel verteld hebben,' zei ik. 'Ze vertelt me alles.' Want dat deed ze. Charlie maakte van haar boosheid en ongeduld geen geheim, maar ze vertrouwde me ook dingen toe, vaak op een ontroerend openhartige manier. Ze vertelde over de jongens die haar mee uit hadden gevraagd, ze had me een keer toevertrouwd dat ze bij Ashleigh thuis vreselijk dronken was geworden van te veel Bacardi Breezers, waardoor ze had moeten overgeven op hun keurige groene gazon, ze vroeg me om advies over puistjes en menstruatiepijnen en ze had me verteld dat ze zich zo beklemd voelde door de overbezorgde houding die haar vader tegenover haar had. 'Luistert u eens, dit doet er allemaal niet toe.'

'En hoe is het op school? Voelt ze zich daar gelukkig? Geen problemen met leeftijdgenoten?'

'Niet in die mate dat ze daardoor van huis zou weglopen.'

'Er waren dus wel problemen?'

'Ze is een tijdje nogal gepest,' zei ik kortaf. 'Ze was daar nieuw op school en ze heeft zich moeten aanpassen. U weet hoe gemeen meisjes in een groep tegen elkaar kunnen zijn. Maar dat hoort inmiddels allemaal tot het verleden.'

'Hm.' Hij stond plotseling op en stak zijn pen en opschrijfboekje in zijn zak. 'Laten we eens een kijkje nemen in Charlottes kamer.'

'Waarom?'

'Die is boven, neem ik aan?'

Hij was al onderweg, ik liep achter hem aan.

'Ik heb er al gekeken. Er is daar niks te zien.'

'Deze?'

'Ja.'

Mahoney bleef onaangedaan in de deuropening staan en nam de chaos in Charlies kamer in ogenschouw. Er hing een zware geur in de kamer – Charlie was dol op allerlei crèmes, lotions en badolies. Als ze weer eens uitgebreid onder de douche was geweest of uren in een schuimbad had gelegen, liep ze druipend nat naar haar kamer, waar ze zich insmeerde met crème en haar hele lichaam en haar koperkleurige haar met parfum besproeide.

'Niet bepaald opgeruimd, hè?' merkte hij vriendelijk op.

Hij bukte zich en raapte een Chinese omslagdoek op, die als een gewonde vogel aan zijn voeten lag, en legde die behoedzaam op het onopgemaakte bed. Hij fronste zijn voorhoofd terwijl hij de rommel om zich heen bekeek. Hij liep verder de kamer in, die door de aanwezigheid van zijn gezette gestalte kleiner en

donkerder leek te worden. Op de vloer lagen een kanten onder-
broekje, twee beha's, netkousen en een broek die erbij lag alsof
Charlie er net uitgestapt was. Er lag een doos chocolaatjes die
ze onlangs van een jongen had gekregen en die nu grotendeels
leeggegeten was, een schrift waarin in een nonchalant handschrift dingen waren opgeschreven, aan de muur hing een half
losgeraakte poster van een popster die ik niet kende, en in een
hoek stond een foto van Rory en mijzelf hand in hand toen we
een stuk jonger waren. Op de boven haar bed aan de muur ge-
plakte ansichtkaarten was een reusachtige stenen voet uit het
British Museum te zien, een wit strand en een blauwe collage
van Matisse. Boven Charlies hoofdkussen hing aan het plafond
een klamboe, en Mahoney moest zich bukken om niet met zijn
hoofd verstrikt te raken in het witte net. Hij stapte met zijn grote, zwarte laarzen voorzichtig over het vloerkleed, en ik hoorde
Charlie bij wijze van spreken in mijn oor sissen: 'Stuur die vent
hier weg!' Naast de overvolle prullenbak stond een leeg bier-
blikje, waar hij met zijn voet even tegenaan stootte alsof het be-
wijsmateriaal was.

'Mist u hier iets?'

Ik keek vertwijfeld om me heen. Ik deed een klerenkast open
en tuurde naar binnen. Charlies kleren zijn qua stijl een men-
geling van exotisch en nonchalant: een zwarte spijkerbroek,
een paarse rok met ruches, een geborduurde zigeunerblouse,
een korte rode jurk, plompe halfhoge laarzen, afgetrapte sport-
schoenen, hemdjes met spaghettibandjes, grijze en zwarte capu-
chontruien, T-shirts met onbegrijpelijke slogans op de borst.
Het meeste lag trouwens onder in de kast op de bodem. Ik deed
de deur dicht.

'Ik dacht het niet,' zei ik aarzelend.

'Geen dingen die ze zou hebben meegenomen als ze misschien voor een tijdje ergens anders heen zou gaan?'

'Weet ik niet.'

Ik keek nog eens om me heen, op zoek naar iets wat afwezig
zou kunnen zijn in die enorme rommel, een lege plek.

'Haar mobiele telefoon bijvoorbeeld.'

'Die had ze gisteravond bij zich, dus die is natuurlijk niet hier.' Ik keek naar het bureau. Haar computer stond uit. Ik pakte de schoenendoos op. Daarin lagen een paar lange oorbellen die rinkelden als ze ze in had, een bruisbal voor in bad, een kralen halsketting met een knoop erin, een serie van vier pasfoto's van haarzelf en Ashleigh die samen gekke bekken trokken voor de camera, een opgevouwen vel gelinieerd papier waarop toen ik het openvouwde 'Denk aan geld voor diner' te lezen stond, een vlakgom met inktvlekken, een lijmstift, een potje uitgedroogde nagellak, twee pennendoppen en een aantal haarbanden. Ik zette de doos weer neer en keek aandachtig naar wat er op het bureaublad lag. Clearasil, deodorant, cd's, haar etui met eyeliners. En ineens zag ik het. Ik zag wat er ontbrak.

'Haar toilettas,' zei ik. 'Het is een blauwe met een lichtblauw motief erop, geloof ik. Langwerpig. Ik zie hem niet.' Ik raapte de handdoeken op en gooide ze opzij. 'Nee, hij is er niet. En haar make-uptasje ook niet. Roze is het. Maar misschien zit dat in een van haar tassen. Vreemd.'

Ik raapte alle kledingstukken van de grond en legde ze op een stapel om er zeker van te zijn dat er niets onder lag. Toen ik haar pyjamabroek in handen had, fronste ik mijn voorhoofd, en ineens stokte mijn adem.

'Wat is er?' vroeg Mahoney.

'Ze draagt hier altijd een nachthemd bij. Waar is dat nachthemd?'

'Daar is een eenvoudige verklaring voor, mevrouw Landry.'

'En die is?'

'Het zijn allemaal dingen die ze zal hebben meegenomen toen ze uit logeren ging.'

'Nee, dat heeft ze niet.'

'Die heeft ze niet meegenomen, bedoelt u? Weet u het zeker?'

'Absoluut zeker. Het was niet de bedoeling dat ze zou blijven slapen. Ze ging er alleen heen voor een feestje. Tam heeft toen voorgesteld dat ze zou blijven slapen. Ze heeft me opgebeld om te zeggen dat ze niet thuis zou slapen maar de volgende ochtend pas naar huis zou komen. Ik weet dat ze die spullen niet bij zich had omdat we het er nog over hebben gehad. Ik heb zelfs nog voorgesteld dat ik ze langs zou brengen, maar daar moest ze om lachen; ze zei dat ze haar tanden wel met haar vinger zou poetsen en dat ze kon douchen en schone kleren aantrekken als ze weer thuis was. Ik geloof dat ze niet eens haar portemonnee bij zich had. Alleen haar telefoon.'

'Nou, kijk eens aan.'

Ik ging op het bed zitten en wreef in mijn ogen.

'Ik snap het niet,' zei ik. 'Wanneer heeft ze die dingen dan gehaald? Gisteravond waren ze hier nog, dus wanneer heeft ze het gedaan? En waarom? We zouden op vakantie gaan.'

'Mevrouw Landry, ik begrijp dat u zich grote zorgen maakt, maar wij zien dit soort dingen zo vaak.'

'Wat voor dingen? Wat bedoelt u?'

'Charlotte heeft om de een of andere reden besloten even weg te gaan. Maar ik weet zeker dat ze gauw terugkomt.'

'Nee.'

'Ze heeft haar make-uptasje meegenomen, haar nachtkleding, haar toilettas, haar mobiele telefoon en waarschijnlijk ook haar portemonnee.'

'Ze was heel tevreden met haar leventje. Het klopt gewoon niet. Het kan niet, het klopt niet. Er moet een andere verklaring voor zijn. Dit kan niet. Dit zou ze nooit doen.'

'Uw dochter is vijftien, over twee maanden al zestien. Ik hoef u toch niet te vertellen dat dat soms een moeilijke leeftijd is. Het lijkt erop dat ze op het moment een beetje veel aan haar hoofd heeft. Haar vader is weg, u hebt een nieuwe vriend, ze heeft problemen gehad op school.'

Ik deed mijn ogen dicht en probeerde na te denken. Het bewijs was er, dat viel niet te ontkennen. Charlie was op een gegeven moment naar huis gekomen, had haar spullen gepakt en was weer weggegaan. Daar kon ik niets tegen inbrengen, maar ik herinnerde me ook dat ze gisteravond voordat ze de deur uit ging de indruk wekte dat ze – hoe zal ik het zeggen? – zorgeloos was. En ze was aardig tegen me. We hadden enthousiast over Florida gepraat, we hadden het er zelfs over gehad welke kleren ze mee zou meenemen. Ze zei dat ze haar bikinilijn nog moest bijwerken. Ze had zelfs nog iets aardigs gezegd over Christian, ze had me op mijn wang gezoend en gezegd dat ze hem heel aardig vond.

'Ze zou het me verteld hebben als er iets was. Dat weet ik zeker.'

'Tieners hebben vaak geheimen, mevrouw Landry. Mijn vrouw zegt altijd…'

'Maar wat gaat er nu gebeuren?'

'Zodra u iets van haar hoort, neemt u contact met ons op.'

'Nee, ik bedoel, wat gaat u doen?'

'We zetten haar op onze lijst, we letten op of we haar zien. En u kunt straks naar het bureau komen om een verklaring af te leggen.'

'Meer niet? Is dat alles?'

'Er is waarschijnlijk helemaal niets aan de hand met haar, ze heeft alleen even de tijd nodig om de dingen voor zichzelf op een rijtje te zetten.'

Ik keek naar zijn vriendelijke, onbezorgde gezicht.

'Ik ben het niet met u eens. Als ze weggelopen is, moet er iets gebeurd zijn wat voor haar aanleiding was om dat te doen. Het kan best zijn dat u gelijk hebt en dat ze elk moment binnen kan komen, maar de politie moet toch niet alleen rekening houden met de positieve scenario's, maar ook met de negatieve. Daarom heb ik u tenslotte gebeld. We kunnen niet gewoon maar afwachten. We moeten haar nu zien te vinden.'

'Ik heb begrip voor uw bezorgdheid, maar uw dochter is bijna zestien.'

'Ze is vijftien. Ze is nog een kind,' zei ik. 'Helpt u me alstublieft mijn dochter te vinden.'

De telefoon rinkelde luid, en ik sprong van het bed.

'Daar zul je haar hebben,' zei Mahoney.

Ik rende met twee treden tegelijk de trap af en pakte met bonzend hart de hoorn op.

'Ja?'

'Nina, met Rick.'

'O.'

'Ik bel uit het ziekenhuis en ik wilde me nog verontschuldigen voor de toestand die we daarstraks hebben veroorzaakt.'

'Geeft niet,' zei ik. 'Ik hoop dat het meevalt met Karen.'

'Is Charlie al terecht?'

'Nee,' zei ik. 'Nog niet.'

'Hè, wat naar. En jullie vakantie... Ik wou dat ik iets kon doen, Nina, maar ik kan hier op het ogenblik niet weg. Heb je erover gedacht de politie te bellen?'

'Die is hier nu. Ze denken...'

Ik zweeg.

'Wat?'

'Ze denken dat ze weggelopen is,' zei ik met tegenzin. 'Het slaat nergens op, Rick. Ik geloof niet dat Charlie dat zou doen. Gisteren was er helemaal niets aan de hand met haar.'

'Het spijt me dat ik zo weinig kan doen,' zei hij. 'Ik zit hier zelf met een probleem. Ik kan alleen maar zeggen – en dan spreek ik als leraar, als Charlies leraar – dat tieners zich vaak anders gedragen dan je zou verwachten.'

'Dat zou ik ook zeggen als ik jou was. Dat zegt die politieman ook. Hij vindt dat er geen reden tot bezorgdheid is.'

'Ik ben ervan overtuigd dat daar geen reden voor is.'

'Bedankt, Rick. Ik moet nu ophangen. Ik wil de lijn vrijhouden voor het geval dat ze belt.' Toen schoot me weer te binnen waar hij vandaan belde. 'O sorry, Rick. Hoe is het met Karen?'

'Er is nu een dokter bij haar.'

'Ik hoop dat het allemaal goed komt.'

'Vast wel,' zei hij. 'Nou, dan hang ik nu maar op. Laat je het me weten als Charlie terug is? Want ze komt terug, dat weet je.'

Ik legde de hoorn neer en keek Mahoney aan, die de trap afkwam.

'Was het Charlie niet?'

'Nee. U gaat weg?'

'Ze komt vast zo binnen, dat is zo zeker als twee maal twee vier is…'

'En als ze dat niet doet?' zei ik somber.

'Ik zal een wagen een rondje over het eiland laten maken en vragen of ze naar haar uitkijken. Hebt u misschien een recente foto van haar die ik mee kan nemen?'

'Ja. Ja, natuurlijk. Kijkt u eens, hier.'

Ik haalde de foto die ze me voor mijn verjaardag hadden gestuurd van de koelkast – Charlie en Jackson die met heldere ogen in hun mooie jonge gezichten naar me glimlachten.

'Deze is pas een paar dagen geleden gemaakt,' zei ik.

'Dank u.' Hij keek er een paar seconden naar. 'Mooi meisje.'

'Ja.'

'Nou, zoals ik al zei…'

Ik deed de deur voor hem open. Ik hoorde de zee en de wind die om de masten van de boten op de werf speelde. Er spatten een paar regendruppels op mijn gloeiende gezicht. Ik sloot de deur en leunde ertegenaan. Het duizelde me omdat alles wat er gebeurde zo onwerkelijk was. Mijn dochter, mijn lieve, stormachtige, impulsieve, integere Charlie was van huis weggelopen. Van mij weggelopen. Ik deed net alsof ik de druk op mijn borst niet voelde en probeerde diep en regelmatig te ademen. Toen liep ik naar de keuken en hield mijn gezicht onder de kraan.

'Zo,' zei ik.

Ik toetste het mobiele nummer van Christian in.

'Ik zit op de snelweg. Waar ben jij?' zei hij.

'Charlie is weggelopen.'

'Wat? Charlie is weggelopen? Maar waarom…?'

'Ik kan nu niet praten. We komen niet…' Er viel een stilte aan de andere kant. Ik dacht dat de verbinding verbroken was. 'Hallo? Ben je daar nog?'

'Ja, ik ben er. Wat ga je doen?'

'Wat denk je? Ga maar zonder ons. Ik neem wel contact met je op. Het spijt me erg.'

'Nina, luister. Ik weet zeker dat alles op z'n pootjes terechtkomt, maar ik kom naar je toe en zal je helpen zoeken. Het komt allemaal goed.'

'De verbinding valt weg,' zei ik, en ik maakte een einde aan het gesprek.

Ik had de hele dag niets gegeten en voelde ineens een enorme honger. Ik beefde over mijn hele lichaam en was bang dat ik flauw zou vallen. Ik liep naar de keuken en vond in een van de kasten een pak cornflakes, waar ik een paar handjes van opat, gewoon zo, zonder melk. Ik vulde de waterkoker met water. Ik spoelde de percolator om. Ik moest hem uit elkaar halen en de onderdelen onder de kraan houden om het koffiedik te verwijderen, dat ik er in het koude water met mijn vingers afveegde. Ik pakte een pak koffiebonen van de koelkast, maalde een hoeveelheid bonen en deed het maalsel in de percolator. Toen het water kookte, goot ik het op de koffie. Ik deed ook een boterham in de broodrooster, en toen die klaar was smeerde ik er marmelade op. Toen ging ik aan de keukentafel zitten, nam kleine slokjes van de hete, zwarte, sterke koffie en at de geroosterde boterham met langzame, bedachtzame kauwbewegingen op. Wat deed het er tenslotte nu nog toe? Ik had tijd zat.

Ik was ineens in een heel andere wereld, een wereld die koud en hard was, waarvan ik nooit had gedacht dat ik die zou meemaken, en ik moest er zorgvuldig en helder over nadenken. Ik was nu een heel ander mens dan toen ik vanmorgen opstond. Ik was nu een vrouw wier vijftienjarige dochter van huis was weggelopen. Ik had een dochter die stiekem een paar aandoenlijke spulletjes en wat geld had opgehaald en die liever de bittere decemberkou in ging dan thuis te blijven bij mij. Ze wilde liever op een andere plek zijn, en misschien wilde ze liever bij iemand anders zijn. Zolang ze maar niet hier hoefde te zijn.

En dit was iets wat ik zelfs voor mezelf maar moeilijk kon erkennen. Het was veruit het meest beschamende wat ik in mijn hele leven had meegemaakt. Ik was uit het veld geslagen. Stukje bij beetje zouden de mensen om me heen, mijn familieleden, vrienden, bekenden, buren, te weten komen dat Nina Landry een moeder was wier dochter van huis was weggelopen. Ouders die de meest afschuwelijke ruzies hadden met hun kinderen zouden zich troosten met de gedachte dat ze het als ouder tenminste beter deden dan Nina Landry. Ik kan niet goed met mijn kinderen opschieten, zouden ze zeggen, maar die zijn tenminste niet weggelopen zoals de dochter van Nina Landry. Ik stelde me voor hoe ik de komende paar dagen mensen op straat zou tegenkomen. Met verbaasde blikken. Ik dacht dat je op vakantie was. Nee, die hebben we helaas moeten annuleren, mijn dochter is…

Gaandeweg, naarmate het nieuws zich verspreidde, zouden de mensen me niet langer verbaasd maar gegeneerd aankijken, om dan met een blik die de opwinding verraadt die je voelt als een ander iets ergs heeft meegemaakt een woord van medeleven te mompelen.

Het was afschuwelijk om te erkennen, het was verachtelijk, maar dit was wel wat er door me heen ging, en ik dwong mezelf erover na te denken, alsof ik mijn hand in kokend water had gestoken en weigerde hem terug te trekken.

Ik schonk mezelf nog een kop koffie in en nam er een paar slokjes van. Als ik de negen maanden zwangerschap met de bijbehorende misselijkheid, bezorgdheid en angst voor mogelijk onheil meetelde, was het nu voor het eerst in zestienenhalf jaar dat ik niet wist waar mijn dochter was. Ik moest beslissen wat ik zou doen. Ik pakte de telefoon en belde Renata op haar mobiel.

'Niemand heeft haar gezien,' zei ze. 'Maar…'

'Geeft niet,' onderbrak ik haar. 'Kom maar terug. Ik wil je iets vertellen.'

'Wil je dan niet dat we…?'

'Nee,' zei ik, en ik hing op.

Welke mogelijkheden had ik? De politieman had het doen voorkomen alsof het feit dat Charlie was weggelopen er nou eenmaal bij hoort als je een opgroeiend kind hebt, zoals ze ook

verjaarspartijtjes vieren of lid worden van de padvinderij. Vanuit dat standpunt bezien moest ik, desnoods met wat verdriet en
eventueel een paar tranen, gewoon doorgaan met ademhalen en
afwachten tot mijn dochter contact met me opnam. Maar ik
hoefde me dit alleen maar duidelijk voor te stellen om te beseffen dat het volstrekt onmogelijk was. Ik moest Charlie zien te
vinden, ik moest met haar praten en proberen te achterhalen
wat er aan de hand was, zelfs al betekende dit dat ze me dingen
zou vertellen die ik niet wilde weten. Ik probeerde te bedenken
wat andere moeders zouden doen, maar dat leverde niets op. Ik
was op mezelf aangewezen, het was niet anders. Charlie was vijftien, ze was mijn kind, en ik moest haar zien op te sporen. Alle
andere dingen konden wachten. Maar waar moest ik beginnen?

Mijn eerste ingeving was om in de auto te springen en maar
te gaan rijden, om wildvreemden aan te spreken en van alles
te ondernemen totdat ik haar ten slotte vond. Hysterie en on-
middellijke actie zouden me misschien een beter gevoel hebben
bezorgd of me ervan hebben weerhouden stil te blijven staan bij
dingen die pijnlijk waren, maar wat vóór alles van me gevraagd
werd, was dat ik zinvol handelde. Ik pakte de blocnote die ik op
de keukentafel had liggen voor mijn boodschappenlijstjes. Er
zat met klittenband een balpen aan vast. Ik trok hem los en begon poppetjes te tekenen om mijn gedachten te ordenen.

Charlie had spullen meegenomen, dus ze was weggelopen,
ofwel mét iemand ofwel náár iemand. Ze zou naar een vriendin
gegaan kunnen zijn. En wat Rick ook zei, het ergste zou zijn als
ze in haar eentje was weggegaan, als ze zonder plan of doel was
gaan liften, om maar weg te zijn. Ik zag Charlie al langs de weg
staan met haar duim omhoog en vervolgens bij een wildvreem-
de instappen en wegrijden. Ik voelde mijn ogen prikken, en
voor het eerst van mijn leven dacht ik erover hoe het zou zijn om
zelfmoord te plegen. Maar toen dacht ik aan Jackson en Charlie
zelf en sloot ik me voor altijd af van die gedachte.

Het waarschijnlijkste was dat ze bij een vriendin zat of dat
een vriendin op de hoogte was van haar plannen. Als ik iemand

kon vinden die me in contact kon brengen met Charlie, dan kon ik met haar praten en zou zij me kunnen vertellen wat er mis was gegaan tussen ons. Waar moest ik beginnen? Charlie was thuisgekomen voordat mijn feestje begon, toen ik weg was om mijn auto te laten repareren. Ze had de dingen gepakt die ze nodig had en was vertrokken. Het besluit om weg te gaan, althans het besluit om vandáág weg te gaan, voordat we op vakantie gingen, moet ze plotseling hebben genomen, omdat ze anders haar toilettas en portemonnee zou hebben meegenomen naar Ashleigh. Op het feestje had ik van verschillende mensen gehoord dat Charlie het had georganiseerd. Ik kende mijn dochter als een heerlijk raar en chaotisch kind, maar zou ze werkelijk in staat zijn haar moeder te verrassen met een verjaarspartijtje op de dag dat ze van huis weg wilde lopen?

Ik kreeg ineens een idee. Zou er tijdens de logeerpartij iets gebeurd kunnen zijn dat de crisis had veroorzaakt? Ik vroeg me af wat haar ertoe zou hebben kunnen bewegen weg te lopen in plaats van naar mij toe te komen. Ik kon geen scenario bedenken dat aannemelijk leek, maar het was duidelijk dat de logeerpartij het vertrekpunt moest zijn. Ik maakte al aanstalten het telefoonboek te pakken, maar bedacht dat dit niet hoefde. Joels telefoonnummer stond in mijn mobiele telefoon. Nog uit een vorig leven – maar dat was een ander verhaal. Ik zocht het nummer op en belde het, maar het was in gesprek. Een stem vroeg of ik een boodschap wilde achterlaten, maar wat ik te zeggen had, kon ik niet op een apparaat inspreken. Ik besloot niet te wachten, maar erheen te rijden. Het was maar een paar minuten. Ik liet op de keukentafel een briefje achter voor Renata en stapte in de auto. Ik reed langs de kustweg en draaide vervolgens Flat Lane op, die landinwaarts liep, en hield halt voor het witgekalkte huisje met het rieten dak van Alix en Joel, een smaakvolle uitzondering op de rijtjeshuizen hier, die in een buitenwijk van elke willekeurige grote stad hadden kunnen staan.

Ik belde aan en liet toen ook de zware smeedijzeren klopper op de deur neerkomen. Alix deed open met de telefoon aan haar oor, keek me verbaasd aan en gebaarde dat ik binnen kon komen. Ik bleef op de drempel staan terwijl zij haar gesprek voortzette. Ze keerde zich van me af alsof het om een vertrouwelijk gesprek ging, maar ik hoorde dat ze met iemand op haar praktijk over het werk sprak. Ze had het volgens mij gewoon over een werkrooster dat verstoord werd doordat er iemand ziek was geworden. Dit was belachelijk. Ik haalde diep adem en tikte haar op haar schouder. Met een frons op haar gezicht keek ze om. Hoe haalde ik het in mijn hoofd om als een babbelzieke tiener van haar te eisen dat ze haar telefoongesprek beëindigde? Ja, het was niet anders.

Ik vormde met mijn lippen de woorden: 'Sorry, het is dringend.'

'Neem me niet kwalijk, Ros,' zei ze. 'Ik bel je straks terug. Er schijnt hier iets aan de hand te zijn dat geen uitstel verdraagt.'

Alix sprak het woord 'schijnt' met een sarcastische ondertoon uit, maar ze beëindigde wel het gesprek.

'Met Karen gaat het redelijk,' zei ze meteen. 'Ik ben net terug uit het ziekenhuis. Ze is meteen geholpen omdat ze zo bloedde. Ze heeft een paar hechtingen, en die arm is op een hele nare manier gebroken. Ze moet er in elk geval vannacht nog blijven. Rick zit er maar mee, die arme man. Het is een twijgbreuk. Weet je wat dat is? Zo'n breuk die je krijgt wanneer je een tak probeert af te breken en het lukt niet goed...'

'Daar gaat het niet over,' zei ik. 'Charlie is zoek.'

Alix keek me onderzoekend aan.

'Zoek?'

Ik gaf haar een kort verslag van wat er die ochtend gebeurd was en zag de uitdrukking van ongeloof die ik van haar kende op haar gezicht verschijnen.

'Maar dat is pas sinds een paar uur.'

'Het is nu anders dan het normaal geweest zou zijn. We zouden naar het vliegveld gaan. Het is een grote schok voor me en ik snap er niets van, maar Charlie heeft haar spullen gepakt en is ervandoor gegaan... Ik weet het niet, maar...'

Even was ik geneigd mijn tranen de vrije loop te laten. Het was verleidelijk om me te laten gaan, om in huilen uit te barsten, mijn armen om Alix heen te slaan en haar te vragen om me te steunen en te helpen. Maar één blik op de sceptische, onaangedane uitdrukking op haar gezicht was voldoende om mezelf weer in bedwang te krijgen. Zij had geen schouders om op uit te huilen. En dit was niet het moment om in te storten. Ik haalde diep adem.

'Ik wil Tam spreken,' zei ik.

Ze keek me even aan. Alles wat onze verstandhouding bepaalde bleef ongezegd, diep verborgen onder een oppervlakte van kille beleefdheid. We wisten het allebei, en we wisten ook allebei dat de ander het wist. Ik had een relatie gehad – nee, een kortstondige affaire – met Joel, maar omdat ze in die periode gescheiden van elkaar leefden, dacht ik niet dat je kon zeggen dat hij haar echt met mij had bedrogen. We hadden er nooit met elkaar over gesproken, maar het was voelbaar in elke blik die we wisselden en in elk woord dat we zeiden. En na de affaire, alsof het een vreemdsoortige wraakoefening was die zich voltrok zonder dat de hoofdrolspelers zich er zelfs maar van bewust waren, had hun dochter mijn dochter zo gepest en getreiterd dat ze zelfs niet meer naar school durfde. Alix wist er zeker van. Ik wist dat Rick haar naar school had laten komen en er met haar over had gepraat. Ik heb alleen nooit geweten hoe ze daarop heeft gereageerd, of ze overtuigd was geweest van haar eigen gelijk of zich juist in de verdediging gedrongen had gevoeld, of ze van de kaart was geweest of het niet serieus had genomen, of dat ze er misschien in het geheim blij om was geweest. Ook daarover hadden we nooit met elkaar gesproken, en het leek niet waarschijnlijk dat het ooit zou gebeuren.

Als het anders was gelopen, hadden we vriendinnen kunnen zijn, bedacht ik terwijl ik naar binnen liep. Ze was heel direct en had een sterke persoonlijkheid, en ik kon me best voorstellen dat ik haar aardig zou vinden. Maar nu kon ik er alleen maar aan denken dat haar dochter mijn dochter had gekwetst en dat mijn dochter nu weg was. Vriendinnen zouden we nooit worden, en ik had geen zin om te doen alsof.

'Je hebt Tam al gesproken,' zei Alix. 'Telefonisch.'

'Ik moet haar nu echt spreken, persoonlijk.'

Alix maakte nog geen aanstalten in beweging te komen.

'Ik geloof dat ze onder de douche staat. Jenna is er ook nog.'

'Ik wil ze allebei spreken,' zei ik. 'Kun je ze naar beneden roepen, of zal ik naar boven gaan? Het is dringend.'

'Ik roep ze wel.'

Ze ging de trap op. Ik hoorde haar op een deur kloppen, waarna ik gedempte stemmen hoorde, die eerst luider werden en toen weer zachter klonken.

'Ze komen eraan,' zei ze toen ze de trap afkwam. 'Kom maar mee naar de keuken. Wil je koffie of thee?'

'Nee, dank je.'

Ze ging me voor en wees me een stoel. Op de grond lagen plavuizen, de roestvrijstalen werkbladen glommen. Alle keukenapparaten – het espressoapparaat, de keukenmachine, de broodbakmachine, de broodrooster, de citruspers – stonden op een rij. Er hing een geur van geroosterd brood. Op tafel stond een lidcactus met daarnaast een grote schaal mandarijnen. Ik zag wel dat het een mooie keuken was, maar op het moment was de indruk die ik ervan kreeg er voornamelijk een van koele efficiëntie en een soort onverbiddelijkheid. Alix ging tegenover me zitten; ze was duidelijk niet van plan mij alleen te laten met Tam en Jenna.

Pestkoppen zijn er in alle soorten en maten. Tam was minstens een kop kleiner dan ik, ze had een smal gezicht, grote ogen, een brede mond en weelderig donkerblond haar. Ze kwam keurig gewassen en gekamd de keuken in. Ze droeg jeans en een felgekleurd vest, dat met een lint over haar verrassend grote borsten was dichtgebonden. Alles aan haar leek te gloeien. Even voelde ik woede in me oplaaien, en ik moest diep inademen om mezelf te kalmeren. Tams vriendin Jenna, die achter haar stond, maakte een onhandige, angstige indruk en leek zich met haar figuur geen raad te weten.

'Mama zei dat u met ons wilde praten.'

'Dat klopt. Charlie is zoek.' Ik keek in haar ogen en zag een uitdrukking die ik niet thuis kon brengen over haar gezicht flitsen, en tegelijkertijd dwong ik mezelf te zeggen: 'Het ziet ernaar uit dat ze weggelopen is.'

Jenna hapte naar adem.

'Weggelopen? Charlie?' Tam fronste haar wenkbrauwen.

'Luister eens,' zei ik. 'Ik weet wat er het afgelopen trimester is gebeurd tussen jou en Charlie. Dat interesseert me nu allemaal niet. Op het ogenblik kan het me niet schelen wie wat gedaan heeft. Ik wil te weten zien te komen waar ze naartoe is gegaan en ik wil van jullie horen of jullie iets weten wat daarvoor van belang kan zijn. Ze is hier vannacht geweest, jullie zijn voor zover ik weet de laatsten die haar gezien hebben. Wat is er gebeurd?'

'Wat bedoelt u, wat is er gebeurd?'

'Was alles goed met haar? Hadden jullie het gezellig? Of niet? Is er ruzie geweest? Heeft ze iets gezegd wat jullie achteraf vreemd vinden?'

'Nee,' zei Tam.

'Is dat alles wat je te zeggen hebt, "nee"?'

'Het ging goed met haar,' hield Tam wrevelig vol. 'Er is geen ruzie geweest, ze heeft niks vreemds gezegd.'

'Tam, het kan me niet schelen of er wel of geen ruzie is geweest. Ik wil het alleen weten. Ik moet een aanknopingspunt hebben.'

'Volgens mij probeert Tam je duidelijk te maken dat ze jou geen aanknopingspunten kan geven omdat die er niet zijn,' zei Alix. 'Is dat juist, Tam?'

'Precies. Er is niks gebeurd.'

'Ze was opgewonden dat ze op vakantie ging,' zei Jenna. Ze trok strengen van haar lange bruine haar over haar gezicht en maakte een opgelaten indruk.

'Had je het idee dat ze zich ergens zorgen over maakte?'

'Niet echt.'

'Wat hebben jullie gedaan?'

'Gepraat, naar een film gekeken, een pizza gegeten, van die dingen.'

'En dat heeft Charlie ook allemaal gedaan?'

'Ja.'

'Heeft ze 's avonds nog iemand gebeld of een sms'je gestuurd, of zoiets?'

'Zal wel. Het is mij niet opgevallen. Ik heb niet de hele avond op haar zitten letten, hoor.'

'Tam!' zei haar moeder scherp.

'Wat is dit nou allemaal? Ik was er helemaal niet zo voor om haar uit te nodigen, en nou dit!'

'Dus Charlie deed met alles mee, het leek goed te gaan met haar?'

'Ja.'

'Waarover hebben jullie gepraat?'

'Gewoon, gepraat. Over van alles. Niks bijzonders eigenlijk.'

'Hoe laat zijn jullie gaan slapen?'

'Een uur of één,' zei Tam, en op hetzelfde moment zei Jenna met een onderdrukt gegiechel en een tersluikse blik door haar haren: 'Eigenlijk hebben we nauwelijks geslapen.'

'Dus jullie hebben nauwelijks geslapen, en jullie hebben de wekker op negen uur gezet omdat zij haar krantenwijk moest doen. Was ze niet doodmoe?'

'Zo te zien niet,' zei Tam.

Ik keek naar het mooie, koppige gezichtje met de grote blauwe ogen.

'Je begrijpt hopelijk wel dat ik deze vragen niet voor de lol stel, hè?'

'Ik hoop dat u haar vindt,' zei Tam, wegkijkend. 'Ze zal vast gauw komen opdagen. Hebt u het aan Ashleigh gevraagd?'

'Natuurlijk heb ik het aan Ashleigh gevraagd. En aan de vrouw van de tijdschriftenwinkel en aan haar vader. En ik heb de vakantie laten schieten en de politie ingeschakeld.'

'De politie?' vroeg Jenna met een piepstem van de spanning.

'Ja.'

'Willen die ons ook spreken?'

'Ik heb geen idee. Hoezo?' Ik keek haar aandachtig aan. 'Zou je dat vervelend vinden?'

'Ik geloof dat het zo wel genoeg is,' zei Alix ijzig. 'Ik weet dat je bezorgd bent, Nina, maar…'

'Ik ben niet bezorgd, ik ben doodsbang. Doodsbang dat Charlie iets overkomen is.'

'Toch geeft dat jou niet het recht…'

'Ja, dat geeft het me wel. Jouw dochter heeft het leven van mijn dochter maandenlang tot een hel gemaakt. Vannacht is Charlie hier geweest, en nu is ze weggelopen. Je hoeft geen genie te zijn om daar een verband in te zien. Er is iets gebeurd.'

'Tam zegt van niet.'

'Er is niks gebeurd,' herhaalde Tam verontwaardigd en op hoge toon.

'Ik geloof haar niet. Ik wil weten wat ze gisteravond met Charlie gedaan hebben.'

'Zo is het genoeg. Ik geloof dat je nu maar beter weg kunt gaan.'

'Heeft Suzie vannacht ook hier geslapen?' vroeg ik.

'Ja, hoezo?'

'Ik vroeg het me alleen maar af. Ze woont in dat roze huis bij de kerk, is het niet?'

'Ik weet niet wat je met dit alles wilt bereiken,' zei Alix koel. 'Ik snap dat je bezorgd bent, maar als je denkt dat je iets bereikt met in het wilde weg beschuldigingen rondstrooien, dan heb je het mis. De meisjes hebben je alles verteld wat er gebeurd is.'

Ik stond op.

'Ik ben niet bezorgd, ik ben doodsbang. En ik zal alles doen wat ik kan om Charlie te vinden. Luister, mochten jullie tweeën nog iets bedenken – het maakt niet uit wat –, neem dan contact op.' Ik keek om me heen en zag een Post It-blocnootje en een balpen bij de telefoon liggen. Ik noteerde er de nummers van mijn mobiele en vaste telefoon op. 'Hier. Bel me.'

Ze knikten allebei zonder iets te zeggen.

'Ik kom er wel uit,' zei ik tegen Alix, toen ze van tafel opstond.

Maar ze volgde me naar de voordeur en deed die met een klap achter me dicht. Ik rende op dat moment al het tuinpad af – ik rende omdat ik iets móést doen, al had ik geen idee wat ik zou kúnnen doen.

Ik ging naar het huis van Suzie. Suzie was een sloom meisje dat tijdens de enkele keren dat ik haar had meegemaakt bijna niets had gezegd maar altijd een soort halve glimlach op haar gezicht had, waaruit niets af te leiden was. Charlie had me wel eens verteld dat ze op school veel aanzien genoot, juist door haar ondoorgrondelijke passiviteit.

Toen ik aanbelde, werd er opengedaan door Suzies moeder, die gekleed was in een oud trainingspak en afwashandschoenen aanhad. Van achter haar klonk het geluid van een tv waarvan het volume voluit was gedraaid, en daar bovenuit klonk nog het geluid van ruziënde kinderen. Een schreeuw als een militair commando weerklonk, gevolgd door een aanhoudend huilen.

'Hallo?' zei ze, waarna ze haar hoofd omdraaide en riep: 'Ophouden nou, jongens. Sorry. U bent Nina, hè? De moeder van Charlotte.'

Ze fronste haar blik. Net als Alix wist ook Suzies moeder – wier naam ik me niet kon herinneren – dat haar dochter deel uitmaakte van het groepje dat Charlie had gepest. Ik had eigenlijk verwacht dat een van de moeders misschien contact met me zou opnemen om haar verontschuldigingen aan te bieden of om gewoon eens te praten over wat er gebeurd was, maar ze hadden geen van allen iets van zich laten horen.

'Neem me niet kwalijk dat ik u lastigval, maar zou ik Suzie even kunnen spreken?'

'Wat wilt u van Suzie?'

'Charlie is zoek, en ik vroeg me af of Suzie me zou kunnen helpen.'

Suzies moeder ging niet opzij om me binnen te laten, maar

bleef onverzettelijk in de deuropening staan.

'Waarom zouden wij daar iets van weten?'

Ik vroeg me af of ik zo zou hebben gereageerd als Suzie vermist was, zo gekrenkt in mijn onschuld. Ik hoopte van niet. Ik hoopte dat ik alle vijandigheid zou laten varen en alles in het werk zou stellen om te helpen.

'Is ze thuis?'

'Ze is de deur uit gegaan,' zei Suzies moeder.

'Waarnaartoe?'

Op het moment dat ik het vroeg, zagen we allebei hoe Suzie op haar dooie gemak aan kwam lopen, met naast zich een net zo magere jongen die haar tas droeg en die net zo weinig haast had als zij.

'Suzie,' zei ik, toen ze ons naderde. 'Kan ik je heel even spreken? Het gaat om Charlie.'

Suzie keek me aan alsof ze absoluut niet begreep waar ik het over had. De slungelige jongen verplaatste zijn gewicht van het ene been naar het andere.

'Het wordt koud,' zei haar moeder. 'Komen jullie maar even in de gang staan.'

Even later stonden we dus met zijn vieren op elkaar gepropt in de smalle gang, tussen de kaplaarzen en de jassen.

'Charlie is zoek,' herhaalde ik. 'Ik hoopte dat jij me iets zou kunnen vertellen.'

'Wat dan?'

'Hoe ze gisteravond was. Of er iets gebeurd is waardoor ze van streek zou kunnen zijn?'

Suzie haalde haar schouders op. 'Het ging prima met haar.'

'Dus er is helemaal niets gebeurd?'

'Dacht ik niet.' Ze keek de knaap even aan met haar ironische glimlach, en hij glimlachte naar haar.

'Tam en Jenna zeiden...'

'U hebt hen gesproken, en nou komt u hier ook nog langs?' zei de moeder. Ze begon ineens haar afwashandschoenen af te stropen, alsof ze zich voorbereidde op een vechtpartij. 'Waarom?

Hebben zij iets gezegd wat ik zou moeten weten?'

'Helemaal niet. Ze konden me niet echt helpen, maar…'

'Zij konden u niet helpen, en nou komt u hier Suzie beschuldigen van allerlei dingen die in het verleden zijn gebeurd. Ik weet dat er in het afgelopen trimester ruzie is geweest, maar u moet niet gaan rondbazuinen dat uw dochter slachtoffer is en mijn dochter een pestkop. Daar heb ik schoon genoeg van.'

'Het kan me niet schelen wat er de afgelopen maanden is gebeurd, ik probeer alleen mijn dochter op te sporen.' Ik haalde diep adem. 'Ze is weggelopen.'

'Weggelopen? Maar dat is wat anders dan vermist zijn, hè?'

'Ik…'

'Als u het mij vraagt, probeert u uw verantwoordelijkheid af te schuiven op mijn dochter. En we weten allemaal bij wie die verantwoordelijkheid hoort te liggen.'

Ik keerde me van haar af en probeerde Suzies blik te vangen.

'Alsjeblieft, Suzie,' zei ik. 'Er is iets gebeurd, toch? Het gaat me er niet om jou in de problemen te brengen, ik moet alleen Charlie zien te vinden. Alsjeblieft.'

Heel even keek ze me aan. Toen deed ze haar mond open om iets te zeggen.

'Wegwezen,' zei haar moeder. 'En kom ons niet meer lastigvallen, hoort u me?'

Suzie pakte de jongen bij de hand en zei tegen hem: 'Zullen we naar mijn kamer gaan?'

Achter mijn rug werd de deur dichtgeslagen.

Sludge, die onder de kleverige modder van de slikken zat, lag onder de keukentafel, waaruit ik afleidde dat Renata en Jackson weer thuis waren. Ik riep hen terwijl ik keek of er boodschappen waren achtergelaten op het antwoordapparaat. Er was er maar een, van Rory, en die luidde: 'Hallo, hallo, Nina! Neem eens op!'

'Jackson zit op zijn kamer te huilen,' zei Renata terwijl ze de trap afkwam.

Ik ging naar hem toe. Hij zat op zijn bed met zijn jas nog aan en ook zijn laarzen, waarmee hij een modderspoor over het vloerkleed had achtergelaten, en over zijn rode wangen liepen strepen van tranen, alsof slakken er sporen hadden achtergelaten. Hij zag er ontroostbaar uit en leek ineens veel jonger dan elf jaar. Ik pakte zijn koude handen en blies erop om ze te verwarmen.

'Ik vind het vreselijk jammer dat het allemaal zo loopt,' zei ik.

Ik vertelde hem dat de politie was geweest, dat er spullen van Charlie weg waren, haar toilettas en make-uptas en haar nachthemd en portemonnee, en dat we wel moesten aannemen dat ze ervoor had gekozen om weg te lopen, maar dat ik geen idee had waarom. Ik legde mijn arm om zijn gespannen aanvoelende schouders, trok hem tegen me aan en zei dat ik het ellendig voor hem vond dat we nu de reis naar Florida zouden mislopen, maar – en dat beloofde ik hem – dat we later alsnog zouden gaan, als alles weer normaal was, wat al heel gauw het geval zou zijn, daar was ik zeker van. Ik zei dat ik het voorlopig – totdat Charlie terecht was – druk zou hebben en dat ik erop rekende dat hij me zou helpen.

Dat zei ik allemaal. Ik hoorde zelf hoe rustig en zelfverzekerd ik klonk, hoe ik hele zinnen vormde, en ik zag hoe ik zijn donkere haar van zijn voorhoofd naar achteren streek, maar in feite was ik er met mijn hoofd helemaal niet bij. Mijn hersenpan was als een goedlopend huishouden, waar in alle kamers tegelijkertijd van alles gebeurde. Ik probeerde te bedenken wat me nu te doen stond. Ik stelde lijstjes op en ging mogelijkheden na. Ik probeerde na te gaan wat er de afgelopen dagen en weken was gebeurd om te zien of ik me iets kon herinneren – een enkel woord of een flard van een gesprek – wat me op het goede spoor zou zetten. Ik keek op het digitale horloge om Jacksons pols, waarop stond dat het 12.13 was, en probeerde uit te rekenen hoeveel minuten Charlie inmiddels zoek was. Ik legde mijn handen op Jacksons schouders en dacht aan Charlie, ik keek in Jacksons ogen en zag Charlie naar me kijken, ik zei iets tegen Jackson en tegelijkertijd riep ik naar Charlie – kom nou naar huis!

'Wat zal ik dan doen om je te helpen?' vroeg hij met trillende stem.

'Nadenken,' zei ik. Ik kuste hem op zijn voorhoofd. 'Probeer te bedenken wat ze allemaal tegen je gezegd heeft. Wat ze tegen anderen gezegd heeft, het maakt niet uit wat.' Ik zweeg even. 'Alles wat je vader tegen haar gezegd heeft, of wat zij bijvoorbeeld over hem tegen jou heeft gezegd.'

'Over papa? Waarom over papa?'

'Niet om een speciale reden.'

'Dus dat is het enige wat ik kan doen, nadenken?'

'Op het ogenblik wel,' zei ik. 'En gebruik de telefoon niet, voor het geval ze probeert te bellen.'

Ik liet hem alleen. Beneden was Renata verder gegaan met opruimen. Ik hoorde gerinkel van glazen, haar drukke voetstappen op de vloertegels, het openen en sluiten van kastdeurtjes. Sludge blafte één keer kort, en een fractie van een seconde dacht ik dat ze blafte omdat Charlie er was, waarna de zekerheid dat dit niet het geval was me overspoelde en ik koud en rillerig werd. Ik bleef boven aan de trap staan, met mijn handen op de balustrade, en even had ik het gevoel dat ik de gevangene was van mijn angsten en triestheid. Toen draaide ik me abrupt om en ging Charlies kamer in. Ik ging op haar bed zitten en pakte de kleren die daar lagen, drukte mijn gezicht in de zachte plooien waar haar geur nog in hing, een zoete, muskusachtige lucht die ik overal zou herkennen. Ik deed mijn ogen dicht, en heel even liet ik me gaan in de fantasie dat ze bij me in de kamer was, dat ik haar zou zien staan als ik opkeek, haar slungelige figuur met die lange benen, met dat warrige haar en die openhartige oogopslag.

'En nou hou je op!' zei ik hardop, en ik stond op.

Ik liet mijn blik nog eens onderzoekend door de kamer gaan. Ik ging aan haar bureau zitten en pakte de schriften die daar lagen: een schrift met kladversies van opstellen, een rood schrift voor Frans waar ze net in begonnen was; de eerste bladzijde stond vol onregelmatige werkwoorden met daarbij een van Charlies krabbels. Ze tekende overal op. Bij het ontbijt tekende ze altijd spiralen om de krantenkoppen en maakte ze zonder erbij na te denken de tanden van politici zwart. Ze had mijn adresboekje beklad. Elke keer als ik een blocnote opensla of een boodschappenlijstje wil maken, tref ik er tekeningetjes of schetsjes aan. Haar schoolboeken staan vol zwierige krabbels of woorden in vette of gearceerde letters (op het Franse schrift stond in dikke roze viltstiftletters die doorgelopen waren tot op de volgende bladzijden het woord 'welig'). Toen ze klein was, had ze de gewoonte om stakerige mannetjes en vrouwtjes te tekenen op het behang boven ons bed, of om krassen te maken op banken en leunstoelen met inkt die er nooit meer uit te krijgen was. De laatste tijd tekende ze op zichzelf. Op haar handpalmen staan prachtige patronen, die als ze warm worden uitlopen en vervloeien, en ze tekende tatoeages op haar armen en haar dijen en kleine smileys op haar teennagels.

Ik pakte de rommelige stapels papieren van school. Daar lag de analyse die ze voor haar eindlijst had gemaakt van *Great Expectations*, een in het Frans geschreven opstel over haar favoriete vakantiebestemmingen, dat eindigde met een opmerking dat ze op het punt stond naar Florida te gaan, zag ik, en ik kromp even in elkaar. Dat had ze erin gezet om te laten zien dat ze de werkwoordsvervoeging voor de toekomende tijd beheerste, begreep ik. Zou je schrijven over een aanstaande vakantie in Florida als je niet van plan was daarnaartoe te gaan? Hou daarmee op, Nina. Ik liet mijn blik afdwalen. Er lag een grafiek waarop te zien was hoe snel iets oploste in iets anders, een kladversie van een stukje dat ze had geschreven over de geschiedenis van Sandling, aan de randen voorzien van een ingewikkeld mozaïek in verschillende kleuren. Er lag een vel met rommelige algebra-uitwerkingen, een vel papier waarop een aantal cd-titels was genoteerd, een in potloodschrift geschreven recept voor gevulde tomaten (met een tekening van een tomaat eronder). Er lag een witte envelop met haar naam erop met daarin een dun velletje papier dat ik eruit haalde. Er stond alleen op: 'Denk aan wat Pete Docherty altijd zegt...' Was dat afkomstig van een jongen of van een meisje?

Er lag een schrift dat vol bleek te zitten met stukjes papier met mededelingen, die waarschijnlijk tijdens de lessen waren doorgegeven. 'Geef me eens wat kauwgom!' stond er bijvoorbeeld op, of: 'Ik verveel me zo!' of: 'Kom vanavond ff langs.' Ook lag er een schrift met een spiraalband dat afgezien van de eerste paar bladzijden leeg was. Er stond een zeer schetsmatige tekening van een gezicht in, onduidelijk van welk geslacht, met een scherpe neus en een flinke haardos die met krassen ingekleurd was, met daaronder in Charlies woeste handschrift: 'Ik denk dat hij me leuk vindt!'

Ik sloeg de bladzijde om, en op de volgende had ze geschreven: 'Ik wéét dat hij me leuk vindt!' En toen: 'Ik denk dat ik mijn roze rok aandoe.' Vervolgens alleen wat gekrabbel, tekens zonder betekenis, alsof ze een nieuwe pen had uitgeprobeerd, en daarna alleen een lijn die zigzaggend naar beneden liep en haar naam in minutieuze gotische letters.

Ik legde het schrift neer en trok Charlies laden open, die volgepropt waren met gelinieerde en blanco vellen papier, een notitieblok, oude schoolagenda's, speelkaarten, ansichtkaarten, stukken pakpapier, lossen balpennen, potloden en inktpatronen voor haar printer. En toen vond ik een kunstig bewerkte tekening, die bij nadere inspectie bleek te bestaan uit in elkaar gevlochten hoofdletters J.

Het deed me aan iets denken. Ik bladerde het laatste schrift door tot aan de bladzijde die ik zocht. 'Ik denk dat ik mijn roze rok aandoe.' Met die krullerige tekeningen erbij. Dat waren dus toch geen betekenisloze krabbels.

Ik belde Ashleigh op.

'Is ze terecht?'

'Nee,' zei ik. 'Wie is J?'

'Hè?'

'Ik móét het weten,' zei ik. 'Ik heb wat papieren van Charlie zitten bekijken, en ik heb een aantal keren de letter "J" zien staan. Ik weet niet of dat wat betekent.'

Aan de andere kant viel een stilte. Het kwam nu op de juiste tactiek aan. Ik kon dreigen, maar dan zou Ashleigh misschien helemaal dichtklappen. Ik kon smeken of onderhandelen. Of gewoon open kaart spelen.

'Ashleigh,' zei ik, 'ik zal wat dit aangaat op niemand boos worden, op Charlie niet en op jou niet. Misschien heeft het allemaal niks te betekenen. Maar ik moet weten dat ze geen gevaar loopt. En misschien is het niets. Wat ik bedoel, is dat als je wat weet, je het me echt moet vertellen. Alleen voor het geval dat...'

Weer viel er een stilte.

'Ashleigh?'

'Een vriend van haar.'

'Hoe heet hij?'

'Jay.'

'Is dat een afkorting?'

'Nee,' zei Ashleigh. 'Zo heet hij. Jay. J-A-Y.'

'Wie is dat? Haar vriendje?'

Weer zweeg ze. Het was net alsof Ashleigh een advocaat bij zich had, die haar influisterde dat ze zo weinig mogelijk moest loslaten, niet meer dan wat met zoveel woorden werd gevraagd, en dat ze niets moest zeggen wat tegen haar kon worden gebruikt. Maar besefte ze dan niet dat we het hadden over mijn dochter en haar beste vriendin?

'Weet ik niet,' zei ze. 'Ik weet het gewoon niet... gewoon een vriend.'

'Waar kan ik hem bereiken?'

'Ik weet zijn nummer niet.'

'Wat is zijn achternaam? Waar woont hij?'

Weer een stilte.

'Birche. Zijn vader is boer. Van die boerderij bij dat grote, oude, leegstaande gebouw.'

'The Malting?'

'Ja, dat bedoel ik.'

'Zou het kunnen dat ze bij hem is?'

'Weet ik niet.'

'Heeft ze het met jou over Jay gehad toen je haar gisteren sprak?'

'Nee, niet echt.'

Dit werd langzamerhand belachelijk. Ik wist niet of Ashleigh zo aarzelde en zo weinig losliet omdat ze iets te verbergen had of omdat ze vijftien was. Ik zei tegen haar dat ik wel weer contact met haar zou opnemen en hing op. Ik ging na of ik misschien iemand kende die bevriend was met de familie Birche, maar ik kon niemand bedenken. Voor zover ik wist waren er maar een paar boerderijen op het eiland, en de boeren vormden een aparte sociale klasse, los van de meeste mensen daar. Ze stuurden hun kinderen niet naar de plaatselijke scholen. Als je contact met hen zocht, kon je dat waarschijnlijk het beste proberen op de tennisclub of de golfclub of door mee te doen aan de plaatselijke vossenjacht. Het kon niet meer zijn dan een zakelijk gesprek, dat was duidelijk. Ik zocht het nummer op in het telefoonboek, en toen ik het intoetste voelde ik me net een vertegenwoordiger in dubbel glas. Een man nam op.

'Met meneer Birche?' zei ik.

'Met wie spreek ik?' zei de stem kortaf, alsof hij met een megafoon vanaf de andere kant van het eiland riep.

'Mijn naam is Nina Landry. Spreek ik met meneer Birche?'

'Wat wilt u?'

Ik veronderstelde dat dit een bevestiging was.

'U kent mij niet, maar ik denk dat uw zoon misschien een vriend van mijn dochter is.'

'Welke zoon?'

'Jay. Ik had gehoopt hem te kunnen spreken.'

'Hij is er niet.'

Ik voelde de opwinding in me opwellen. Waren ze samen weg? Kon het zo eenvoudig zijn?

'Het zal u vreemd in de oren klinken, maar ik moet hem echt spreken. Het is belangrijk.'

'Ik weet niet wanneer hij terugkomt. Hij is vanmorgen de deur uit gegaan naar een of ander verjaardagsfeest.'

De teleurstelling die ik voelde was zo duidelijk dat het bijna fysiek was, een golf van misselijkheid welde in me op. Jay moest dus een van de jongelui zijn die bij mij in huis waren geweest. Hij was er wel geweest, en zij niet. Wat betekende dat? Nieuwe scenario's doemden voor me op. Ruzie misschien?

'Ik moet uw zoon nu meteen spreken. Onmiddellijk.'

'Waar gaat het over?' Hij klonk afhoudend, achterdochtig. 'Heeft hij iets uitgehaald?'

'Nee, nee, dat is het niet. Maar het is wel een noodgeval. Ik probeer mijn dochter op te sporen, en ik dacht dat uw zoon me misschien zou kunnen vertellen waar ze is of er meer van weet.'

Zelfs aan de andere kant van de lijn kon ik hem horen denken. Was deze vrouw krankzinnig? Was ze te vertrouwen? Riskeerde hij iets?

'Hij zal wel in het dorp zijn met zijn vrienden.'

'Op het eiland, bedoelt u?'

'Ja. Hij hangt waarschijnlijk rond in het café of in die afschuwelijke koffiebar. Maar ik moet zijn mobiele nummer hier ergens hebben.'

Ik hoorde papier knisperen, en toen kwam hij weer aan de lijn en noemde hij me het nummer. Ik bedankte hem uitbundig en verbrak de verbinding. Maar toen ik het nummer belde, kreeg ik alleen de voicemail. Ik sprak mijn nummer in en vroeg of Jay me meteen wilde terugbellen. Maar ik wist dat ik daar onmogelijk op kon gaan zitten wachten. Ik kon bijvoorbeeld niet weten of hij zijn telefoon niet thuis had laten liggen, of misschien had zijn vader me wel een verkeerd nummer gegeven.

Beneden trof ik Renata weer. Ze zat met een verdwaasde uitdrukking op haar gezicht tussen de rommel van die ochtend. Ze had wel een krant in haar handen, maar het was duidelijk dat ze niet aan het lezen was, en toen ze me zag legde ze hem neer, alsof ze zich schuldig voelde dat ze het er even van nam. Ze keek vragend naar me op.

'Nee,' zei ik. 'Geen nieuws. Maar het lijkt nu wel duidelijk dat…' Ik slikte moeizaam. 'Dat Charlie uit eigen vrije wil weggegaan is. Er zijn dingen weg uit haar kamer; haar toilettas en haar blauwe make-uptas bijvoorbeeld, en het nachthemd dat ze het liefste droeg.' Ik slikte en deed een poging om te glimlachen. 'Het nachthemd waarop staat: "Gelieve aan deze vrouw niets te verkopen." Het ziet er dus echt naar uit dat ze is weggelopen.'

Ik stak mijn hand op om Renata's vragen en haar uitdrukking van schrik en medeleven af te weren.

'Ik ga proberen een vriend van haar op te sporen. Al zal het wel tijdverspilling zijn.' Ik maakte aanstalten om de deur uit te gaan, maar bleef staan. 'Jackson heeft het er nogal moeilijk mee. Het spijt me, Renata, maar zou jij iets met hem kunnen gaan doen om hem een beetje af te leiden?'

Renata keek paniekerig.

'Natuurlijk, wat je maar wilt. Maar wat zal ik doen? Ik ben eigenlijk geen kinderen gewend.' Haar ogen stonden weer vol tranen.

'Ik weet het niet,' zei ik. 'Hij houdt meestal wel van dingen die bewegen. Pas was hij nog aan het rommelen met onze nieuwe videocamera. Misschien kun je hem vragen of hij hem weer wil opladen en alle rommel eraf gooien die hij vanmorgen heeft opgenomen. Dat zou ik fijn vinden, als je dat zou doen.'

Dit laatste zei ik vanwege de gekwelde blik die Renata me toewierp voordat ze zich omdraaide om de trap op te gaan. Ik deed de deur open, maar stond toen ineens oog in oog met Eamonn, die daar met zijn hand in de aanslag stond om aan te bellen. Hij zag ziekelijk bleek en zijn haar hing er in warrige slierten bij.

'Mevrouw Landry, eh, Nina. Papa en mama zijn nog in het ziekenhuis, ze zijn daar voorlopig nog niet weg, zeiden ze. Ik wilde alleen even weten of er nog nieuws is van Charlie. Is ze al terug?'

'Nee, ze is er niet, en ik heb nu geen tijd, Eamonn.'

'Maar…'

'Als je iets bedenkt, Eamonn, of als je iets hoort, dan laat je het me weten, hè? Ik moet er nu vandoor.'

Toen bedacht ik ineens iets.

'Jij kent niet toevallig Jay Birche, hè?'

Hij kreeg een kleur, en om zijn lippen speelde een zelfgenoegzaam lachje.

'Die? Dat misbaksel. Vindt zichzelf heel wat. Die halvegare zit op een privéschool.'

Ik was overdonderd door Eamonns felheid.

'Nou, nou. Leven en laten leven, hoor. Maar luister, ik kom straks misschien wel bij je langs.'

'Is Charlie dan bij hem?'

'Weet ik niet. Het ziet er niet naar uit.'

Terwijl ik wegreed ging mijn mobiele telefoon. Het was Rory.

'Nog nieuws?' vroeg hij.

'Er zijn een paar dingen weg uit haar kamer.'

'Dus ze is bij iemand gaan logeren?'

'Weet ik niet.'

'Hebben jullie ruzie gehad, Nina?'

'Nee.'

'Nooit, bedoel je?'

'Ik bedoel dat ze niet is weggegaan vanwege ruzie.'

'Ik heb gehoord dat je Tina gesproken hebt.'

Ik wist even niet over wie hij het had, maar toen schoot het me weer te binnen.

'O, ja.'

'Ik had je over haar willen vertellen…'

'Rory, dit is er echt niet het geschikte moment voor.'

'Het is me bepaald niet meegevallen om alleen…'

'Rory…'

'Ze is een hele steun voor me…'

Ik zette de auto naast het café, tegenover de bibliotheek. Zodra ik stilstond, werd er op mijn raampje geklopt. Ik zag een donker uniform en draaide het raampje naar beneden.

'Neemt u me niet kwalijk, mevrouw,' klonk een bekende

stem. 'Weet u wel dat u in overtreding bent als u onder het rijden telefoneert?'

Ik keek op. Het was de politieman. Mahoney.

'Ik moet ophangen,' zei ik tegen Rory, en toen keek ik smekend omhoog. 'O god, het spijt me. Ik ben nog steeds op zoek naar mijn dochter. Ik ben aldoor aan het bellen. Dat was mijn man. Het spijt me echt.'

'Hebt u nog wat gehoord?' vroeg Mahoney.

'Ik ben nu op zoek naar iemand die misschien iets weet.'

'En u staat hier ook nog op een gele streep,' zei hij.

'Ik ben met vijf minuten terug,' zei ik. 'En laat u het me alstublieft weten als u iets hoort, wat het ook is.'

Ik rende naar het café en keek door het raam. Twee oude mannen aan een tafeltje met een uitsmijter voor zich en een wolk sigarettenrook. Aan een ander tafeltje zat een jonge vrouw met een peuter. Dit had geen zin. Hij kon overal zijn. Ik liep de straat uit naar Beans, de nieuwe koffiebar waar je kranten kunt lezen en kunt kiezen uit wel zesentwintig soorten koffie. Ik ging naar binnen. In een hoek zat een stel jongens aan een tafel die vol stond met grote koffiekoppen, asbakken en pakjes sigaretten. Ik liep naar hen toe.

'Is iemand van jullie misschien Jay Birche?'

Een van de jongens keek op. Ik herkende hem onmiddellijk van het feestje. Hij leek me een jaar of zeventien. Donker haar, bleek gezicht en een stoppelbaard, grijze ogen die bijna groen waren, kleren in lagen over elkaar, alsof hij net uit bed was gestapt en maar had aangetrokken wat toevallig onder handbereik was. Hij had iets slungeligs en een slonzig soort elegantie die me meteen aan Charlie deed denken.

'Ik ben Charlies moeder.' Hij trok zijn wenkbrauwen op, maar kwam niet van zijn plaats. Ik wilde wat zeggen, maar voelde me opgelaten. 'Kunnen we even praten? Onder vier ogen?'

Hij trok een grimas en keek naar zijn makkers alsof hij zeggen wilde: oude mensen, wat moet je ermee, maar toen stond hij op en liep met me mee naar buiten.

'Ik ben Nina,' zei ik. 'Wij kennen elkaar niet, maar Ashleigh vertelde me dat je een vriend van Charlie bent. Is dat waar?'

'Hoezo, wat is er?' vroeg hij.

'Ze is weg,' zei ik. 'Ik weet niet waar ze is. Ik vroeg me af of jij het wist.'

'Weg?'

'We zouden vanmiddag naar Amerika gaan, maar ze is niet thuisgekomen.'

'Ik heb haar vandaag niet gezien,' zei hij. 'Ik dacht dat ik haar op uw feestje zou zien, maar u kent Charlie. Je kunt niet altijd op haar rekenen, hè?'

'Je hebt geen idee waar ze kan zijn?'

'Nee.'

'Jij zit niet hier op het eiland op school, hè?'

Toen hij dit hoorde brak er een glimlach door op zijn gezicht. 'Ik zit op de High School.'

De particuliere school aan de monding van de rivier bij Hemsleigh. Het verbaasde me niet. Voor de zoon van een herenboer. Ik vroeg me af hoe ze elkaar hadden ontmoet.

Ik kon het hier niet bij laten. Ik was niets opgeschoten.

'Ik maak me zorgen,' zei ik. 'Ze is weg, en ze heeft wat spullen meegenomen. Net alsof ze het heeft voorbereid. Ik moet haar zien te vinden.'

'Ik heb haar niet gezien, en ik denk dat ik het wel geweten zou hebben als ze weggelopen zou zijn. U moet zich geen zorgen over haar maken. Ouders maken zich altijd veel te...'

'Dus jij bent haar vriendje?' viel ik hem in de rede.

'Pardon?'

Op dat moment ging mijn telefoon.

'Wacht even,' zei ik, en ik nam het gesprek aan. Het was Renata.

'Je moet naar huis komen,' zei ze.

'Charlie?'

'We hebben hier iets wat je moet zien.'

'Kun je me niet vertellen wat het is?'

'Het is moeilijk uit te leggen. Ik weet niet of ik gelijk heb. Maar als dat wel het geval is, moet je het zien.'

'Ik ben er over twee minuten,' zei ik, en ik keek Jay aan. 'Ik moet weg. Ze hebben misschien iets. Kan ik je op je mobiel bellen?'

'Waarover?' vroeg hij.

'Weet ik niet,' zei ik. 'Voor het geval dat het nodig mocht zijn.'

'Oké,' zei hij.

Hij noemde het nummer, en ik sloeg het op in mijn telefoon.

'Succes,' riep hij me na toen ik terugrende naar mijn auto.

Er zat een parkeerbon op de voorruit. Ik keek welk tijdstip erop stond: 12.26. Ik verfrommelde de bon en gooide hem op de achterbank, toen draaide ik het contactsleuteltje om en reed snel naar huis. Aan het feit dat ik onderweg in The Street geflitst werd besteedde ik geen aandacht.

'Wat is er?' vroeg ik terwijl ik naar binnen stormde. 'Vertel.'

Renata riep naar boven dat Jackson moest komen.

'Je moeder is er. Kom naar beneden. Snel.'

Mijn zoon kwam met twee treden tegelijk de trap af rennen en struikelde zowat over zijn schoenveters. De videocamera danste aan het riempje om zijn nek, aan zijn gezicht was te zien dat hij gespannen en vermoeid was van alle opwinding.

'Renata, ik hoop dat je me niet voor niks hebt laten komen.'

'Ik weet niet wat het is,' zei Renata. Haar wangen waren rood van opwinding. 'Toe maar, Jackson.'

'Even het goeie stukje opzoeken,' zei hij, terwijl hij op de terugspoelknop drukte en keek hoe onsamenhangend lijkende beeldjes achterwaarts voorbijsprongen. 'Ja, hier. Kijk, mama.'

Ik ging achter hem staan en tuurde naar het schermpje. Ik zag iets vaag grijs-groens voorbijkomen. De vloerbedekking boven.

'Ik kan hem wel op de computer zetten als je het moeilijk kunt zien. Daar was ik trouwens net mee bezig toen…'

'Wat zien we nou eigenlijk?'

'Vooruitspoelen, Jackson,' zei Renata.

89

'Nee, hier is het.'

De camera naderde de deur van Charlies kamer. Hij zoomde in op het bordje waarop in grote blokletters 'Eerst kloppen!' stond en ging weer naar beneden toen de deur open werd gedaan, waarschijnlijk door Jackson zelf. De camera ging naar binnen en zwenkte ongefocust door Charlies kamer. Naar het raam, het rommelige bed, de half openstaande kast, die idiote schaapsklok. Ik dwong mezelf kalm te blijven terwijl ik de vertrouwde zaken zag passeren, nu eens scherp, dan weer niet – allemaal dingen die ik daarnet nog door mijn handen had laten gaan: de handdoeken, de neergegooide kleren, de cd's, de papieren, de zalfjes en lotions, de...

'Daar,' zei Renata.

In een wazig stilstaand beeld was het nachthemd te zien. Het lag op de vloer; bijna alle letters die erop stonden waren te lezen, en de andere kon ik erbij bedenken: 'Gelieve aan deze vrouw niets te verkopen.' Ik had het vorige zomer voor haar gekocht. Ze had het eergisternacht nog aangehad. De videocamera liep door.

'Ga terug,' zei ik met verstikte stem van opwinding.

'Wacht even. Kijk,' zei Renata, die net als ik tegen Jackson aan gedrukt stond.

De camera gleed over iets rozigs heen. Jackson drukte op de pauzeknop. Hoewel onscherp en maar half in beeld, lag daar onmiskenbaar Charlies make-uptas.

'We hebben nog gekeken of we de toilettas en de portemonnee zagen, maar dit was alles. We hebben alles bekeken,' zei Jackson.

'Een aantal keren zelfs,' zei Renata. 'Het wil niet zeggen dat ze er niet waren, alleen dat Jackson ze niet gefilmd heeft. Wat een geluk dat hij het niet net gewist had, hè? En het had ons net zo goed niet kunnen opvallen. Het kwam door het nachthemd.'

'Ga eens een stukje terug,' zei ik. 'Ja, stop daar maar.'

Op de schaapsklok zag ik dat het zeventien over elf was, en ook onder in het beeld op het schermpje was in een hoek de tijd te zien: 11.17. Dat moest ongeveer het tijdstip zijn waarop de eerste gasten aanbelden. Ik drukte mijn vuisten tegen mijn oogkassen en probeerde na te denken, maar wat ik dacht leek onzinnig.

Dat die dingen weg waren, bewees dat Charlie was weggelopen, en uit het feit dat ze er nog hadden gelegen toen ik terugkwam van mijn bezoek aan Rick en Karen, bleek dat ze ze daarna had weggehaald. Was het zo gegaan? Was ze stiekem het huis in geslopen toen ik al terug was en al bezorgd over haar was, haar probeerde te bellen op haar mobiele telefoon, haar vrienden en vriendinnen lastigviel? Maar wanneer dan? Hoe kon het dat ik haar niet had gezien, dat niemand haar had gezien? Ja, of ze moest door het raam haar kamer in zijn gekomen, giste ik in het wilde weg, maar in dat geval zou ze hulp van binnenuit gehad moeten hebben. Van Jay, bedacht ik; hem had ik de trap op zien gaan. Of van Ashleigh. Of van iemand die ik niet kende, want tenslotte had ik op dat moment ook niet geweten wie Jay was. Allerlei beelden en ideeën kwamen in me op, en ik probeerde ze stuk voor stuk rationeel te beoordelen.

Charlie was na 11.17 uur thuisgekomen om haar kleren te halen. Daardoor veranderde het hele tijdsbeeld. Ze had de dingen opgehaald die ze nodig had, maar niet meteen na haar krantenwijk, toen ik nog niet thuis was en er verder ook niemand was. Ze had het een paar uur later gedaan, toen het feestje dat ze had georganiseerd begon of al aan de gang was, kort voordat we naar de luchthaven hadden moeten vertrekken. Maar wat had ze dan in de tussentijd gedaan, na haar krantenwijk?

'Nina?'

'Ja?'

Geschrokken keek ik op. Ik was vergeten dat Renata en Jackson er ook waren en stonden te wachten totdat ik iets zou zeggen.

'Heel vreemd, hè?'

'Jackson, heb jij iets aangeraakt in Charlies kamer, toen je daar naar binnen ging?'

'Nee.'

'Denk eens goed na.'

'Het is mijn schuld niet, hoor.'

'Natuurlijk niet.'

'Ik heb niks aangeraakt. Ik ben maar heel even binnen geweest, en toen ben ik direct weer naar buiten gegaan, eerlijk waar.'

Ik rende met twee treden tegelijk de trap op en ging Charlies kamer in. Ik moest het zelf zien. De kamer zag er hetzelfde uit als op Jacksons film, behalve dan dat op de film het nachthemd en de make-uptas te zien waren, die er nu niet meer lagen. Ik keek om me heen. Ongedurig liep ik door de kamer en legde mijn hand op de planken en het bed, alsof ik mezelf ervan wilde overtuigen dat die er echt waren. Ik trok de bovenste la van de ladekast naast Charlies bed open. Alles wat ik zag riep herinneringen bij me op. Een paar buitenlandse munten die ze had bewaard, een kapot polshorloge dat ze niet had weggegooid, een ketting van in elkaar gehaakte paperclips, een ingewikkeld zakmes met onder andere een pincet erin, een paar scheermesjes, een tandenstoker. Er stond een potje met antibiotica voor de huiduitslag waar ze last van had gehad. Toen ik het oppakte, rammelden de pillen heen en weer. Er was een houten olifant met een houten babyolifantje ernaast, een keramisch bord – het eerste wat ze van de middelbare school mee naar huis had gebracht. Ik pakte haar roze plastic potje make-upremover. Ik rook eraan, en de vertrouwde scherpe geur prikte in mijn neusgaten.

Beneden pakte ik de telefoon, ik belde het politiebureau en vroeg naar Mahoney. Ik kreeg te horen dat hij er niet was, maar dat hij over enkele minuten werd terugverwacht, en ze zeiden dat ze hem zouden doorgeven dat hij mij terug moest bellen. Ik legde de hoorn neer en staarde ernaar. Ik had geen zin om tien minuten met mijn armen over elkaar te gaan zitten wachten, terwijl allerlei angstbeelden door mijn hoofd spookten.

'Zal ik thee voor je zetten?' vroeg Renata. 'Of wil je iets eten? Je moet wat eten. Charlie schiet er niets mee op als jij hongerlijdt.'

'Nee,' zei ik, en ik pakte de videocamera. 'Ik moet naar het politiebureau.'

'Mag ik mee?' vroeg Jackson, terwijl hij aan mijn mouw trok.

'Nee.'

'Mam, mama… mag ik alsjeblieft mee? Alsjeblieft?'

'Goed dan,' zei ik, ineens van mening veranderend. 'Renata, ik ben mobiel te bereiken. Bel me als er iets is.'

'O, dat vergat ik nog. Er heeft iemand gebeld die Christian heet. Hij zit vast op de M25. Hij kan niet voor- of achteruit, zei hij.'

'O, nou ja… Kom mee, Jackson.'

Ik pakte zijn hand, en samen renden we naar het politiebureau. Dat ging sneller dan met de auto. Onze schoenzolen klepperden op het koude wegdek, en de koude oostenwind sloeg onze haren tegen onze wangen en deed pijn aan onze oren. Jackson ademde met korte snikjes, maar ik deed net of ik niets merkte. Ik trok hem voort langs huizen waar rook uit de schoorsteen kwam en de ramen waren versierd met lampjes of verlicht door prullerige kerstboompjes. In de verte lag de grijze zee onder de grijze hemel. De zon was nergens te bekennen.

'Is hij er al?' vroeg ik terwijl we buiten adem het politiebureau binnenstormden.

'Pardon?'

De vrouw achter de balie bekeek ons beiden achterdochtig.

'Is meneer Mahoney er? Ik ben Nina Landry, ik heb net gebeld. Ik moet hem meteen spreken.'

'Hij is net binnen. Ik heb hem uw boodschap doorgegeven, hij wilde u zo bellen…'

'Is het die deur, daar?'

Ik pakte Jacksons koude handje weer vast en beende met hem de hal door naar de deur, klopte er hard op en deed hem open voordat iemand de kans had gehad iets te zeggen. Mahoney stond bij het raam, dat uitzicht bood op een kleine parkeerplaats achter het gebouw; hij had een piepschuimen bekertje met koffie in zijn hand. Hij zag er kouwelijk en vermoeid uit. Aan de

93

muren hingen kerstversieringen, boven op de ijzeren archiefkast in de hoek stond een plastic kerstboompje, en op het bureau stonden een paar ingelijste foto's: eentje van hem en een vrouw met krullen van wie ik aannam dat ze zijn vrouw was, eentje van een grote vis aan een vislijn, met een glazig oog en een geopende bek, en eentje van een meisje dat wel de dochter zou zijn over wie hij het had gehad, een meisje van Charlies leeftijd. Ze droeg een beugel en had haar haar in één enkele, donkerbruine vlecht.

Hij keek me verbaasd aan.

'Ik wil u iets laten zien,' zei ik. Mijn keel deed pijn bij het slikken, mijn klieren deden pijn. Ik voelde me klam en ik had jeuk. 'Jackson, ga je gang.'

Jackson begon aan de videocamera te prutsen. Zijn handen trilden, maar ik wist niet of het van de kou was of van nervositeit. Ik legde mijn hand op zijn satijnzachte haar en keek op het schermpje hoe Charlies deur openzwaaide.

'We hebben een patrouillewagen op pad gestuurd die naar uw dochter uitkijkt,' zei Mahoney. Hij hoestte moeizaam. 'Ik weet dat het moeilijk is om geduld op te brengen, maar…'

'Stil,' zei ik. 'Kijkt u hier eens naar. Hier even stoppen, Jackson.' Ik wees naar het piepkleine schermpje. 'Dat is haar nachthemd. Een nachthemd dat er nu niet meer is.'

'Mevrouw Landry…'

'Nu verder, Jackson. Daar. Dat is haar make-uptas.'

'Ja,' zei hij aarzelend.

'Snapt u het niet? Kijk, het is zeventien over elf. Ga eens even terug, Jackson, laat hem de klok zien. Daar. Dat verandert alles. Snapt u het niet? We zijn ervan uitgegaan dat ze meteen van het logeeradres naar huis is gekomen, haar spullen heeft opgehaald en er toen vandoor is gegaan. Maar dat is niet zo. Ze heeft gewacht totdat ik weer thuis was, en toen is ze pas gekomen. Maar hoe kan het dat ik haar niet gezien heb?' Ik wreef in mijn ogen.

'Gaat u eens even zitten, alstublieft. Misschien wil uw zoon even buiten wachten bij de…'

'Nee.' Jackson nestelde zich op mijn schoot alsof hij zes was in plaats van elf, en ik sloeg mijn armen stijf om hem heen en legde mijn kin op zijn hoofd. 'Goed gedaan,' fluisterde ik in zijn oor, waarna hij zich nog dichter tegen me aan drukte.

'Zij heeft ze opgehaald, ofwel iemand anders heeft het voor haar gedaan,' zei Mahoney langzaam. Hij wreef in zijn ogen.

'Ja, ja, daar hebt u gelijk in. Dat zou kunnen.'

'Nou.' Hij ging tegenover ons achter het bureau zitten, pakte een pen en trok een blocnote naar zich toe. Hij dacht even na. 'Nou, eens kijken, wat hebben we? We weten dat de filmopname om 11.17 uur gemaakt is.'

'Ja.'

Hij noteerde de tijd en keek fronsend naar wat hij had opgeschreven. Buiten in de hal begon iemand op onwelluidende wijze 'God Bless You Merry Gentlemen' te zingen.

'En pas daarna heeft Charlie die spullen opgehaald, of het was iemand anders die dat voor haar heeft gedaan.'

'Ja.'

'Maar wel vóórdat u de kamer in ging om, eens kijken… vijf voor twaalf.'

'Ja.'

'En u bent in de tussentijd de deur niet uit geweest?'

'Nee. Al die tijd niet. Ik ben om een uur of elf thuisgekomen met Jackson, en ik ben de deur niet meer uit geweest tot nadat u weg was, toen ik bij een vriendin van Charlie langs ben gegaan, degene bij wie ze vannacht heeft geslapen.'

'Wie zijn er nog meer bij u thuis geweest tussen kwart over elf en vijf voor twaalf?'

'O god, een hele massa mensen. Er was een feestje, dat weet u. Nou, Jackson en ik. En dan waren er nog… laat eens kijken.' Ik zette mijn vingers tegen mijn slapen en probeerde me de eerste groep die vanochtend voor de deur had gestaan voor de geest te halen. 'Joel Frazer en zijn vrouw Alix Dawes, dokter Dawes. En dan had je Ashleigh Stevens, Charlies beste vriendin. En de dominee, Tom hoe-heet-hij-ook-weer.'

'Dominee Drake.'

'Precies, en dan had je nog iemand die Eric heet, of Derek, dat weet ik niet. Met zijn vrouw of zijn vriendin of wat ze dan ook van hem was. En Carrie Lowell van de basisschool en haar man, maar ik heb geen idee hoe hij heet, ik had hem nooit eerder gezien.'

Mahoney keek wazig voor zich uit. Ik groef verder in mijn geheugen. 'Rick en Karen Blythe. Zij waren de eersten die weggingen. Karen was gevallen. Ze was dronken. Ze had haar arm gebroken.'

'Echt wat je noemt een feest,' zei hij somber.

'Ze zijn met Alix naar het ziekenhuis gegaan, en Joel is achter hen aan gereden. O ja, hun zoon Eamonn was er ook. Hij is verliefd op Charlie, geloof ik, maar ik ben er vrij zeker van dat zij hem geen blik waardig keurt. En dan nog Joanna of Josephine, de advocate die in dat enorme huis woont. Nou ja, en dan waren er nog een heleboel mensen van wie ik de naam echt niet weet en die ik waarschijnlijk ook nooit eerder had gezien. Die werden door de anderen binnengelaten. Het was een feestje waar ik eigenlijk niet eens bij hoefde te zijn. Ik ben even boven geweest. Ik was er ook niet voor in de stemming, ik moest pakken voor de vakantie en vroeg me af waar Charlie was.'

'Ik snap het,' zei Mahoney. Hij was opgehouden met schrijven, en terwijl hij met zijn pen speelde, keek hij met een hulpeloze blik naar de lijst namen die de bladzijde goeddeels vulde. 'Ik snap het.'

'En dan was er nog iemand die Jay heet,' vervolgde ik.

'Jay?'

'Jay Birche, maar dat wist ik toen nog niet. Ik heb net pas gehoord dat hij zo heet. Ashleigh heeft het me verteld.'

'U hebt niet stilgezeten,' zei hij droog, maar hij schreef ook deze naam op en zette er een streep onder.

'Hij woont op die grote boerderij bij het moerasland. Ik wist niet dat Charlie hem kende, maar dat was blijkbaar wel het geval. Hij was er met een heel stel andere tieners. Ik heb geen idee wie het waren, al dacht ik van sommigen dat ze me bekend voorkwamen.'

Ik was klaar met mijn verhaal. 'Wat moet ik daar nou van denken?' vroeg ik zacht.

'Ik ken Birche wel,' zei Mahoney. 'Was zijn zoon Jay Charlies vriendje?'

Een uur of wat geleden zou ik heftig hebben ontkend dat Charlie een vriendje had en zou ik gezegd hebben dat ik dat dan zeker zou hebben geweten. Maar nu keek ik Mahoney alleen maar aan, over het warme hoofd van Jackson heen.

'Het zou kunnen.'

'Wat droeg uw dochter toen u haar voor het laatst zag?'

Ik zag haar voor me, zo duidelijk alsof ze bij de deur stond en me aankeek. Ik had het rare gevoel dat ik de herinnering aan haar naar me toe kon halen, dat ik kon voorkomen dat ze zou weglopen, de stormachtige winternacht in. 'Ze droeg een vale spijkerbroek met een leren riem met een kunstig bewerkte turkooizen en roze gesp, een lichtroze T-shirt met een laag uitgesneden hals en lange mouwen, versierd met krabbelpatronen in verschillende kleuren. Verder een versleten leren bomberjack dat vroeger van haar vader is geweest en dat zij van hem heeft overgenomen. Het is een zwart jack, en een van de zakken is gescheurd. Suède laarzen met platte hakken met kralen eraan. Ze had ook een soort sjaal om – blauw en roze met zilver en met lovertjes erop; ze doet hem soms om haar hoofd, maar toen ze de deur uit ging had ze hem om haar hals. En ze had een capuchontrui meegenomen voor het geval het koud zou worden. Grijs met rafels aan de mouwen. Ze kauwt altijd aan de manchet van haar mouwen. En een kleine leren schoudertas. Met grove kralen in verschillende kleuren...'

'Dat is wel genoeg,' zei hij zachtjes. Ik keek weg. Ik wilde niet huilen; ik mocht niet huilen. Later mocht ik huilen, als Charlie weer in veiligheid was.

Hij tikte met zijn pen op zijn blocnote en bekeek aandachtig de lange lijst met namen. 'Ik kan u alleen maar zeggen wat ik al eerder heb gezegd. U moet naar huis gaan en in de buurt van de telefoon blijven. Er rijdt een patrouillewagen van ons rond die naar haar uitkijkt. Uit wat we inmiddels weten, kunnen we concluderen dat uw dochter misschien niet alleen handelt.'

'Ik kan niet gewoon maar zitten wachten. Elke minuut telt, denk ik steeds maar. We moeten haar nu zien te vinden.'

'Het valt niet mee, dat weet ik. Maar ik heb dit soort gevallen vaker bij de hand gehad dan u zou geloven, en meestal komen ze gewoon weer thuis.'

'Er is iets mis,' zei ik.

'Dat kunt u niet weten.'

'En het is buiten zo koud.'

Ik mocht Jacksons hand weer vasthouden toen we naar huis liepen, maar praten deden we niet. Mijn mobiele telefoon ging een paar keer, en elke keer als ik opnam was dat weer met een schok van verwachting. De eerste die belde was mijn vriendin Caroline, maar al nadat ze drie of vier woorden had gezegd onderbrak ik haar en zei ik dat ik haar zou bellen zodra ik kon; daarna belde Rory om te zeggen dat hij er bijna was; toen Christian in de file op de M25, die was veroorzaakt doordat een vrachtwagen zijn lading had verloren, waardoor beide rijrichtingen geblokkeerd waren. Beiden stond ik kortaf te woord. Ik wilde met niemand anders praten dan met Charlie, of het moest iemand zijn die me kon vertellen waar ik Charlie kon vinden. Al het andere was niets anders dan ruis, niet ter zake doende gesis en gerommel van een wereld waarmee ik me niet meer verbonden voelde. Ik keek voortdurend om me heen met het idee dat ik, als ik goed oplette en op de juiste plaatsen keek, misschien een glimp zou kunnen opvangen van Charlie. Achter een heg, in een steeg, in een auto, achter het raam op de eerste verdieping van het huis met het puntdak waar licht brandde, net op het moment dat ze een winkel binnenging, terwijl ze de hoek omsloeg en uit het zicht verdween zoals die man met zijn hond nu net, op de kale, omgeploegde akker waar 's zomers goudgeel koren op staat, op de werf tussen de boten met hun zwiepende lijnen en klapperende zeilen. Ik was doodsbang dat ik op het cruciale moment de verkeerde kant op zou kijken, doodsbang dat ze misschien vlak achter me zou lopen of vlak voor me en dat ik haar niet zou zien omdat ik niet goed oplette. De hele weg naar huis schoot mijn blik heen en weer, zodat alles wat ik zag na verloop van tijd iets surrealistisch kreeg, alsof het een opeenvolging was van beelden die uit hun normale context waren gehaald.

'Mam, mama,' zei Jackson en hij rukte aan mijn hand.

'Ja?'

'Wat doet zij hier?'

Ik keek op en zag dat van de tegenovergestelde kant Alix kwam aanlopen, blijkbaar in de richting van ons huis, heel snel en kaarsrecht. En wat nog vreemder was, was dat ze Tam vast-had bij haar bovenarm en dat het leek alsof ze haar dochter met kracht meesleepte. Tam struikelde zowat, ze liep met gebogen hoofd en haar haren wapperden in de wind. Achter het tweetal liep een openlijk huilende Jenna in een niet erg bevallige sukkel-draf. Ik versnelde mijn pas, zodat we tegelijkertijd bij het tuin-hek aankwamen.

'Wat is er?'

'Er is iets wat je moet weten,' zei Alix. Haar gezicht stond ge-spannen en ze keek streng. Ze liet Tams arm niet los. 'Mogen we even binnenkomen?'

Toen ik de deur opendeed, merkte ik dat de sleutel enigszins trilde in mijn hand. Sludge sprong tegen ons op toen we binnen-kwamen, maar ik besteedde geen enkele aandacht aan haar en zei alleen tegen Jackson dat hij maar even met haar in de tuin moest gaan spelen.

Renata was aan het telefoneren, maar ze schudde haar hoofd naar mij en maakte snel een einde aan het gesprek met de mede-deling dat we zouden bellen als we wat wisten.

We gingen naar de keuken. Ik trok mijn jas niet uit en bood ze geen thee of koffie aan, maar gebaarde alleen dat ze konden gaan zitten. Even was het vreemd stil. Ik hoorde mijn eigen ademhaling en het tikken van de klok aan de muur. Ik keek er-naar en wendde toen mijn blik af, maar bleef horen hoe de se-conden wegtikten.

'Zeg het maar,' zei ik.

'Tam,' zei Alix. Het klonk als een bevel.

Eindelijk keek Tam tussen haar verwarde haren op. Ze had rode ogen.

'We bedoelden er niks mee,' begon ze, en Jenna naast haar onderdrukte een snik.

'Wat is er gebeurd?'

'Het was gewoon als geintje bedoeld…'

'Wat is er gebeurd?' Ik had geen tijd voor uitvluchten, en deze keer deed Alix geen pogingen haar dochter in bescherming te nemen.

'Het was gisteravond om een uur of één, geloof ik,' zei Tam. 'Nadat we naar de film hadden gekeken in elk geval. Toen hebben we…' Ze keek naar haar handen, die dichtgeknepen voor haar op tafel lagen en vervolgens weer naar mij, en toen maakte ze haar zin snel af. 'We hadden wodka in Charlies sinaasappelsap gedaan.'

'Zonder dat Charlie het wist,' voegde Alix er kortaf aan toe.

'Hoeveel?'

'Het was eigenlijk helemaal niet zoveel,' zei Tam. 'Maar ze dronk het sneller op dan we hadden verwacht, alles in één teug.'

'Was ze dronken?'

Jenna giechelde even van de zenuwen en sloeg toen haar hand voor haar mond.

'Ja,' zei Tam.

'Hoe dronken?'

'Eerst was ze een beetje wankel en stil…'

'Heeft ze overgegeven?'

'Ja,' mompelde Tam.

'Nadat ze had gebraakt is ze flauwgevallen,' zei Alix zacht maar duidelijk, terwijl ze mij recht in de ogen keek. Ik had in mijn chaotische brein nog voldoende reserve om met bewondering te constateren dat ze geen excuses zocht voor haar dochter of voor zichzelf. Tenslotte was het in haar huis gebeurd en droeg zij er als volwassene de verantwoording voor. 'Voor zover ik het kan beoordelen, is ze even bewusteloos geweest, maar toen is ze bijgekomen en heeft ze weer overgegeven. Klopt dat?'

'Ja,' zei Tam toonloos.

Jenna snoof weer en sloeg haar handen voor haar gezicht. 'Ik wist niet dat het zo zou gaan. Het was gewoon een grapje. Maar toen werd ze ziek. Eerst konden we haar niet wakker krijgen, en toen we haar oogleden omhoog deden, draaiden haar pupillen helemaal weg en begon ze te kreunen. Het was afschuwelijk. We werden doodsbang. We wisten niet wat we moesten doen. We dachten dat ze dood zou gaan, dat wij haar vermoord hadden.'

'Wij lagen te slapen,' zei Alix zacht. 'Ik wist er niets van. Maar ik zou iets hebben moeten vermoeden toen ik merkte dat ze de ramen open hadden gezet en de lakens hadden gewassen.'

Ik dwong mezelf me niet voor te stellen hoe ellendig Charlie eraan toe was geweest toen ze dronken was gevoerd in het huis van het meisje dat haar zo had gepest, hoe ze had overgegeven, had gehuild, bewusteloos was geraakt en weer bij was gekomen, maar dat ze mij niet had gebeld, mij niet had gevraagd om haar te komen halen en naar huis te brengen, waar ze veilig zou zijn geweest. Ik concentreerde me op de feiten. 'Ze heeft overgegeven, toen is ze bewusteloos geraakt, en daarna heeft ze weer overgegeven. Hoe laat was het toen?'

'Drie of vier uur 's nachts,' zei Tam. 'Ik heb niet op de tijd gelet. Maar toen knapte ze op,' voegde ze eraan toe. 'We hebben tegen haar gezegd dat het ons erg speet.'

'We hebben ervoor gezorgd dat ze onder de douche ging,' zei Jenna. 'En Tam heeft haar een kop extra sterke koffie gegeven, die ze heeft opgedronken. Ik heb nog toast voor haar gemaakt, maar die wilde ze niet.'

'En is ze toch nog om negen uur weggegaan om haar krantenwijk te doen?'

'Zo ongeveer, ja.'

'Terwijl ze zich zo ellendig voelde?'

'Zo erg was het niet,' zei Tam verongelijkt.

'Heeft ze nog wat gezegd?'

'Vanochtend, bedoelt u? Niet veel. Ik weet het niet meer.'

'Ze zei dat ze zich slap voelde en dat Tam een rotmeid was,' zei Jenna. Dat klonk wel als mijn Charlie. 'Ze zei dat ze medelijden met ons had omdat we zulke rotmeiden waren en het leuk vonden om alcohol in iemands glas te doen.'

'En toen ging ze weg. Op haar fiets?'

'Ik geloof het wel.'

'Jullie hebben niet aangeboden te helpen met haar krantenwijk, gezien de omstandigheden?'

Ze gaven geen antwoord, maar keken weg.

'Kennelijk niet, dus. En hebben jullie daarna nog wat van haar gehoord?'

Jenna verborg haar gezicht in haar handen. Haar haar viel over haar gezicht op tafel. Met een onderdrukte snik zei ze: 'Het komt toch allemaal wel goed, hè? We wilden echt niet dat er iets naars zou gebeuren. Het was maar een grapje. We zouden het nooit gedaan hebben als we het hadden geweten, mevrouw Landry. U moet ons geloven als we...'

'Hou je mond,' zei Tam. 'Hou alsjeblieft je mond.'

'Ik vond dat je het meteen moest weten,' zei Alix.

'Ik moet het ziekenhuis bellen,' zei ik. 'Misschien is ze daar.'

'Dat zal ik wel voor je doen. Ik ken daar mensen. Staat je telefoon in de huiskamer?'

'Ja.'

'Gaan jullie nu maar naar huis,' zei Alix tegen Tam en Jenna. 'Zie dat je Joel te pakken krijgt en vertel hem wat er gebeurd is.'

'Maar mama...'

'Je vader moet het weten,' zei ze. 'En jij, Jenna, moet het ook maar aan je ouders vertellen. Als jij het niet doet, doe ik het.'

De meisjes gingen weg, en ik zag ze weglopen, een paar meter uit elkaar en met slepende tred.

Ik hoorde de stem van Alix in de huiskamer nu eens luid, dan weer zachter klinken, maar ik kon niet verstaan wat ze zei. Toen zweeg ze even en wachtte. In de achtertuin stond Jackson met een ongelukkig gezicht bij de muur, terwijl Sludge wild rondjes rende met een tak die zo dik was dat haar bek opengesperd was en ze een idiote, roze grijns vertoonde. Ik keek naar mijn handen, in elkaar geklemd op mijn schoot. Ik haalde ze van elkaar en bekeek mijn handpalmen, mijn ringloze vingers, het litteken langs mijn linkerduim en mijn levenslijn. Charlies handen waren witter en gladder dan de mijne, zij had lange, sierlijke vingers. Ze droeg een glazen duimring en om haar pols een leren armbandje. Dat had ik Mahoney niet eens verteld.

'Niets,' zei Alix terwijl ze de keuken in kwam. 'Dus dat is goed nieuws.'

'O ja?' zei ik. 'Het probleem is... een van de problemen is dat het allemaal steeds maar door mijn hoofd maalt en ik niet meer weet wat goed en wat slecht is en wat het allemaal betekent.' Ik zweeg even. 'Ik heb het gevoel dat ik voortdurend in het duister tast, maar het is alsof ik weet dat er iets is, iets waar ik steeds naar op zoek moet. Ja, zo is het. Ik heb Charlies kamer doorzocht. Ze blijkt haar toilettas en nachthemd te hebben meegenomen, maar die lagen op de grond. Verder heeft ze kennelijk niet gekeken. Want in haar ladekastje lagen allerlei dingen die net zo onmisbaar waren, haar antibiotica bijvoorbeeld.'

Alix knikte instemmend.

'Ja,' zei ze. 'Ze voelde zich vreselijk opgelaten over haar acne. Ze vroeg hoe snel die uitslag over zou zijn.'

Ik keek haar oplettend aan. Alix was altijd zo discreet over haar werk als huisarts, over wat ze wist van de mensen, dat ik het schokkend vond als ze iets over iemand losliet, al deed ze het op nog zo'n bedekte wijze.

'Jij weet niets, hè?' vroeg ik. 'Heeft ze jou iets verteld? Ik bedoel iets waaruit zou kunnen blijken wat voor reden ze gehad zou kunnen hebben om weg te lopen?'

Alix verstrakte.

'Als ik iets wist, zou ik het jou vertellen. Of de politie.'

Ik zweeg even. Het had duidelijk geen zin om bij haar aan te dringen.

'Maar je snapt het wel, hè?' vroeg ik. 'Is het niet vreemd?'

'Ik weet niet,' zei Alix ongemakkelijk. 'Waarschijnlijk wel. Maar als je van plan bent weg te lopen, denk je misschien niet zo helder, toch?'

'Het is net alsof...' zei ik. Het kostte me moeite om me duidelijk uit te drukken, want het was me allemaal niet zo duidelijk. '...alsof ze alleen die dingen mee kon nemen die in het zicht lagen.'

'Ze zal wel gewoon haast hebben gehad,' zei Alix.

'Maar dat ze dan haar medicijnen laat liggen... En dat ze haar make-uptas wel meeneemt, maar niet de remover. Misschien betekent het alleen maar dat ze iemand hierheen heeft gestuurd om haar spullen te halen, iemand die niet wist waar alles lag?'

'Ik ga nu iets te eten voor je klaarmaken.'

'Nee. Ik moet weg.'

'Waarheen?'

'Ik moet weg,' herhaalde ik. 'Ik zal het je laten weten als er iets...'

Ik kon de zin niet afmaken. Allerlei beelden schoten door mijn hoofd, en ik dwong mezelf me te concentreren op wat me nu te doen stond. En voordat ik weg kon, moest ik iets voor Jackson regelen.

'Renata!' riep ik naar boven.

Er klonk een gedempt gekreun en toen stilte. Ik rende met twee treden tegelijk de trap op en klopte op de deur van mijn slaapkamer.

'Ja,' klonk haar stem zwak, en ik duwde de deur open. De gordijnen waren dicht, en aanvankelijk zag ik haar niet. Pas toen mijn ogen aan het donker gewend waren, zag ik een vormeloze hoop onder het beddengoed. Ik schudde er voorzichtig aan op de plaats waar ik dacht dat de schouder moest zitten.

'Renata?'

'Wat is er?'

Ik trok het dekbed weg. Ze lag met al haar kleren aan in bed en kwam half overeind.

'Ik voel me niet lekker,' zei ze. Ik zag dat ze gehuild had. Haar mascara was in donkere strepen over haar wangen uitgelopen. 'Het spijt me, Nina. Misschien kan ik beter weggaan. Je hebt niks aan me, ik loop je alleen maar voor de voeten.'

'Je kunt niet weg,' zei ik. 'Je moet blijven en op Jackson passen. Ik ga de deur weer uit om te zoeken. Kom, opstaan.'

'Ik ben een beetje misselijk.'

'Kom, opstaan. Zet een pot koffie voor jezelf, maak wat te eten klaar. En hou een oogje op Jackson. Alsjeblieft. Ik bel je wel.'

Ik wachtte niet op haar reactie maar rende de trap weer af. Alix liep met een afkeurend gezicht achter me aan het huis uit. Ze maakte aanstalten om iets te zeggen, maar ik stapte in de auto en reed weg. Hij rammelde nog steeds, en ik wist niet waar ik heen ging.

Voorlopig geen rationele overwegingen meer. Ik had nu het idee om maar in het wilde weg te gaan zoeken. Misschien zou ik haar gewond naast haar fiets aantreffen of haar ergens ver weg langs de kust zien lopen. Ik reed The Street door, scheurde langs de winkels, de bungalows, de bowlinggreen en de speelvelden, en toen reed ik door het open boerenland. The Street was hier een landweg die het eiland doormidden sneed. Na een paar honderd meter sloeg ik rechtsaf een weg in die direct naar zee loopt. Aan het einde ervan ligt een jeugdkamp, waar 's zomers kinderen in touwen klimmen, voetballen en kanoën, frisse lucht krijgen, dronken worden, roken en winkeldiefstallen plegen in het dorp. Maar nu was er niemand. Ik parkeerde voor de receptie, die gevestigd was in een groene houten barak. Ik had gedacht er aan iemand te kunnen vragen of ze Charlie gezien hadden, maar ik stapte niet eens uit. De parkeerplaats was leeg, de deur van de receptie was afgesloten met een hangslot. Op het stoepje lag een kat, die achterdochtig naar me loerde. Bij de afvalbakken liepen een paar zeemeeuwen rond, die zich met hun enorme vleugels schrap zetten tegen de wind. Had het zin om langs de zeewering te gaan lopen? Ik besloot dat ik beter in de auto kon blijven en reed terug naar de hoofdweg, waar ik rechtsaf sloeg en in de richting van het dunner bevolkte gedeelte van het eiland reed.

Aan mijn linkerhand zag ik op een bordje dat daar de boerderij van Birche lag. Jay. Moest ik weer contact opnemen nu ik wist wat ik eerder niet had geweten? Ik had het gevoel dat mijn hersenen langzaam werkten terwijl ze juist snel en alert moesten functioneren. Ik had gedacht dat Charlie vrede had gesloten met de pestkoppen, maar ze hadden alcohol in haar sinaasappelsap gedaan, en ze had moeten overgeven. Ik had gedacht dat ze was weggelopen. Nu zag het ernaar uit dat ze het eerder in een opwelling had gedaan en dat iemand haar erbij had geholpen. Maar wie? Jay was een voor de hand liggende kandidaat, maar zou hij haar hebben geholpen en dan niet met haar mee zijn gegaan? Was er nog iemand anders over wie ze me niet had verteld?

De weg versmalde tot een landweggetje en kwam toen uit op een parkeerplaats. Het was moeilijk te geloven dat je 's zomers zelfs om op de parkeerplaats te komen in de file moest staan, nu stonden er maar twee auto's. Van mensen die hun hond uitlieten. Ik stopte, stapte uit en rende over het ruige grasveld dat naar de zeewering voerde. In de verte kon ik een groepje mensen onderscheiden. Toen ik dichterbij kwam, zag ik dat ze met zijn drieën waren, een ouder echtpaar dat in gesprek was met een vrouw met wit haar. Twee hondjes renden heen en weer en hapten naar hun voeten. Toen ik hijgend van inspanning op hen af kwam rennen, keken ze op.

'Ik ben op zoek naar mijn dochter,' zei ik. 'Hebt u iemand gezien?'

Ze schudden hun hoofd.

'We zijn hier net,' zei de man.

'Ik ben net langs het water naar het moeras gelopen,' zei de vrouw met het witte haar. 'Daar loopt een man op het strand kokkels te rapen. Verder heb ik niemand gezien.'

Ik rende langs hen heen naar het begin van het pad. Het water stond nog laag, en je zag kiezels, zand en modder. Het water tussen het eiland en Frattenham op het vasteland was hier maar ongeveer honderd meter breed. De plek waar ik stond werd de kaap genoemd, de meest oostelijke punt van het eiland, vanwaar ik in noordelijke richting een kilometer of twee het pad kon zien lopen, en de andere kant op, naar het zuidwesten, ongeveer dezelfde afstand, tot aan het punt waar het achter een flauwe bocht van de zeewering schuilging. In het noorden zag ik maar één figuur, de kokkelraper op het strand. In het zuidwesten was niemand te zien. In de verte, waar ze de zeewering aan het verstevigen waren, stond een kleine kraan, maar in het weekend werd er niet gewerkt, en hij stond er nu onbeweeglijk bij.

Toen ik me had omgedraaid en terugliep naar de auto, kwam ik de drie oude mensen weer tegen.

'Het is een meisje van vijftien en ze heet Charlotte,' zei ik. 'Als u haar ziet, vraagt u dan of ze naar huis belt.'

Ze zeiden niets. Als ik wat had gezegd over het weer of naar de namen en leeftijden van hun honden zou hebben geïnformeerd, zouden ze zich op hun gemak hebben gevoeld en beleefd zijn geweest. Maar een vrouw die ze niet kenden en die op zoek was naar haar dochter gaf hun een opgelaten gevoel.

Verder naar het noorden rijden was onmogelijk, of het zou moeten via een paar karrensporen die rechtstreeks naar de erven van de twee voornaamste boerderijen van het eiland leidden. Het noordelijk deel van het eiland, tegenover het vasteland, was veel minder toegankelijk dan het zuiden en bestond uit akkerland dat langzaam overging in zompig terrein en ten slotte in moerasgebied, rietland en in onbruik geraakte oesterbedden, met daarachter de zee en daar weer achter Engeland. Sandling was natuurlijk ook Engeland, maar gevoelsmatig niet helemaal. Het had eeuwenlang zo'n beetje tegen het vasteland aan geschurkt, maar de band was losser aan het worden, en soms dacht ik wel eens dat er nog maar één storm nodig was om het definitief weg te spoelen.

Op de terugweg begon het grijze wolkendek te breken en verschenen er steeds bredere stukken blauw. Ik kreeg ineens een idee, en in plaats van terug te rijden naar het dorp, sloeg ik rechtsaf de weg op die naar het vasteland voerde. Het eiland is bijna helemaal vlak, afgezien van een paar heuveltjes, oneffenheden en zandduinen en één prominente herinnering aan het verleden in de vorm van een grafheuvel. Ze moeten de plek hebben gekozen vanwege het uitzicht dat je daar hebt in de drie richtingen van waaruit potentieel gevaar dreigde, vanaf de Noordzee, vanaf de twee waterwegen rondom het eiland of vanaf het vasteland. Nu was het nog slechts een met gras begroeid vreemd element op een verder vlak eiland.

Ik parkeerde de auto en liep de heuvel op. Het was eigenlijk niet meer dan een kleine duin, maar je had er uitzicht over een groot deel van het eiland en over zee, tot aan het vasteland daarachter. Ik kon in het uiterste westen het dorp zien liggen en liet mijn blik langs de kustlijn gaan, langs de camping met stacaravans en vervolgens over een kilometer of twee moerasgebied totdat ik de verhoogde weg naar het vasteland zag, die, nu het opkomend tij nog maar halverwege gevorderd was, duidelijk oprees boven het water en de slikken. Jaren geleden was er een pad geweest dat helemaal om het eiland liep, maar tijdens een winter met zeer zware stormen een jaar of tien geleden was de zeewering onder het natuurgeweld bezweken. Nu lagen er vlak onder de plek waar ik stond te midden van een aantal verraderlijke kreken en zoutwatermoerassen een paar oude betonnen bunkers en paden die nergens heen leidden. Als ik mijn blik met de wijzers van de klok mee liet draaien zag ik land liggen dat er steviger en harder uitzag, en daar verscheen ook weer het pad tussen het moerasland en de slikken. Het verste punt van het eiland was in de winterse nevels moeilijk te onderscheiden, en de zuidkant kon ik helemaal niet zien, omdat die verscholen lag achter een bos van dennenbomen die daar in de jaren zeventig uit onduidelijke fiscale overwegingen waren geplant en die nu, omdat ze niet te onderhouden waren en evenmin verkocht konden worden, aan hun lot werden overgelaten.

Ik haalde diep adem en voelde de koude wind en de koude zon op mijn gezicht. Ofwel mijn dochter was de dam naar het vasteland overgestoken en die kant op verdwenen, ofwel ze bevond zich nog ergens binnen mijn blikveld op het eiland. Maar waar? En wat moest ik doen? Ik keek op. Hoog aan de hemel zag ik een condensspoor achter een vliegtuig niet groter dan een speldenprik, dat op weg was naar Europa, het Verre Oosten of Australië. De mensen in die speldenprik zaten lekker aan hun bloody mary's en zakjes gezouten pinda's naar de aan boord vertoonde film te kijken en zich te verheugen op het strand of de skipiste waarnaar ze op weg waren. Ik dacht eraan dat wij er ook zo bij hadden kunnen zitten, en die gedachte deed me naar adem happen, alsof iemand me een stomp in mijn maag had gegeven.

Ik keek naar de steeds blauwer wordende lucht boven het glimmende vliegtuig en dacht aan de sterren en de lichtjaren van koude, lege ruimte en ik deed mijn ogen dicht en bad tot de God in wie ik niet geloofde. Geef me mijn dochter terug, bad ik. Geef me mijn dochter terug en geef me mijn zoon, dan geef ik u er alles voor terug. Ik heb er alles voor over. Enigszins ongemakkelijk dacht ik terug aan een leraar op school die ons had verteld dat we niet met God konden onderhandelen. Maar toen ik van school af was had ik het Oude Testament gelezen en ontdekt dat daar aan de lopende band werd onderhandeld. Ik dacht terug aan een wandeling die ik niet lang geleden met Charlie en Sludge langs de zeewering had gemaakt. Het was net zo'n dag als vandaag, helder, winderig en koud. Ik herinnerde me hoe ze met haar nu snel volwassen wordende lichaam tegen de wind opbokste, hoe Sludge met een van blijdschap uit haar bek hangende tong tegen haar opsprong. Met in haar gezicht wapperende haren had Charlie naar me omgekeken. Geef me dat ogenblik terug, bad ik. Daar heb ik alles voor over. Ik wil desnoods voor de eeuwigheid naar de hel, als u maar zorgt dat mijn dochter niets overkomt.

En ik herinnerde me haar tijdens de afgelopen zomer, in de augustushitte die nu zo oneindig lang geleden leek. Ik was haar aan het einde van een zaterdagmiddag gaan ophalen toen ze was wezen… ja, wat had ze ook weer gedaan? Kajakken? Zeilen? In elk geval, ik zag haar van een afstand met een stel kinderen van haar leeftijd, maar te veraf om ze te kunnen herkennen. Alleen Charlies profiel herkende ik – dat zou ik overal herkennen. Op dat moment had ik gedacht: ze is vrouw aan het worden. En: ze heeft vrienden en vriendinnen van wie ik niets weet. Dat had me toen een gevoel van geluk gegeven, maar een gecompliceerd gevoel van geluk. Ik herinnerde me hoe ik zag dat ze haar hoofd achterovergooide en lachte. Ik hoorde nu dat heerlijke, zorgeloze geluid weer, alsof alle tussenliggende maanden er niet geweest waren, ik hoorde het nu ik in de ijzige, winterse stilte op deze grafheuvel stond – een vrolijke lach, zo helder en sprankelend dat ik links en rechts keek, alsof ik verwachtte dat Charlie daar ineens voor me zou staan en ik op haar af zou kunnen rennen, mijn armen om haar slanke lijf kon slaan en haar dicht tegen me aan kon drukken. Maar natuurlijk was daar niemand. Er was niets. Ik stond daar in mijn eentje op een eenzame heuvel.

Wat nu? Ik vroeg me af of ik niet gewoon naar huis moest gaan en wachten tot de telefoon ging. Maar al moest ik het misschien, ik kon het niet. Er was nog één ding dat ik kon doen.

Ik rende terug naar de auto, en net toen ik mijn mobiele telefoon wilde oppakken, ging hij over. Weer voelde ik hoop in me opwellen, gevolgd door teleurstelling. Dit kon Charlie niet zijn, dat wist ik.

'Ja?'

'Ja, met mij, Rory. Ik ben er bijna.'

'Ik heb nog niks van Charlie gehoord. Luister. Als je er bent, blijf dan bij Jackson wachten. Probeer hem een beetje op te vrolijken, hou hem bezig. Ik kom zo gauw mogelijk terug. Ik moet nu nog wat doen.'

'Ik ben hier om mijn dochter te zoeken, niet om op mijn zoon te passen.'

Hij schreeuwde bijna door de telefoon.

'Weet ik. Luister, ik bel je later.'

Voordat hij nog iets had kunnen zeggen verbrak ik de verbinding. Even legde ik mijn hoofd in mijn handen en probeerde mijn gedachten te ordenen. Toen reed ik terug langs dezelfde route als waarlangs ik gekomen was. Toen ik in The Street was, waar de meeste winkels waren, stopte ik voor de tijdschriftenwinkel van Waltons en sprong uit de auto.

'Hallo,' zei ik. Ik negeerde de andere klanten en drong me tussen hen door naar voren. 'Ik ben Nina, de moeder van Charlie. Ik heb al eerder gebeld om te vragen of ze haar krantenwijk gedaan had.'

'Even wachten, graag,' zei de vrouw achter de toonbank zonder op te kijken. Ze was bezig munten van tien pence te tellen en in een zakje te doen.

'Nee, ik kan niet wachten. Het is belangrijk.'

De vrouw antwoordde niet, maar plakte het zakje zorgvuldig dicht.

'Wat kan ik voor u doen?' vroeg ze met ijzige afkeuring in haar stem.

'Ik moet weten wie er op het lijstje van Charlies krantenwijk staan.'

'Waarom?'

'Ach, dat weet u toch! Ze is vermist. Ik moet die namen hebben.'

'Ja, maar we geven de namen van onze klanten niet zomaar aan iedereen, weet u.'

'Waarom niet? U bent toch geen dokter of priester?'

'U hoeft niet zo'n toon aan te slaan. U bent nieuw hier, is het niet?'

'Neemt u me niet kwalijk. Sorry. Zo bedoelde ik het niet. Het komt alleen omdat ik zo bezorgd ben. Maar wilt u me alstublieft die namen geven? Alstublíéft!'

'Dat moet ik dan aan mijn man vragen.'

Ik klemde mijn tanden op elkaar om te voorkomen dat ik in haar gezicht 'Goed dan!' zou schreeuwen. Maar ze bleef gewoon staan. 'Is hij achter?'

'Hij is naar een klant toe.'

'Hè? Is hij weg?'

'Ik vraag het hem wel als hij terug is. Dat duurt niet lang.'

'Maar ik moet die namen nú hebben.'

'Ja, dan zult u toch nog even moeten wachten.'

'U begrijpt het niet…'

'Neemt u me niet kwalijk, ik heb het druk.'

Ze liep naar de achter de winkel gelegen ruimte, het kralengordijn viel achter haar terug. In mijn radeloosheid sloeg ik hard op de bel op de toonbank, maar ze kwam niet terug.

Ik drong me tussen de klanten door zonder te kijken wie het waren en liep de winkel uit. Alsof ik dronken was struikelde ik over de drempel. Ik voelde een onafwendbare angst in me opwellen, en ik wist dat als ik daar niets aan deed, ik er helemaal door overspoeld zou worden. Buiten voor de deur bleef ik staan en deed mijn ogen dicht. Ik voelde mijn hoofd bonzen tegen mijn vingertoppen. In het donker achter mijn oogleden zocht ik naar een uitweg, een speldenprik licht waar ik op af kon gaan.

'Waar ben je?' fluisterde ik. 'Waar ben je, mijn lieverd?'

'Hier. Is dit wat je wilde hebben?'

Met een ruk deed ik mijn ogen open, waardoor ik ineens weer met de realiteit werd geconfronteerd.

'Joel. Wat ben je…?'

'De namen die je wilde hebben.' Hij hield een vel papier voor me op.

'Was jij ook in de winkel? Ik heb je niet gezien… Hoe kom je daaraan?'

'Ik ken Janet. Het is een kwestie van het op de juiste manier vragen.' Hij reikte me het vel papier aan. 'Tam heeft me verteld wat er gisteravond gebeurd is.' Hij legde zijn hand op mijn schouder en keek me even aan. 'Het spijt me verschrikkelijk, Nina. En ik schaam me zo. Ik weet niet wat ik moet zeggen…'

'Laat nou maar zitten.'

Samen bekeken we de lijst. Er stonden negentien namen op, met daarnaast de adressen en de kranten die er bezorgd moesten worden. Jammer genoeg waren de adressen niet allemaal in dezelfde straat, maar lagen ze verspreid over de oostkant van het dorp en deels ook buiten het dorp, meer naar de kust toe.

'Welke route zou Charlie hebben genomen? Waar ligt Pleshey Road?'

'Laat eens kijken…' Hij fronste zijn voorhoofd en liet zijn dikke, eeltige wijsvinger langs de adressen gaan. 'Hier hebben we een kaart bij nodig. Wacht even, Nina.'

Hij ging de winkel weer in, maar deze keer kwam hij met lege handen naar buiten.

'Geen kaarten op voorraad,' zei hij. 'We zullen er zelf een moeten tekenen. Laten we hier even naar binnen gaan.'

Hij wachtte mijn antwoord niet af, maar pakte mijn arm, drukte die dicht tegen zich aan en trok me bij de koffiebar naast de tijdschriftenwinkel naar binnen.

'Ga zitten,' zei hij.

Ik ging aan het tafeltje bij het raam zitten, zodat ik kon zien wie er voorbijkwamen. Ik had mijn jas nog dichtgeknoopt en zat op het puntje van mijn stoel, klaar om elk moment op te springen. Joel draaide het vel papier met Charlies krantenwijk erop om zodat hij een blanco bladzijde voor zich had en haalde een balpen tevoorschijn uit de zak van zijn overall, die hij aan mij gaf.

'Begin jij maar vast. Dan haal ik koffie.'

'Ik wil geen koffie.'

'Het komt allemaal goed, Nina. Ik zal je helpen. Dat is wel het minste wat ik kan doen. Je staat er niet alleen voor.'

Toen begreep ik dat Joel verliefd op me was, dat Alix reden had om jaloers en verbitterd te zijn. Maar het kon me niet schelen, als hij me maar hielp.

'Dank je wel,' zei ik.

Glimlachend keek hij op me neer, hij legde even zijn grote, warme hand op mijn hoofd, en toen was hij verdwenen. Ik maakte een ruwe schets van de omtrekken van het eiland, een raar soort laars, waarvan de tenen naar open zee wezen, en tekende daarin The Street, die van de dam naar beneden liep, naar de zuidkust, en dan afboog naar het binnenland.

'Hier, drink maar op. Laat mij maar even.' Hij nam de pen van me over. 'Hier loopt Low Road, en daar is Barrow Road.'

'En waar Charlie naartoe moest was hier, wacht even.' Ik draaide het papier om. 'Tippet Row, East Lane, Lost Road en Pleshey Road.'

'Pleshey Road is dat weggetje tussen East Lane en Lost Road. Zo ongeveer.'

'Oké.'

'Kijk eens.' Hij trok met de pen een zigzaggende lijn langs de verschillende straten en wegen. 'Charlie zal waarschijnlijk zo zijn gereden, beginnend in Tippet Row, dan langs Cairn Way, dan East Lane en Pleshey Road, om ten slotte uit te komen bij het huis van Martin Vine aan het einde van Lost Road, hierzo. Dat is de meest voor de hand liggende route.'

'Oké,' zei ik. Ik stond op en pakte het papier van het tafeltje. 'Dank je wel, Joel.'

'Je hebt je koffie niet eens aangeraakt. Nou ja, ik ga met je mee. We vinden Charlie wel.'

Ik had geen tijd voor plichtplegingen.

'Ik hoop het. Ik ben je dankbaar.'

'Dat hoeft niet. Ik voel me verantwoordelijk, en trouwens…' Hij zweeg ineens. Ik wendde mijn blik af.

Ik duwde de deur open, en meteen voelden we de ijzige wind op onze wangen. We liepen de kou in, mijn haar werd in mijn gezicht geblazen, zodat ik bijna niets meer zag.

'We moesten hier maar beginnen.' Joel wees een punt op het schetsje aan.

'Oké.'

'Of weet je wat een nog beter idee is? Laten we de eerste adressen overslaan, zeg de eerste zes of zeven, die heel verspreid liggen. Dan beginnen we hier, bij de Gordons. Ik ken ze, ik heb vorige maand nog hun oude iep omgehakt. We kunnen met mijn vrachtwagen gaan. Het is een paar straten verderop. Als zij hun krant niet hebben gekregen, gaan we terug in plaats van verder.'

Hij gaf me een arm en trok me dicht tegen zich aan.

'Zo, en waar waren jullie van plan naartoe te gaan?'

Voor ons stond Alix. Ze had een pet op en ze keek ons aan met priemende ogen in de koude wind. 'Ik zag je wagen staan en vroeg me al af waar je was,' zei ze.

'We gaan op zoek naar Charlie, verder niks. We gaan haar krantenwijk narijden.'

'O ja, "we"?'

Ik had geen tijd voor dit gedoe, maar Alix legde haar hand op Joels arm.

'Je had beloofd kerstinkopen te gaan doen met Tam,' zei ze.

'Vind je echt dat Tam het verdient om mee uit winkelen genomen te worden? Ik was het in elk geval niet van plan.'

'Je gaat wel.'

'Dit is belangrijker. Ik ga Nina helpen met…'

'Nee. Ik ga met Nina mee,' zei Alix. 'Jij blijft hier.'

'Ik dacht het niet.'

Een paar afschuwelijke seconden lang keken ze elkaar alleen maar aan, maar degene met het grootste ego twijfelde geen moment aan haar overwinning en richtte zich tot mij.

'Kom mee, Nina – dan kun je me onderweg vertellen waar we heen gaan.'

Bij elke andere gelegenheid zou ik hen hebben laten staan, verbitterd door hun huwelijksproblemen maar toch met elkaar verbonden als ze waren. Deze keer niet. Ik haalde mijn schouders op naar Joel, draaide me om en liet hem met zijn teleurstelling alleen. Alix en ik haastten ons de straat in naar haar auto. Mijn ogen traanden van de kou. Het vel papier klapperde heen en weer in mijn hand. Ik deed het portier open en ging op de passagiersplaats zitten, deed de veiligheidsgordel niet om en boog me gespannen voorover. Nadat ik haar het adres had gegeven waar we het eerst naartoe zouden gaan, zwegen we allebei.

Toen we bij het zevende huis van Charlies lijst aankwamen, sprong ik uit de auto. Ik belde aan bij het huis van de Gordons

(East Lane nummer 23, de *Daily Mail*) en hoorde ergens binnen een metalig deuntje, gevolgd door het geluid van voetstappen, waarna de deur geopend werd. De jonge vrouw die voor me stond hield een nog heel jonge baby tegen zich aan gedrukt. Het rode, gerimpelde hoofdje tuurde vanuit de omhulling van de witte deken naar buiten. Het had een melkblaar op zijn lip. Aan de geur te ruiken werd er in de keuken een was gedraaid en eten klaargemaakt. Het leven ging gewoon door.

'Mevrouw Gordon?' zei ik. 'Mijn naam is Nina Landry, ik wilde alleen vragen of…'

'Kom binnen. Ik wil niet in de kou blijven staan met Eva. Ze is pas een paar dagen oud en…'

'Ik wilde alleen vragen of u vanmorgen uw *Daily Mail* hebt gekregen.'

'Mijn *Daily Mail*?'

'Uw krant, bedoel ik. Hebt u die gewoon gekregen?'

'Hoezo?'

'Mijn dochter,' begon ik, maar ik maakte mijn zin niet af en corrigeerde mezelf. 'Er waren wat klachten over de bezorging vanmorgen, en we zijn aan het navragen of alle kranten goed bezorgd zijn.'

'Hij is gekomen. Ik heb hem alleen nog niet gelezen. Geen tijd. We komen net uit het ziekenhuis en…'

'Dank u wel,' zei ik, en liep het tuinpad af. Achter me hoorde ik haar doorpraten.

Daarna was Sue Furlong aan de beurt, die ik vaag kende omdat haar zwarte labrador en Sludge uit hetzelfde nest kwamen. We lieten ze soms samen ravotten bij de zeewering. En ja hoor, toen ik bij haar nogal armoedig ogende rijtjeshuis aanbelde, hoorde ik de hond binnen met veel kabaal aanslaan. Maar er kwam niemand. Ik deed de brievenbus open en tuurde naar binnen. Op de deurmat naast de post zag ik een bemodderde en half opgekauwde krant liggen.

De Gunners (van Honey Hall) hadden hun *Guardian* ontvangen, en Bob Hutchings aan East Lane zijn *East Anglia Times*.

Hij had de radio in zijn keuken aan staan, hoorde ik; de nieuws-berichten waren net afgelopen. Toen Pleshey Road af. Meg Lee, die daar woonde, had haar krant gehad. Ze had zelfs een glimp van Charlie opgevangen, toen ze aan kwam rijden met haar schoudertas vol kranten. De tienerzoon van de Dunnes wist niet of zijn ouders hun krant hadden ontvangen, en pas toen ik aandrong, zuchtte hij en liep hij met een geïrriteerde uitdruk-king naar de keuken, om bij terugkeer te melden dat de krant er was en zelfs opengeslagen op tafel lag.

De huizen lagen hier meer verspreid. Charlie bracht nog maar kort kranten rond, dus had ze de minst aantrekkelijke wijk, die twee keer zoveel tijd kostte als een krantenwijk in het dorp. Toen we Lost Lane achter ons hadden gelaten, reden Alix en ik naar de kustweg, die langs de afbrokkelende zeewering liep. We zeiden niets tegen elkaar. De vloed kwam gestaag op, en de ka-naaltjes op de slikken vulden zich al met water. Het helmgras in de verte vibreerde als een luchtspiegeling in de koude wind. Het was waarschijnlijk nog geen kilometer van ons vandaan, maar als je de vlakke weg die zich voor ons uitstrekte afkeek, leek die nergens heen te gaan maar dood te lopen op een monotoon landschap van plukken helmgras, slikken en de langzaam opko-mende zee. Daar waar de zee de hemel leek te raken was een flau-we lichtstreep te zien, en daar hield ik mijn blik op gericht. Ik probeerde niet te denken dat we waarschijnlijk onze tijd verspil-den en in de verkeerde richting zochten, dat we steeds verder van een oplossing verwijderd raakten, steeds verder van Charlie verwijderd raakten. Vroeger dacht ik altijd dat ik wist wanneer ze me nodig had en dat ik haar dan altijd zou weten te vinden, alsof kinderen op een soort noodfrequentie radiosignalen uit-zenden die alleen hun moeder kan ontvangen. Maar nu dacht ik dat niet meer.

Christian belde, maar ik drukte hem weg. Rory belde en be-gon een verhaal dat het allemaal mijn schuld was dat Charlie was weggelopen. Ik verbrak de verbinding. Ten slotte reden we over de steeds hobbeliger wordende weg naar de Wigmores, die een bouwvallig huisje met een uitgezakt dak en oude, vlekkerige muren bewoonden. De boom bij de voordeur was versierd met slingers van witte lampjes. Ik belde aan, en na enige tijd kwam een oude man met een schort om en met opgerolde mouwen aan de deur. Hij had een snor en zijn gezicht glom, en hij keek geërgerd omdat hij was gestoord in zijn bezigheden.

'Wat is er?' vroeg hij.

'Hebt u vanmorgen de krant gehad?' vroeg ik zonder inleiding.

'Wat?'

'Uw krant, hebt u die ontvangen?'

'Mijn krant? Ik ben nu een kerstpudding aan het maken en ben bezig de kersen te glaceren. U had eerder moeten komen.'

'Pardon?'

'Alles goed en wel, maar...'

Alix en ik wisselden een mismoedige blik.

'Hebt u vandaag uw krant gehad, meneer Wigmore?' Ze articuleerde luid en duidelijk, en hij reageerde met een afkeurende blik.

'Er mankeert niks aan mijn oren, hoor. Ik had het meteen al verstaan. Ik miste het sportkatern. Ik verheug me zaterdags altijd op het sportkatern.'

'Dank u,' zei ik, en ik liep achteruit langs de antieke tractor en de rollen kippengaas en oude deuren.

Het volgende huis was een kilometer verderop, een rood bakstenen herenhuis dat ontworpen leek voor een villawijk in het noorden van het land, maar dat buiten zijn normale omgeving op deze sombere plek leek te zijn neergezet, zonder enige beschutting en geteisterd door weer en wind. Vanachter de vierkante ramen keek het in de ene richting uit over zee en in de andere over woest grasland.

Terwijl ze de auto parkeerde, begon Alix tegen mij te praten op dezelfde toon als tegen Wigmore, alsof ze lesgaf in duidelijk articuleren.

'Jij was niet de eerste, weet je,' zei ze.

'Hoe bedoel je?'

'Ik zei dat jij niet de eerste was.' Het klonk bijna als een schreeuw. 'Bij Joel.'

'O,' zei ik. Ik deed het portier open en stak mijn benen naar buiten. 'Nee, dat wist ik niet.'

'Hij is gek op vrouwen. Maar meestal zijn ze wel jonger dan jij.'

'Het spijt me,' zei ik, hoewel dat op dat moment niet echt waar was. Het liet me koud wat er tussen Joel en mij was gebeurd, en het liet me koud dat er vóór mij misschien anderen waren geweest. Ik ging ervan uit dat ik dit soort dingen later wel weer belangrijk zou gaan vinden, tenzij natuurlijk... maar ik huiverde bij die gedachte en brak mijn gedachtegang af.

Toen we naar de voordeur liepen, vertraagde Alix haar pas.

'Heeft dit eigenlijk wel zin?' zei ze. 'Ik bedoel, worden we er wijzer van om te weten dat Charlie die kranten heeft bezorgd?'

'Ik weet het niet,' zei ik. 'We volgen haar stap voor stap. Misschien heeft iemand met haar gepraat. Wat kan ik anders doen?'

Alix knikte en belde aan, en toen nog eens. Met gezichten die stijf aanvoelden van de kou wachtten we. Er kwam een vrouw naar de deur. Ze droeg een blauwe duster en had een zwabber in haar hand.

'Ja?'

Ineens leek het allemaal belachelijk wat we deden, een schertsvertoning was het. Ik kon mezelf er nauwelijks toe brengen mijn zinnen uit te spreken. Ik sloeg mijn blik neer en keek op het papier.

'Hallo. Bent u mevrouw Benson? Wij vroegen ons af of u vanmorgen uw krant hebt gekregen.'

Ze keek verbaasd.

'Mijn krant? Soms is hij zaterdag wat later, dus doorgaans maak ik me er niet al te veel zorgen over.'

'Bedoelt u dat hij te laat werd bezorgd?'

'Ze slapen op zaterdag natuurlijk uit, hè, die kinderen? Ze hebben hem wel eens tegelijk met de zondagskrant bezorgd.'

119

'Dus hij was te laat?' zei ik.

'Komt u hem brengen?' vroeg ze.

'Nee,' zei ik.

'Ik dacht dat u hem kwam brengen,' zei ze.

'Nee hoor.'

'Wilt u het doorgeven aan de winkel?'

'U bedoelt dat uw krant niet is bezorgd?'

'Nee.'

'Weet u het echt zeker? Absoluut zeker?'

Mevrouw Benson leek in verwarring.

'Ik hoor het altijd als hij komt. Als ik de klep van de brievenbus hoor, haal ik hem hier van de mat.'

'Misschien bent u vergeten dat u het gedaan hebt,' zei ik.

'Kom mee, Nina,' zei Alix.

Ik dwong mezelf mevrouw Benson te bedanken en als een normaal mens afscheid van haar te nemen, waarna we snel terugliepen naar de weg. Ik had het gevoel alsof de grond onder mijn voeten wegviel. We stapten in de auto.

'En nu?' vroeg Alix.

'Nu weten we dat meneer Wigmore zijn krant wel heeft gekregen en mevrouw Benson niet.'

'Dat moeten we dan wel even controleren. Wie is de volgende op de lijst?'

We reden een paar honderd meter verder, tot waar Andrew Derrick voor zijn huis zijn sportauto stond te wassen. Nee, zijn krant was niet gekomen, en daar was hij helemaal niet blij mee.

Alix en ik keken elkaar aan.

'Nou?' vroeg ze.

'Even nadenken. Nu weten we iets. Charlie is wel aan haar krantenwijk begonnen. Ze heeft de eerste – hoeveel zijn het er? – elf huizen gedaan. Bij Wigmore een eindje terug is ze nog geweest. Het volgende huis op haar route was dat van mevrouw Benson. Daar is ze niet geweest.' Ik voelde het bloed door mijn aderen stromen, ik voelde het in mijn armen en in mijn hoofd, ik voelde mijn aderen pulseren. Ik was bang dat ik flauw zou vallen als ik mezelf niet in bedwang hield. Dat mocht niet gebeuren. Ik moest kalm blijven en helder nadenken. Praten hielp. En dat ik in het gezelschap was van de kille, rationele Alix, hielp ook. 'Weet je, als je vijftien bent en je wilt van huis weglopen op de dag dat je op vakantie zou gaan, is het niet zo vreemd als je je krantenwijk overslaat, want daar heb je dan maling aan. En als je heel veel verantwoordelijkheidsgevoel hebt, dan doe je hem wel en loop je daarna weg. Maar wat heeft het voor zin om je krantenwijk voor de helft te doen en er dan de brui aan te geven en weg te lopen?'

We keken elkaar aan en dachten koortsachtig na.

'Zou ze een ongeluk gehad kunnen hebben?' zei Alix.

'Jij hebt het ziekenhuis nog gebeld.'

'Misschien is ze...' Ze wilde het niet zeggen en zweeg. 'Misschien is ze nog daar.'

'Snel, terug naar de Bensons,' zei ik.

Toen we er aankwamen, stapten we meteen uit en begonnen langzaam langs de weg te lopen en zorgvuldig links en rechts te kijken. De weg was geasfalteerd, en op het zwarte wegdek lagen hier en daar platgereden brokken klei die van de tractorbanden gevallen waren. Er waren sporen van autobanden op te zien, maar ik zag er geen van fietsbanden. Links van de weg was een sloot met hier en daar een paar struiken, scheefgegroeid doordat ze jaar na jaar blootgesteld waren geweest aan de zeewind. Daarachter groeide wild gras, dat er een beetje uitzag als zeewier, en de grond liep daar af naar de modder van de slikken. Aan de rechterkant van de weg stonden een heg en een paar bomen, die een grote akker markeerden die onlangs was omgeploegd, waardoor hij er nu uitzag als een bevroren, bruine, stormachtige zee.

'We zoeken tot aan het huis van Wigmore, en dan...'

Ik zweeg omdat ik niet wist wat ik moest zeggen. Ja, wat dan? Daar moest ik nu niet aan denken. Dat kon later altijd nog.

Er liggen veel dingen op en naast een ogenschijnlijk lege weg als je die langzaam afloopt en centimeter voor centimeter afzoekt. Vochtige resten van herfstbladeren, een sigarettenpakje, groezelige bierflesjes, een gescheurde boodschappentas, een doorweekt papieren zakdoekje, een natte krant, een piepschuimen bakje met de samengeklonterde, onherkenbare resten van een afhaalmaaltijd.

'Wat doet u nu weer? Bent u iets kwijt?' klonk een stem.

Het was Wigmore, met een vreemd tweedhoedje op zijn grijze hoofd.

Ik had de tijd niet om het hem goed uit te leggen. Ik zwaaide alleen even in zijn richting en zei: 'Mijn dochter heeft bij u de krant wel bezorgd en bij de Bensons niet. Ik ben naar haar op zoek.'

'Ze heeft de krant helemaal niet bij mij bezorgd.'

Ik verstijfde.

'Wat zegt u?'

'Ze heeft hem helemaal niet bij mij bezorgd,' herhaalde hij.

'Maar u zei...'

'Ik heb hem zelf gehaald. Ik dacht dat u dat had begrepen. Hij was niet gekomen, dus heb ik hem uiteindelijk zelf moeten halen. Alleen het sportkatern zat er niet bij.'

'Waarom hebt u tegen ons niet gezegd dat hij niet bezorgd was?'

'U vroeg of ik de krant had. En die had ik. Ik heb hem zelf gehaald.'

'Oké, oké,' zei ik. 'Mijn fout.'

Terwijl hij nog iets mompelde over zijn krant liep Wigmore door.

'Als ik alles op een rijtje zet...' begon Alix, maar ik onderbrak haar.

'Het betekent dat we op de verkeerde plek zoeken,' zei ik. 'Ze is verdwenen tussen het huis van de Dunnes en dat van Wigmore.'

Ik pakte haar bij haar mouw en trok haar bijna in looppas mee terug naar de auto.

We reden terug en stopten weer langs de kant van de weg, nu

bij het armoedige huisje van Wigmore, waar de kerstverlichting twinkelde onder de winterse hemel. Weer liepen we langzaam de weg af, elk aan een kant en zonder te weten wat we zochten. De dag was aan het wegglijden. Het licht veranderde van kleur en werd spaarzamer. De vloed kwam langzaam opzetten.

Ineens viel mijn oog ergens op. Een krant. Ik riep naar Alix die voor me uit liep dat ze terug moest komen om te kijken. Het was een exemplaar van de *Daily Mail* dat daar nat en onder de modderspatten half verborgen in het gras lag. Ik raapte hem op en sloeg hem open, waardoor er een in plastic verpakt blaadje en een stel folders van verzekeringsmaatschappijen en kwekerijen tussenuit vielen. Het was duidelijk een nog ongelezen krant. Ik liet hem aan Alix zien.

'Dat is misschien de verklaring,' zei ze. 'Charlie moet hem hebben laten vallen zonder dat ze er erg in had. Op een winderige dag als vandaag kunnen de kranten makkelijk onder haar arm vandaan zijn gewaaid, of hoe ze ze dan ook droeg.'

'Er ligt er hier maar één,' zei ik. 'Maar ze heeft ook bij het tweede huis van hier de krant niet bezorgd.'

Alix keek iets minder zelfverzekerd.

'Misschien heeft ze nog wel meer kranten laten vallen en zijn die weggewaaid.'

'Zou kunnen,' zei ik.

Ik knielde neer en inspecteerde de grond nauwkeurig. Aan de rand van het wegdek, waar het asfalt ophield, was het modderig en rommelig.

'Alix,' zei ik. 'Kijk eens hier. Ziet de grond er hier niet omgewoeld uit?'

'Weet ik niet,' zei ze. 'Het is hier overal nogal modderig. Het heeft flink geregend.'

'Weet ik, weet ik,' zei ik. 'Maar meer hebben we niet. Alleen deze plek. Laten we, voordat we verder gaan, in een straal van twintig meter hieromheen goed zoeken of we iets kunnen vinden.'

Ik keek Alix aan, en heel even gebeurde er helemaal niets. Alix had gemengde gevoelens over mij – en dat was nog zacht uitgedrukt – en toch stond ze hier als huisarts op haar vrije dag met mij in weer en wind langs de kant van de weg, hoewel dat waarschijnlijk geen enkele zin had en er ongetwijfeld talloze dingen waren die ze liever deed. Ik zag hoe ze inwendig zuchtte en berustte in de gang van zaken.

'Goed,' zei ze.

Alix had laarzen aan, dus stelde ik voor dat zij aan de kant van de weg zou zoeken.

'Tot hoe ver had je gedacht?' vroeg ze.

'Een meter of twintig die kant op. Dan doe ik het aan de overkant van de weg.'

Alix kreeg het zwaarste stuk. Ik deed een paar stappen naar de overkant van de weg en inspecteerde het wegdek van zo nabij dat ik er bijna op handen en voeten overheen kroop. Maar Alix moest de sloot oversteken, en ze had dan wel laarzen aan, maar ik zag dat haar spijkerbroek nat werd van het vochtige lange gras.

Ik bekeek elk twijgje, elke losse grashalm, maar er was echt niets te zien. Ik verliet de weg en liep het dichtere struikgewas daar in. Twintig meter door het lange, ruige gras was eigenlijk een heel eind. Hoe stelde ik me voor dat ik zou zoeken? De grond aftasten met mijn vingertoppen? Had dat wel zin? Of was het gewoon een vorm van neurotische activiteit? Terwijl deze overwegingen door mijn hoofd speelden, hoorde ik mijn naam roepen. Ik draaide me om, maar kon Alix niet zien. Ze stond aan de andere kant van de heg. Ik zag een opening in de heg, waar ze doorheen moest zijn gegaan.

'Alles goed met je?' riep ik.

'Kom snel hier.'

'Wat is er?'

'Kom nou. Nu meteen.'

Ik verstijfde. Mijn huid begon te gloeien. Mijn borst en buik gingen snel op en neer. Ik begon te hijgen en dacht dat ik moest overgeven. En toen, heel langzaam en zoals ik dat niet van mezelf kende, dwong ik mezelf door te lopen, de ene voet voor de andere te zetten, alsof ik halfdood was. Voorzichtig stapte ik over de greppel en ging ik door het gat in de heg, alsof ik een deuropening doorging, en vervolgens de akker op. Alix stond daar met beide handen te gebaren. Voor haar, half tegen de heg en onzichtbaar vanaf de weg, lag Charlies fiets. Er bovenop lag de feloranje tas met de kranten. Ik rende eropaf, maar Alix blokkeerde de doorgang zodat ik er niet bij kon komen.

'Je mag niets aanraken,' zei ze. 'We moeten de politie bellen. Meteen.'

'Ja,' zei ik. 'De politie.'

Ze haalde haar mobiele telefoon uit haar jaszak. Ze hield hem even vast en liet hem toen uit haar handen vallen. Toen ze hem opraapte, trilden haar handen.

'Het spijt me,' zei ze. 'Het is stom, maar ik kan het niet.'

'Geeft niet.'

Ik nam de telefoon van haar over en toetste het driecijferige nummer in.

Alix wilde in de auto wachten, maar ik kon niet binnen zitten. Ik bleef langs de kant van de weg staan, liep een stukje heen en weer en hield toen mijn hoofd achterover om naar de hemel te kijken. Het was een sombere, loodzware hemel. Alix kwam naast me staan, ze had haar handen diep in haar zakken gestoken en haar gezicht was rood van de kou.

'Nina,' begon ze.

'Zeg maar niks.'

Ik wendde me van haar af en keek naar de zee, naar het uitgestrekte, grijze, kille water. Het zeewater kwam langzaam omhoog, het eiland kromp.

Op een kilometer afstand zag ik de politieauto met oranje strepen op ons afkomen, als een speelgoedautootje. Alix en ik bleven onbeholpen en bijna opgelaten naast elkaar staan wachten totdat de auto bij ons stopte. In de auto zat alleen Mahoney. Er volgde geen hartelijke begroeting toen hij uitstapte. Daarvoor hadden we elkaar die dag al te vaak gezien.

'Waar is het?' vroeg hij.

Ik knikte in de richting van het gat in de heg. Hij liep erheen, maar wij volgden hem niet. Hij hoefde het niet te zeggen, we wisten zelf al dat we eventuele sporen niet moesten vertrappen.

'Voor het geval u eraan twijfelt,' riep ik hem na, 'ik weet honderd procent zeker dat het Charlies fiets is en dat het de tas is waarmee ze de kranten rondbrengt.'

Ik zag Mahoney op de akker staan, hij keek alleen maar. Toen hij terugkwam, leek hij in verwarring.

'Zou het mogelijk zijn dat ze haar fiets aan iemand anders heeft uitgeleend? Aan een vriendin?'

Toen moest ik me beheersen. Door boos te worden of te gaan schreeuwen tegen een politieman zou ik de situatie alleen maar verergeren.

'Nee,' zei ik overdreven kalm. 'Dat weten we zeker. We hebben met de vrouw van de tijdschriftenwinkel gepraat. Charlie is daar geweest, ze heeft de kranten opgehaald en is ze gaan rondbrengen.'

Zo kort als ik kon beschreef ik hoe we haar route hadden gevolgd en wat we te weten waren gekomen. Terwijl ik ons verhaal vertelde zag ik weer die verbijsterde blik in zijn ogen verschijnen, en ik moest mezelf dwingen niet tegen hem te zeggen dat wij alleen maar hadden gedaan wat hij zelf had moeten doen. Toen ik uitgesproken was, knikte hij. Hij vroeg ons te wachten, liep terug naar zijn auto en begon in zijn mobilofoon te praten. Ik kon niet verstaan wat hij zei, maar het duurde verscheidene minuten en het was duidelijk dat hij en zijn gesprekspartner elkaar veel te vertellen hadden. Soms zweeg hij en knikte hij alleen maar. Op een gegeven moment zei hij gedag of over en uit, of wat je dan ook zegt als je per mobilofoon communiceert, en voordat hij weer naar ons toe kwam, bleef hij even voor zich uit zitten kijken.

'Ik heb er met mijn chef over gepraat,' zei hij. 'Dit groeit me een beetje boven het hoofd. We roepen de hulp in van mensen van het vasteland.'

'Maar wat doen we nu?'

'Ik moet u verzoeken in uw auto te wachten. Ik moet de situatie ter plaatse veiligstellen.'

'We staan hier helemaal niet in de weg,' zei ik.

'Dan vraag ik u uit de buurt te blijven.'

'Uit de buurt waarvan?'

'Het is van belang dat alles intact blijft.'

Het was krankzinnig, maar ondanks alles schoot me een herinnering te binnen van iets wat me als kind was overkomen. We zouden naar de kermis gaan die in een park bij ons in de buurt werd gehouden. Ik had de hele week op weg naar en van school al gezien hoe ze bezig waren het reuzenrad, de draaimolens en alle kramen op te zetten, en ik kon niet wachten tot we erheen zouden gaan. Maar tegen de tijd dat we de deur uit zouden gaan, kondigde mijn moeder ineens aan dat ze zich wilde verkleden, toen wist ze niet wat ze aan zou trekken, en toen dat achter de rug was, moest ze per se voor mij een boterham klaarmaken en moest er daarna nog opgeruimd worden. Al die tijd stond ik bij de deur van het ene been op het andere te dansen en moest ik denken aan alle tijd die er verloren ging en het plezier dat we misliepen omdat mijn moeder steeds dingen bedacht die zo nodig eerst nog moesten gebeuren.

Zo was het ook met Mahoney. Toen er niets aan de hand leek te zijn en hij ervan overtuigd was dat Charlie niets was overkomen, meende hij het zich te kunnen veroorloven op zijn gemak om zich heen te kijken, notities te maken, mij adviezen te geven en tegen me te zeggen dat ik me geen zorgen moest maken, maar nu we de mogelijkheid onder ogen moesten zien dat er echt iets afschuwelijks was gebeurd, kon hij zichzelf alleen maar geruststellen door terug te vallen op nauwomschreven procedures, waarmee kostbare tijd verloren zou gaan.

Hij opende de kofferbak van zijn patrouillewagen en kwam terug met een stel op elkaar gestapelde pylonen, als plastic bekertjes voor een kinderpartijtje. Plechtstatig arrangeerde hij ze op de weg in een halve ovaal voor de opening in de heg. Toen liep hij weer naar de auto en keerde terug met een bundel stokken en een reusachtige rol tape. Hij liep tussen de pylonen door en ging door de opening in de heg, maakte de stokken los en stak ze een voor een op regelmatige afstanden van elkaar in de grond en verdween uit het zicht. Toen hij weer verscheen zagen we hem de rol tape afwikkelen en hij omwond er de stokken mee, waarmee hij op symbolische wijze het terrein om de plek waar de fiets en de tas lagen isoleerde.

Ik liep naar Alix toe.

'Denk jij dat dit nodig is?' siste ik. 'We staan hier toch niet met een menigte die sporen op de plaats delict dreigt te vertrappen. Hebben we sinds we hier zijn ook maar één auto voorbij zien komen?'

Ze keek naar Mahoney, die inmiddels op de bestuurdersstoel van zijn auto was gaan zitten, met zijn voeten op de weg. Zo te zien was hij een formulier aan het invullen.

'Het zal zo wel moeten, denk ik,' zei ze. 'En het toont aan hoe serieus ze de zaak nemen. Maar het belangrijkste is dat er mensen in aantocht zijn die weten hoe ze deze dingen moeten aanpakken. Die hebben dit zo voor elkaar, dat weet ik zeker.'

Ik deelde Alix' vertrouwen in de autoriteiten niet. Ik liep naar de politieauto. Mahoney zat druk te schrijven in een groot, bijna kinderlijk handschrift, en in het begin had hij niet eens in de gaten dat ik er stond. Toen hij me zag, wist hij zich met zijn houding geen raad. Misschien was hij bang dat ik stond te lezen wat hij had opgeschreven. Hij keek op.

'Neemt u me niet kwalijk, hoor,' zei ik. 'Maar het lijkt alsof er niets gebeurt. Niets!' Ik gebaarde naar de lege weg voor me en de lege hemel boven me. Mijn stem stokte.

'Ik zei u toch al, mevrouw Landry, de recherche komt eraan.'

'Maar kijk dan wat wij hebben gevonden. Niet alleen is mijn dochter verdwenen, maar haar fiets ligt achter een heg verborgen. Dat is toch een aanwijzing dat iemand hem daar moet hebben neergelegd. En dat is een aanwijzing dat ze tegen haar wil door iemand is meegenomen. En in dat geval is de situatie verschrikkelijk, heel erg verschrikkelijk urgent. Dat bent u toch wel met me eens?'

'Mevrouw Landry, als ik nu op dit moment iets kon doen dat zou helpen uw dochter te vinden, zou ik het doen. Maar we moeten nu wachten totdat de recherche er is. Het is nu een taak voor de recherche.'

'Die had u er meteen bij moeten halen.'

'Mevrouw Landry...' begon hij, maar ik onderbrak hem.

'Zegt u het maar niet. Zegt u maar niets meer. Hoe lang gaat het duren voordat ze er zijn?'

'Niet lang. Een halfuur op zijn hoogst.'

Ik keek op mijn mobiele telefoon hoe laat het was. Het was tien over halftwee. Hoe lang is niet lang? Ach, het was wel lang. Elke seconde was lang, een kwelling omdat ik probeerde niet na te denken maar de hele tijd niets anders deed, probeerde haar gezicht niet voor me te zien en het de hele tijd juist wel zag, haar om me hoorde roepen terwijl ik haar niet kon helpen en niet naar haar toe kon. Ik voelde de seconden voorttikken, zich aaneenrijgen tot minuten. Ik had een gevoel alsof ik opbrandde doordat ik wilde handelen maar juist niks kon doen.

Kwart voor twee. Ik balde mijn vuisten, groef mijn nagels in mijn handpalmen totdat het pijn deed, liep heen en weer langs de weg terwijl de ijzige wind als schuurpapier over mijn schrale huid streek. Ik probeerde te overdenken wat er allemaal was gebeurd, alles op een rijtje te zetten, zodat ik mijn verhaal klaar had als de politie erom vroeg, niet in de volgorde waarin de dingen zich aan mij hadden voorgedaan, in korte momenten van inzicht, maar in de volgorde waarin ze gebeurd moesten zijn. Charlie was bij schoolvriendinnen gaan logeren. De meisjes die haar hadden gepest, hadden alcohol in haar glas gedaan en ze was afschuwelijk dronken geworden. Om een uur of negen was ze haar krantenwijk gaan doen, maar ze was niet verder gekomen dan deze verlaten plek.

En dan was er het feit, het onmiskenbare maar onverklaarbare feit dat er spullen van haar weg waren, maar dat die weggehaald moesten zijn toen het verjaardagsfeestje aan de gang was, zeker twee uur na het tijdstip dat ze hier was geweest. Wat betekende dat? Wat kon dat betekenen?

Ik belde naar huis en kreeg Renata aan de lijn, die me vertelde wat ik al wist, dat er niets te melden was. Ik praatte met Jackson en probeerde hem gerust te stellen, maar halverwege ons gesprek begon hij te huilen, en toen kon ik hem met geen mogelijkheid troosten. Ik zei tegen hem dat hij alles op moest schrijven wat Charlie de laatste tijd tegen hem had gezegd of wat hij had gehoord dat ze tegen anderen zei, als hij dacht dat het een aanwijzing kon opleveren. Het was niet dat ik hoopte dat hij met iets zou komen, maar ik vond dat ik hem iets te doen moest geven, hem iets doelgerichts laten doen.

Ik belde Jay, en merkte terwijl ik dat deed dat de batterij van mijn mobiele telefoon bijna leeg was. Ik zei dat ik hem nodig moest spreken en dat ik hem zou bellen zodra ik daar kans toe zag. Hij klonk wat schichtig, maar hij beloofde dat hij op het eiland zou blijven en mijn telefoontje zou afwachten. Ik belde Ashleigh en zei dat ik haar hulp nodig had bij het opbellen van al Charlies vrienden en vriendinnen, zodat ze konden helpen. Ik stelde me voor dat die weer anderen zouden bellen, die dan op hun beurt ingeschakeld zouden worden bij het zoeken naar Charlie. Ik wilde er zoveel mogelijk mensen bij betrekken. Misschien had iemand haar vanmorgen gezien of iets van haar gehoord, of misschien had een van hen aanwijzingen waar ik niet over beschikte.

Tien voor twee. Ik liep naar Alix in de auto en vroeg of haar batterijoplader compatibel was met mijn mobiele telefoon, en zo ja of zij die dan nu een beetje wilde opladen. Elke minuut dat ik langer kon telefoneren was welkom. Ze startte de motor en sloot hem aan, waarna ze iets zei wat geruststellend bedoeld maar onbenullig was. Ik had er geen weerwoord op; ik kon mezelf er letterlijk niet toe brengen om iets te zeggen. Alsof ik stenen in mijn keel had. Ik kon haar alleen maar aankijken met ogen die prikten, en keek toen weg. Wat moest ik nu doen? Ik kon niet telefoneren, ik had niets omhanden en aan de horizon was niets te zien. Ik had geen handschoenen aan, mijn blote handen waren ijskoud en mijn vingers waren gevoelloos.

Er reed een tractor voorbij, de bestuurder met zijn vlezige, rode hoofd keek vanuit zijn hoge cabine op ons neer. Toen een vrouw op een fiets, het haar opgebonden met een sjaal; haar jas bolde op. Het leek een eeuwigheid te duren voordat ze voorbij was. Mahoney bleef onbeweeglijk in zijn auto zitten. Ik zocht de horizon af of ik de rechercheurs die vanaf het vasteland onderweg waren al zag aankomen, maar ze kwamen maar niet. Zo snel kon het natuurlijk ook niet. Het was vijf voor twee.

Mijn mobiele telefoon ging over in de auto, en Alix riep dat ik moest komen, maar het was Christian maar, die met gebroken stem sprak. Hij stond nog in de file. Na een paar woorden brak ik het gesprek af. Ik zag het beeld voor me van Charlie die in een greppel ligt, en toen het beeld van haar achter in een witte bestelauto, roepend om hulp. Ik probeerde een einde te maken aan het bombardement van nachtmerrieachtige beelden die op me afkwamen. Misschien stond ze ergens in haar karakteristieke slungelachtige houding op het vasteland met haar duim omhoog te liften, of zat ze in een warm café met iemand die ik niet kende, nog iemand over wie ze me nooit iets had verteld.

In de delta verscheen een zeilboot die uit het achterland kwam aanvaren en zich om de kaap heen een weg zocht. Het grote wit-met-blauwe zeil bolde in de wind als de wang van een trompettist. Ik dacht dat alle plezierboten veilig en wel op de wal stonden voor de winter. Deze boot had dan ook de zee voor zichzelf, afgezien van het plompe viskottertje verderop langs de kust en, vaag aan de horizon, een containerschip op weg naar Harwich of Felixstowe. Waarvandaan? Uit China misschien. De tandarts die ik inmiddels op het eiland had, had ansichtkaarten op zijn plafond geplakt, die je zag als je achteroverleunde in zijn stoel, waardoor je misschien aan iets anders dacht dan aan wat zich in je mond afspeelde. De vorige keer dat ik er was, had hij van alles gedaan in mijn mond – wat bleek uit geluiden en geuren en soms ineens een pijnscheut, ondanks de verdoving – en toen had ik de ansichtkaarten zorgvuldig een voor een bestudeerd, alsof ze me interesseerden, alsof ik de pijn daarmee te slim af zou zijn. Ik had alle clichébeelden bekeken – de haven van Hong Kong, de opera van Sydney, een tempel in een meer in Thailand, New York zonder de twee torens van het World Trade Center, de Eiffeltoren en een strand op een niet nader aangeduide locatie.

Nu deed ik hetzelfde met die zeilboot. Ik bestudeerde hem zo zorgvuldig als ik kon, telde de zeilen (het waren er drie) en probeerde naar de lijnen te kijken, hoe ze de zeilen aantrokken en wat de bedoeling daarvan was. Ik keek naar de twee mensen aan boord, de een in het geel, de ander in het blauw. Er stonden cijfers en een naam op de zijkant, maar de boot was te ver uit de kust om ze te onderscheiden. Als ik me maar voldoende concentreerde en mezelf dwong om zoveel mogelijk details te zien – de figuur in het blauw die het stuurwiel vasthield, de figuur in het geel die iets met een lijn aan het doen was – kon ik misschien even ophouden te denken aan datgene wat onverdraaglijk was om aan te denken. Misschien zouden dan deze minuten waarin toch niets gebeurde sneller voorbijgaan. Vervolgens keek ik naar het groene vaantje in de top van de mast en naar de kleine patrijspoorten, en ik vroeg me af of je aan boord zou kunnen slapen. Ik had een gevoel alsof ik mijn adem inhield en ik dat niet langer kon volhouden, en toen keek ik Alix aan.

'Weet jij hoe laat het is?' vroeg ik.

Ze keek op haar horloge.

'Net twee uur geweest,' zei ze.

'Je moest nu maar gaan,' zei ik.

Ze trok een bedenkelijk gezicht. 'Ja, weet je, het spijt me, maar...'

'Dat spreekt toch vanzelf,' zei ik.

'Het is alleen dat ik wat dingen...'

'Natuurlijk,' zei ik.

'Je hebt mijn nummer, hè?'

'Ja.'

'Als ik iets kan doen, het maakt niet uit wat…'

'Je hebt al heel veel gedaan,' zei ik.

'Ik weet zeker dat Charlie zal…' begon Alix, maar toen brak ze haar zin af, want waar kon ze in hemelsnaam zeker van zijn? Hoe kon ze me geruststellen? Dus haalde ze met een machteloos gebaar haar schouders op en reikte me mijn slechts een klein beetje opgeladen mobiele telefoon aan.

'Mag ik de oplader van je lenen?' vroeg ik.

'Ja, oké.'

Ze reikte me die door het raampje aan, keerde de auto en reed weg. Ik keek haar na en zag de auto kleiner worden en verdwijnen.

Ik liep met mijn telefoon en de oplader naar Mahoney en vroeg hem of hij mijn telefoon wilde opladen. Hij vroeg of ik in de auto wilde komen zitten, om geen last te hebben van de kou, maar ik bedankte hem voor zijn aanbod en zei dat ik liever buiten bleef. Ik keerde hem mijn rug toe en staarde de lege weg af. Uit een ver verleden kwamen ineens een paar dichtregels bij me op waarvan ik niet had geweten dat ik ze nog kende. Ik klampte me eraan vast en declameerde ze in gedachten steeds opnieuw. 'Ik zou een wilgenhutje maken bij uw poort en dan mijn ziel aanroepen in het huis.' Ik probeerde me op elke lettergreep te concentreren. 'Laat dan gekeuvel door de lucht weerklinken.' Ik had inkt aan mijn vingers en de zon scheen in brede, vage banen door de ramen van het klaslokaal. Nu zouden ze toch moeten komen. Dat kon niet anders. Ik liep heen en weer, steeds maar heen en weer. De kou brandde in mijn ogen, de horizon trilde en kromde zich in het winterse licht. De zon, die toch al niet hoog meer aan de hemel kwam, neeg al naar de zee. Het water rees terwijl ik stond te kijken, en van het grijze oppervlak spatten kraaltjes stuivend water op.

Op de weg van het vasteland verscheen een auto die als een

stipje op ons afkwam. Ik hield mijn adem in terwijl hij naderde. Het was geen auto waar groot 'POLITIE' op stond. Geen blauwe zwaailichten of loeiende sirenes. Op een gegeven moment kon ik zien dat er twee mensen in zaten.

De auto kwam tot stilstand achter die van Mahoney, die uitstapte en gespannen op zijn vingers blies. Een nog jonge vrouw en een oudere man stapten uit. Ik bekeek ze aandachtig. Dit waren dus de mensen die Charlie moesten zien te vinden. De man was lang en mager, hij had een kaal hoofd en een dikke grijze ringbaard, zodat het even leek alsof zijn hoofd ondersteboven stond.

'Mevrouw Landry?' zei hij, terwijl hij met uitgestoken hand op me afliep en mij stevig de hand schudde. Hij had grijze ogen en, als een stralenkrans daaromheen, diepliggende kraaienpootjes, alsof hij in zijn leven veel had gelachen; zijn hoge voorhoofd vertoonde golvende rimpels, alsof hij het vaak gefronst had; de verticale rimpels bij zijn mondhoeken gaven hem een luguber uiterlijk. Maar zijn doorleefde, gegroefde gelaat wekte bij mij een gevoel van hoop op.

'Ja,' zei ik. 'Nina Landry. Mijn dochter...'

'Ik ben inspecteur Hammill. En dit is rechercheur Andrea Beck.'

De vrouw was kleiner dan ik en hoekig van bouw. Ze had dik, lichtbruin haar in een hoge paardenstaart en een pony die voor haar ogen viel, waardoor ze voortdurend met haar ogen knipperde, wat me onmiddellijk irriteerde. Ook zij schudde mij de hand, en terwijl ze dat deed glimlachte ze vriendelijk naar me.

'Godzijdank zijn jullie er,' zei ik, terwijl ik mijn hand terugtrok en een stap achteruit deed. 'Er is iets verschrikkelijks gebeurd met mijn dochter.'

'Zo meteen komt er een agent om de plek veilig te stellen,' zei inspecteur Hammill. 'Dan gaan we met u naar het politiebureau en kunt u ons alles vertellen wat u weet.'

'Ik heb alles al verteld. Alles. Twee keer. Het staat allemaal zwart op wit. Maar nu hebben we haar fiets hier gevonden. Kijkt u maar, daar ligt hij, met de kranten erbij. Ze verkeert in gevaar, en u moet haar nu gaan zoeken. Met speurhonden of zo, of met helikopters of wat dan ook. Nu niet meer praten, in hemelsnaam.'

'We zijn hier om u te helpen, mevrouw Landry. Ik begrijp dat u onder spanning staat. Ah, kijk, daar komt agent Kevin Fenton al aan.'

Blijkbaar moest alles op een bepaalde manier aangepakt worden. Voor alles waren regels en vaste procedures. De inspecteur begon met Mahoney te praten, en de rechercheur met de agent, die dik haar had en een onbehouwen gezicht en die er maar nauwelijks ouder uitzag dan Charlie. Ze liepen naar de fiets en keken ernaar. Ik wreef in mijn handen en stampte op de grond om de schreeuw die ik in mijn borst omhoog voelde komen te smoren.

'Goed dan, mevrouw Landry. De technische recherche komt zo, maar Kevin hier zal hen opwachten, en wij gaan nu naar het bureau. U bent niet met de auto, hè?'

'Met de auto? Nee. Die is…' Wat deed het ertoe waar die was? 'Ik ben met een vriendin gekomen, die naar huis is gegaan.'

Rechercheur Beck reed langzaam en ze knipperde veel met haar ogen; het leek alsof ze haar best deed om zich aan de maximumsnelheid te houden. Inspecteur Hammill was naast haar gaan zitten; hij zei niets maar trok een diepe, nadenkende frons. Om de zoveel tijd trommelde hij met zijn grote, benige vingers ritmisch op zijn knie. Ik boog me voorover op de achterbank en liet mijn blik over het landschap heen en weer schieten.

'Stuurt u veel mensen op pad om haar te zoeken?' vroeg ik op een gegeven moment. Ik dacht aan de beelden die ik in televisiedocumentaires had gezien van lange rijen politieagenten die op armlengte van elkaar en met gebogen hoofd de grond centimeter voor centimeter afzoeken op sporen.

'Ja, kijkt u eens, mevrouw Landry, of mag ik Nina zeggen – Nina, ten eerste moeten we een beoordeling maken van…' begon rechercheur Beck.

'Beoordeling? Beoordeling? Hoe bedoelt u, beoordeling? Wat zou er beoordeeld moeten worden? Snapt u het dan niet? U hoeft niks te beoordelen, u moet iets dóén! Charlie is zoek. Ze is niet weggelopen, ze is niet bij een vriendin of een vriend, ze ligt niet in het ziekenhuis. Haar fiets ligt halverwege haar kranten-wijk op een akker. We zouden vandaag op vakantie gaan, hoort u me? Dat vond ze spannend. Ze had een verjaardagsfeestje voor me georganiseerd. Wat moet er nog beoordeeld worden?'

Rechercheur Beck keek met een bezorgde blik naar inspec-teur Hammill, die onverstoorbaar uit het raampje bleef kijken. 'Nina…' begon ze.

'U moet niet tegen me praten alsof ik een kind ben. Ik ken mijn dochter, en ik weet dat haar iets verschrikkelijks overkomt, nu op dit ogenblik. Nu. Op dit moment! Terwijl u zit te praten over "de situatie beoordelen" en oplet dat u niet te hard rijdt en de gaten in de weg omzeilt.'

'Ten eerste moeten we alle informatie zien te verzamelen waarmee we in staat…' Het was alsof ze een lesje opdreunde, en ik had het gevoel dat ze op instemming van haar baas wachtte. Maar hij deed er het zwijgen toe.

'En dan nog wat. Ik heb genoeg kranten gelezen en genoeg televisie gekeken om te weten dat het op de eerste paar minuten aankomt. Zo is het toch?'

'Elke situatie is weer anders. Uw dochter is geen klein kind meer.'

'Zo is het toch? Als u een vermiste niet snel weet te vinden, wordt de kans dat het goed afloopt heel snel kleiner, dat is toch zo?'

'Ja, dat klopt,' zei inspecteur Hammill plotseling.

'Dank u.'

'We zullen er alles aan doen om Charlie te vinden,' zei inspec-teur Hammill. 'En om te beginnen vragen we u daarbij om hulp. Goed?'

'Goed. Laat haar dan alleen wat harder rijden, alstublieft.'

Op het bureau werd ik naar de kamer gebracht waar ik eerder met Mahoney had gepraat. Weer zag ik die kerstversieringen en de foto's van hem en van zijn tienerdochter, die van dezelfde leeftijd was als mijn dochter. Maar op het bureau stond nu ook een andere foto, die van Charlie en Jackson, allebei breed lachend. Ik keek er enkele seconden naar en wendde toen mijn blik af.

Het was warm en het rook muf in de kamer, en mijn verkleumde handen tintelden toen er weer gevoel in kwam. Inspecteur Hammill stelde me vragen en rechercheur Beck maakte notities en vroeg me soms om wat ik had gezegd te herhalen of toe te lichten. Ze legden erg de nadruk op de juiste tijdstippen. Mahoney zat opzij van het bureau in een stoel die te klein voor hem was. Het zweet liep over zijn gezicht. Ik hoorde het krassen van de pen op het papier, het geritsel als er weer een bladzijde werd omgeslagen, het ruisen van de radiator en van buiten het gieren van de wind en het kraken van de bomen.

De woorden die ik uitsprak had ik al te vaak gezegd. Ze hadden inmiddels iets onwerkelijks, iets onwaarachtigs, alsof ik een tekst declameerde. Ik was een actrice die voor de zoveelste keer haar rol opzei en zichzelf hoorde praten, terwijl ze de gezichten tegenover zich bekeek om het effect te peilen. Zelfs mijn bezorgdheid en mijn angst waren tweedehands emoties. Het waren echte gevoelens, maar ik kon niet meer voelen dat ik ze voelde. Wat er die dag gebeurd was, was een verhaal geworden dat ik aan een geboeid luisterend publiek vertelde: dat ik niemand thuis had getroffen, dat er niet was opgeruimd, over het onverwachte feestje, over Charlies spullen die weg waren, over de logeerpartij in het huis van Charlies zogenaamde vriendin, waar ze 's ochtends doodziek en met een kater was vertrokken om haar krantenwijk te doen, over het feit dat de tijdstippen waarop de dingen gebeurd moesten zijn niet met elkaar te rijmen waren, hoewel er toch geen speld tussen te krijgen was. Ik praatte snel en duidelijk, maar ondertussen observeerde ik hen, en ik meende op hun onaangedane gezichten te kunnen zien wat ze werkelijk dachten.

Ik beschreef alles, niet alleen de chronologie van wat er die dag gebeurd was, ook de context waarin de dingen gebeurd waren. Al voordat ze hun vragen verwoordden wist ik precies wat ze van me wilden weten. Ik vertelde over Charlies vader, over mijn relatie met Christian en Charlies aanvankelijke afkeuring daarvan, over de nare tijd die ze op school had gehad. Zo oprecht als ik kon beschreef ik mijn verstandhouding met mijn dochter. Ik hoorde mezelf zeggen dat mijn dochter recalcitrant was, opvliegend, emotioneel, romantisch en zeer gevoelig. Ik zag hoe ze blikken wisselden toen ik vertelde over Jay en over Rory. Ik wilde dat ze zich zouden realiseren dat dit verhaal anders was dan alle overeenkomstige verhalen die ze in hun functie gehoord moesten hebben.

Tegelijkertijd raakte ik door mijn meegaandheid en de afsplitsing van mijn gevoel opnieuw bevangen door een kille angst, die als een ijskoude wind door me heen ging. Het was alsof ik Charlie eventjes min of meer had opgegeven. Door even de urgentie te laten verslappen van het gevoel dat ik haar slechts kon redden als ik er genoeg moeite voor deed, er helder genoeg over nadacht en voldoende van haar hield, kreeg ik het gevoel dat ze van me wegglipte. In kou en wind, in die onherbergzame woestenij waar zee en land in elkaar overgingen, moest ergens mijn dochter zijn, mijn fijne, allerliefste, prachtige, beminnelijke, dierbare dochter, en ik zat hier in een kamertje met een onaangeroerde kop koffie voor me te herhalen wat er precies was gebeurd voordat ze verdween en probeerde zelfs een beschrijving te geven van haar karakter en gedrag, alsof dat alles iets te maken had met dit plotselinge verlies, waardoor mijn wereldbeeld verbrijzeld was.

Ik boog me ineens voorover en gooide bijna de koffie om.

'Videocamera's,' zei ik.

'Pardon?'

'Wordt de weg over de dam met videocamera's in de gaten gehouden? Want dan zouden we misschien kunnen zien of Charlie wel of niet van het eiland gehaald is.'

Inspecteur Hammill keek bedenkelijk.

'Mahoney? Weet jij dat?'

Hij dacht even na en schudde toen zijn hoofd. 'Geen video-camera's.'

'Waarom verdomme niet?'

'Toezicht met videocamera's is meer iets voor binnensteden en winkelcentra,' zei inspecteur Hammill.

'Voor plekken die wél belangrijk worden gevonden,' zei ik.

'Het gaat er niet om dat die plekken belangrijker zijn,' zei inspecteur Hammill. 'Het gaat erom dat daar criminaliteit voorkomt…' Ineens drong tot hem door wat hij had gezegd, en hij verbeterde zichzelf. 'Dat daar vaak criminaliteit voorkomt.'

'Dus ze zou overal kunnen zijn.'

Ik hoorde zelf hoe mijn stem haperde. Ze zou overal kunnen zijn, bij wie dan ook, zo ver van hier als binnen vijf uur maar mogelijk was, onverbiddelijk en voor eeuwig zo ver van mij weg als maar mogelijk was. Ik dwong mezelf het te bedenken, en het was alsof mijn hart bijna ophield met kloppen. Op het denkbeeldige witte doek in mijn hoofd zag ik een opeenvolging van stilstaande beelden uit een pornofilm: Charlie die verkracht wordt en gemarteld, Charlie die het uitschreeuwt en dan sterft. Ik zag haar koperkleurige krullen in een drassig weiland, haar armen uitgestrekt, en weer hoorde ik haar mij te hulp roepen, 'Mama!' riep ze, op een manier zoals ze dat tegenwoordig nooit meer doet. Ik klemde mijn vingers om de rand van het bureau.

'Is dat alles?' vroeg ik. Mijn stem klonk inmiddels weer krachtig en gelijkmatig, als die van iemand anders.

'U hebt ons waardevolle informatie verschaft,' zei inspecteur Hammill.

'En wat nu?'

'Wij zijn hier om de situatie te evalueren.'

'Neemt u me niet kwalijk,' zei ik. 'Ik dacht dat u hier was om mijn dochter op te sporen.'

Ze keek op de klok aan de muur. Tien over halfdrie.

'Het is nauwelijks vijf uur geleden dat iemand uw dochter

nog heeft gezien. Het is nog steeds zeer waarschijnlijk dat ze het uitstekend maakt en contact met u zal opnemen.'

'Dat probeert iedereen me steeds maar te vertellen,' zei ik. 'En dat heb ik mezelf ook steeds voorgehouden, totdat we haar fiets vonden. Als Charlie een kind van acht was, zou u hier niet de situatie gaan "evalueren". Dan zou u helikopters hebben ingezet, er zouden wegversperringen zijn opgericht voor verkeerscontroles en het eiland zou worden afgezocht door rijen agenten.'

'Een kind van acht is anders dan een kind van vijftien,' zei Hammill.

'En die fiets dan?'

'Ik probeer geen enkele mogelijkheid uit te sluiten.'

'Er is maar één mogelijkheid.'

'Dat hoeft niet waar te zijn.'

'Wat zou er anders gebeurd kunnen zijn dan dat ze ontvoerd is?'

Inspecteur Hammill leunde achterover in zijn stoel.

'Elk geval is natuurlijk weer anders,' zei hij, 'maar ik heb veel te maken met jongelui. Een ontvoering zoals u beschrijft komt maar heel zelden voor. Het gebeurt relatief vaak dat tieners van huis weglopen. In dit geval zou ik me kunnen voorstellen dat ze iemand is tegengekomen die ze kende, waarna ze haar fiets heeft laten liggen en met hem of haar is meegegaan. Het kan van tevoren afgesproken zijn, maar het is ook mogelijk dat ze het in een opwelling heeft gedaan.'

'Met wie dan in godsnaam?' zei ik.

Hij zweeg even en trommelde met zijn vingers op het bureau.

'Een voor de hand liggende mogelijkheid is dat het degene was die haar spullen uit haar kamer heeft gehaald. Uw dochter heeft misschien afgesproken om er samen met iemand vandoor te gaan. Ze zou hem – of haar – gevraagd kunnen hebben die spullen uit haar kamer te halen.'

'Waarom zou ze dat niet zelf gedaan hebben?'

'Misschien was ze bang dat ze u dan tegen zou komen. Het is

pijnlijk om het zo tegen u te zeggen, maar het zou kunnen.'

'Er was bij mij thuis een feest aan de gang,' wierp ik tegen. 'Charlie wist dat. Zij had het georganiseerd.'

'Ze heeft het misschien juist aan die persoon gevraagd omdat ze wist dat hij of zij naar het feestje zou gaan. Dit soort mogelijkheden moeten we in ons onderzoek zien te elimineren.'

'Het probleem bij deze benaderingswijze,' zei ik, en het kostte me een enorme inspanning om rustig over te komen, 'is dat tegen de tijd dat u er eindelijk van overtuigd bent dat ze echt vermist is, het wel eens te laat kan zijn. Of in elk geval dat er kostbare tijd verloren kan zijn gegaan.'

Inspecteur Hammill keek me ernstig aan. Rechercheur Beck had zo'n meelevende uitdrukking op haar gezicht dat ik zin had haar een klap te geven. Ze hadden waarschijnlijk een vrouw meegestuurd omdat vrouwen geacht worden dit soort situaties beter en met meer gevoel te kunnen benaderen. Ik wilde alleen niet dat de situatie met gevoel benaderd zou worden. Het maakte mij niet uit of ze de aardigste vrouw ter wereld was of de meest lompe crimineel. Het kon me allemaal niets schelen, zolang ze Charlie maar terugbrachten.

'We zullen geen tijd verspillen,' zei Hammill. 'Zodra dit gesprek afgelopen is, nemen we contact op met de mensen wier namen u ons hebt gegeven en zullen we nagaan hoe uw dochters gemoedstoestand de afgelopen dagen was.'

'Dan moesten we het gesprek maar snel beëindigen, vindt u niet?' zei ik.

'Zeker. Maar eerst zou ik van u graag een korte beschrijving horen van uw dochter. Niet alleen van haar uiterlijk, ook van haar karakter.'

'Wat?'

'Beschrijft u haar eens voor me.'

'Waarom?'

'Brengt u nou eens een klein beetje begrip op voor mij, mevrouw Landry. Ik moet weten naar wie ik zoek.'

Het lijkt wel een 'in memoriam', dacht ik. Charlies hele leven samengevat in een paar goedgeformuleerde zinnen. Ik haalde diep adem.

'Zoals u al weet,' zei ik tamelijk formeel, 'is Charlie vijftien, bijna zestien. U weet hoe ze eruitziet. Dit hier is een goede foto en heel recentelijk genomen. Afgelopen zondag pas. Ze is de laatste paar maanden snel gegroeid en ze is nu bijna net zo lang als ik. Slank, mager. Ik heb me altijd veel zorgen om haar gemaakt, misschien omdat ze mijn oudste is. Als kind had ze vaak driftbuien, en op school heeft ze nogal wat problemen gehad. Niet dat het nou van die belangrijke dingen waren, maar ze was altijd een beetje een vechtertje. Ze kan niet tegen onrecht, en ze ging altijd de strijd aan met leraren als ze vond dat zij onredelijk waren. Ze had altijd goede vriendschappen, maar er waren ook altijd kinderen die haar niet mochten. Ze maakt gauw ruzie, ze is heel uitgesproken in haar meningen. Op haar nieuwe middelbare school is ze erg gepest, misschien omdat ze niet van hier is. Maar ik geloof niet dat zij ooit andere kinderen heeft gepest. Ze is altijd heel beschermend geweest tegenover Jackson.

Ze houdt van…' Ik zweeg even en schraapte mijn keel. Ik werd overspoeld door herinneringen aan vroeger, aan Charlie als krijsende baby, als lieve, mopperige peuter, hoe ze leerde praten, lopen, fietsen, haar eerste schooldag. Maar ik moest me concentreren op wat belangrijk zou kunnen zijn voor inspecteur Hammill. 'Ze houdt van rare popgroepen waarvan ik geen idee heb hoe ze heten en van de meest vreemde modes. Ze houdt van Japanse films. Ze leest moderne literatuur. Ze kan goed tekenen en toneelspelen. Ze brengt veel tijd door met chatten op msn. Ze is dol op zeilen en kajakken, activiteiten die haar een gevoel van vrijheid geven. Ze is politiek bewust, maar vooral op bepaalde punten, zoals het milieu. Ze spant zich alleen in voor dingen die haar interesseren. Ze is er erg op gespitst haar eigen weg te volgen. Ze tekent tatoeages op haar lichaam. Het afgelopen trimester is het me opgevallen dat ze zichzelf af en toe kleine wondjes toebrengt. Niets ernstigs, gewoon zoals tieners dat op het ogenblik doen, kleine schrammetjes met het mesje van een puntenslijper. Ik heb haar gevraagd hoe het zat, en ze zei dat het niets voorstelde, dat het iets stoms was. Het leek alsof ze zich er een beetje voor schaamde. Ik geloof dat ze het daarna niet meer gedaan heeft.

Nu ik u dit allemaal vertel, vind ik het vervelend om te merken dat ik vroeger dacht dat ik alles van Charlie wist en dat ik nu ontdek dat ze waarschijnlijk veel voor me geheimhield. Nou ja, natuurlijk, ze is een puber. Ik geloof niet dat ze rookt, afgezien van zo nu en dan eens een sigaret op een feestje, maar ik weet het niet zeker. Ik geloof niet dat ze drugs gebruikt, maar ook dit weet ik niet zeker. Ik geloof niet dat ze veel drinkt, al is ze een paar keer wel verschrikkelijk dronken geweest. Ik denk niet dat ze al eens met iemand naar bed is geweest, maar misschien ben ik wat dat aangaat wel de laatste aan wie ze het zou vertellen. Ik vind dat we een hechte band hebben, al maken we wel eens ruzie. Ik geloof ook dat ze met haar vader een hechte band heeft, maar ze staat erg kritisch tegenover hem sinds hij weg is, en ze kan soms heel smalend over hem praten. Ze was een beetje van slag – of misschien is boos een beter woord – toen ik iets kreeg met Christian, maar de laatste tijd is ze daar veel ontspannener over. Ze kunnen het goed met elkaar vinden. Dat geloof ik tenminste.'

Ik zweeg een paar seconden en keek naar de foto van mijn dochter op het bureau.

'Wat verder nog? Ze vond het vreselijk dat we uit Londen vertrokken en hiernaartoe verhuisden, maar toen Rory wegging was ze bang dat wij hier ook weg zouden gaan, dus volgens mij is ze het hier toch leuk gaan vinden, hoewel ze zegt dat het echte leven zich in de stad afspeelt. Soms lijkt ze erg volwassen en veel ouder dan vijftien. Maar ze kan soms ook net een klein meisje zijn. Ik geloof niet dat ze ooit bij een vreemde in de auto zou stappen. En ik denk dat ze zich zou verzetten als iemand haar met geweld zou willen ontvoeren. Ze heeft een hekel aan wachten en nietsdoen. Ze is een vechter. Is dit genoeg?'

'Dank u wel,' zei inspecteur Hammill, terwijl hij een notitie maakte. 'We zullen u op de hoogte houden.' Hij haalde zijn portefeuille uit de zak van zijn jasje en pakte er een kaartje uit. 'Hier staat ook mijn mobiele nummer op. U kunt me altijd bellen. En dan zullen we u nu thuisbrengen.'

'Nee, nee,' zei ik. 'Gaat u alstublieft door met uw werk. Ik ben net zo snel thuis als ik ga lopen.'

'Ik sta erop,' zei hij, en hij knikte naar Mahoney.

Het duurde zelfs langer. Mahoney rommelde in een la op zoek naar de autosleutels en ging me voor naar het piepkleine parkeerplaatsje achter het bureau. Hij moest de auto keren en via een sluiproute kwam hij weer uit aan de voorkant van het bureau. Daarvandaan zette hij koers naar de kust, naar mijn huis. Toen hij stopte, reikte hij voor me langs om het portier aan mijn kant te openen.

'Belt u ons maar als u wat wilt weten,' zei hij.

'Houdt u mij op de hoogte,' zei ik. 'Laat het me alstublieft weten als u iets ontdekt. Het maakt niet uit wat. Al is het maar...'

'U bent in goede handen,' zei Mahoney.

'We zullen zien,' zei ik, en voelde me meteen schuldig. 'Neem me niet kwalijk, dat was onaardig.'

Ik stapte uit, en Mahoney keerde de auto en begon aan de twee minuten durende rit terug naar het politiebureau. We zouden allebei aangeklaagd moeten worden omdat we kostbare tijd van de politie verspild hadden, bedacht ik. Ik liep het korte tuinpad op en stak mijn sleutel in het slot. Terwijl ik daarmee bezig was, voelde ik een hand op mijn schouder. Het gevoel had iets vertrouwds, en toen ik me omdraaide zag ik waarom. Als ik het niet dacht.

'Rory,' zei ik vermoeid.

'Vraag je me niet om binnen te komen?' zei hij.

Hij zag er anders uit dan de laatste keer dat ik hem had gezien. Zijn koperkleurige haar was korter geknipt, zodat het bovenop omhoogstak. Hij was ongeschoren, en hij had grote wallen onder zijn ogen, alsof hij een nacht had doorgehaald. Hij droeg een halflange leren jas, een spijkerbroek met omgeslagen pijpen en afgedragen bruine suède schoenen. Ik ademde diep in en uit.

Hij was de vader van Charlie en Jackson. Toen ze geboren werden, had deze man naast me gezeten en mijn gezicht met een koud washandje gedept. Maar als ik hem nu zo zag, kon ik me zelfs wel voorstellen dat hij Charlie iets had aangedaan. Ik vertrouwde hem niet. Ik vertrouwde niemand.

'Rory, ik weet wat er allemaal tussen ons gebeurd is. En ik heb ook dingen verkeerd gedaan, dat zeg ik er eerlijk bij. Maar als jij hier iets mee te maken hebt, als jij dit hebt gedaan om mij te treffen, of als je het als grap bedoelt of als je hier meer van weet, zeg het dan, dat smeek ik je uit de grond van mijn hart. Vertel het me, en dan beloof ik dat ik niets tegen je zal ondernemen. Dan zal ik proberen je te beschermen en...'

'Nina,' zei hij, en hij klonk zo zielig dat ik een machteloze woede in me voelde opkomen. 'Hoe kun je dat van me denken?'

'Als blijkt dat je er op de een of andere manier bij betrokken bent, dan zal ik ervoor zorgen dat je achter de tralies gaat, dat zweer ik je.'

'We beginnen wel weer goed, hè? Onze dochter is vermist, en meteen beschuldig je mij. Ik ben hier om te helpen. Zodra ik kon ben ik hiernaartoe gekomen, en ik zie niet in waarom ik me hier voor de deur jouw beschuldigingen moet laten welgevallen. Het is ijskoud. Kunnen we niet naar binnen gaan? In zekere zin is het nog steeds mijn huis.'

Ik reageerde met een snauw, want eigenlijk had hij gelijk. Ik draaide de sleutel om in het slot en deed de deur open. Rory wurmde zich langs me heen. Enkele seconden lang had ik het gevoel dat ik tegelijkertijd een migraine- en een hartaanval te verduren kreeg. Jackson rende op Rory af en drukte snikkend zijn hoofd tegen hem aan, terwijl een hysterische Sludge wild tegen hen opsprong en vervolgens de kamer door rende en toen ook nog begon te blaffen. Terwijl dit alles gebeurde, zag ik Renata in een hoek van de kamer zitten met één been op een krukje. Ze vertelde dat Sludge, toen ze met haar aangelijnd over straat liep, ineens een andere labrador had gezien en zo hard aan de riem had getrokken dat ze was gevallen.

'Het is mijn enkel,' zei ze. 'Ik kan er niet op staan.'

Ik verontschuldigde me uitgebreid namens mijn hond, of liever, namens Rory's hond, want dat was Sludge strikt genomen. Ik zei dat ik thee voor haar ging zetten en trok me terug in de keuken. Ik liet de waterkoker vollopen en zette hem aan. Na een paar seconden voelde ik er even aan. Hij was nog koud. Hoeveel procent van ons leven zouden we doorbrengen met wachten? Tot het water kookt. Tot de lift komt. Tot er opgenomen wordt als we iemand opbellen. Tot Charlie terecht is.

Ik dwong mezelf om de dingen op een rijtje te zetten. De recherche was gekomen. Vaklieden hadden het onderzoek overgenomen. Wat ik als brave burger moest doen, was wachten tot zij hun specialistische vaardigheden inzetten. Ik kon nu niets doen. Maar toen ik even later weer aan de waterkoker voelde en constateerde dat die nog maar lauwwarm was, had ik genoeg van alle moedeloze onzin. Ik moest iets dóén. Hoe dan ook.

Ik dacht aan een advies dat ik ooit had gehoord of gelezen voor het geval je in het donker op weg naar huis je sleutels had verloren. Je moest dan alleen onder lantaarnpalen zoeken, niet omdat de kans groter was dat ze daar lagen, maar omdat je ze alleen daar kon zien liggen.

Ik moest logisch nadenken. Welke mogelijkheden waren er? Waar stonden de lantaarnpalen? Of liever gezegd, waar stonden geen lantaarnpalen? Charlie kon wel dood zijn. Mijn keel werd dichtgesnoerd bij die gedachte. Ze zou samen met iemand het eiland hebben kunnen verlaten om maar ver weg te zijn, ver weg van mij. Als ze tegen haar wil was ontvoerd, zou ze in een bestelauto via de dam naar het vasteland kunnen zijn gebracht. In al die gevallen viel er voor mij niets te doen.

Als ik iets wilde doen, moest ik ervan uitgaan dat ze nog op het eiland was en dat ze nog leefde.

Toen ik opkeek, kookte het water.

Rory had het idee dat Sludge een goede speurhond zou kunnen zijn en dat ze Charlie kon vinden als we haar iets lieten ruiken waar Charlies geur aan zat. Daarom haalde ik een ongewassen hemd uit haar kamer, dat ze op de grond had gegooid. Het was geel, met korte mouwen, en ik drukte mijn neus erin en rook het zweet, de deodorant en het parfum van onze dochter. Rory hield het onder de neus van Sludge. Ze kwijlde er even op, nam het in haar bek en begon er vrolijk rondjes mee door de keuken te rennen, denkend dat het een spelletje was. Toen Rory het hemd uit haar bek wilde trekken, scheurde het.

'Volgens mij kunnen we het nu proberen,' zei Rory. Hij trok zijn jas aan en pakte de hondenriem.

'Neem Jackson mee,' zei ik.

'Goed. Jackson, Sludge. Kom op, we gaan. We nemen de auto naar het strand en dan lopen we vandaar verder. Die Game Boy hoeft niet mee, hoor.'

'Jawel, ik wil hem bij me hebben.'

'Laat hem hier.'

'Ik wil hem meenemen.'

'Jackson…'

'Laat hem toch,' zei ik. Rory wierp me een woeste blik toe en haalde toen zijn schouders op.

'Mag ik nog even op je bed gaan liggen?' vroeg Renata toen ze de deur achter zich hadden dichtgetrokken. 'Ik voel me niet lekker. Ik denk dat ik misschien iets onder de leden heb. Ja, of jij moet me ergens voor nodig hebben?'

'Nee, goed joh.' Het enige dat ik nu wilde was geen last van haar hebben.

De telefoon ging, en ik nam op.

'Ja?'

'Nina.' Het was Ashleigh. 'Ik heb gedaan wat je zei en een heleboel mensen gebeld, die weer anderen bellen.'

'Dank je wel,' zei ik vermoeid.

'O, en dan nog wat. Het gaat om een meisje. Ze is niet echt een vriendin van ons. Ze zit een klas lager. Nou ja, kortom, zij heeft een vriendin die in Grendell Road woont, en daar heeft ze afgelopen nacht gelogeerd. Tenminste, ik denk dat ze daar heeft gelogeerd. Ze heeft het niet met zoveel woorden gezegd, ik heb het maar aangenomen en...'

'Ja, ga door.'

'Ze denkt dat ze Charlie vanmorgen gezien heeft.'

'Wanneer? Waar?'

'Ze doet er nogal vaag over. Ik wist niet of ik je er wel mee moest lastigvallen. Zal ik je haar mobiele nummer geven? Ze verwacht een telefoontje van je. Ze heet Laura.'

'Ja, alsjeblieft.'

Ze las het nummer op, ik noteerde het en herhaalde het nog een keer om er zeker van te zijn dat ik het goed had opgeschreven.

Ik verbrak de verbinding en belde meteen het nummer.

'Laura?'

'Ja.'

'Je spreekt met Nina Landry, de moeder van Charlie.'

'Charlie? O natuurlijk, Charlie.'

'Ashleigh zegt dat jij haar vanmorgen gezien hebt.'

'Klopt.'

'Hoe laat was dat, Laura, en waar? Het is van het grootste belang dat ik dat weet.'

'Zit Charlie in de problemen?'

'Hoe laat was het?'

'Weet ik eigenlijk niet.'

'Hoe laat ongeveer?'

'Ik had net ontbeten.'

'Ja.' Ik klemde mijn vingers met kracht om de telefoon en probeerde kalm te blijven. 'Hoe laat heb je ontbeten?'

'We hoefden niet op een speciale tijd op; het is tenslotte vakantie.'

'Negen uur? Tien uur?'

'Zo ongeveer. Tussen negen en tien. O, ik weet het al, het was ongeveer halftien, tien over halftien, want Carries moeder riep dat ze voor tienen nog een boodschap wilde doen. Ze zouden tussen de middag bij Carries oma gaan eten en daar moest ze nog iets voor halen, ik weet niet wat. Nou ja, wij zouden in elk geval met haar meegaan om chips te kopen, maar toen zei Carrie dat ze met mij naar de oesterbedden wilde fietsen. Dat wilde ze omdat daar bij de Lower Meadow-boerderij een jongen woont die ze leuk vindt, die we dan misschien zouden zien.' Ze giechelde.

'Ga door.'

'Ik dacht dat ik Charlie zag. Ik ken haar van school.'

'Waar dacht je haar gezien te hebben?'

'Het kan ook iemand anders zijn geweest, maar ik dacht dat zij het was. Het was nogal veraf, moet u weten, en wij stonden boven op de heuvel. Lost Lane heet het daar, of zoiets raars. Zij stond beneden. Ze had een fiets bij zich.'

'Reed ze op de fiets?'

'Nee, ze had hem aan de hand en ze stond te praten met iemand in een auto.'

'Luister, Laura. Heb je gezien wie degene was met wie ze stond te praten?'

'Nee.'

'Of wat voor auto het was?'

'Het zou een bestelauto geweest kunnen zijn.'

'Welke kleur?'

'Rood,' zei ze. 'Of misschien blauw. Niet wit, in elk geval. Beslist niet wit.'

'Rood of blauw?'

'Of zo'n zilverkleur die veel auto's hebben.'

'Rood of blauw of zilverkleurig?'

'Ik weet het echt niet. Ik heb er niet bij stilgestaan.'

'Maar je denkt wel dat het Charlie was?'

'Op dat moment dacht ik dat niet, maar toen Ashleigh Carrie had opgebeld en Carrie het tegen mij zei, dacht ik dat zij het geweest moest zijn.'

'Heeft Carrie het ook gezien?'

'Nee. Zij lette niet op, ze was iets aan het vertellen. Misschien was het een ouder iemand.'

'Degene met wie Charlie stond te praten?'

'Ja, misschien. Degene die in de auto zat had zijn hoofd uit het raam gestoken. Het was geen jong iemand.'

'Was het een man of een vrouw?'

'U vraagt te veel. Ik weet het echt niet. Misschien was het een man. Het was ver weg. Maar misschien was het Charlie niet eens. Als ik had geweten dat ik op moest letten of ik haar zag, zou me meer zijn opgevallen. Dingen vallen je vaak niet op als je er niet op bedacht bent.'

'Oké, luister. Ik zal je een telefoonnummer geven dat je moet bellen. Je moet zeggen dat je inspecteur Hammill wilt spreken, en dan moet je hem vertellen wat je net aan mij hebt verteld. Heb je dat begrepen?'

'Inspecteur Hammill,' herhaalde ze.

'Nu meteen. Beloof je het?'

'Ja hoor, goed.'

'Alles wat je je herinnert moet je hem vertellen. Nu meteen. En als hij bezig is, wacht je tot hij klaar is.'

Ze beloofde het en noteerde omslachtig het nummer dat ik haar opgaf. Ik vertrouwde er echter niet op dat ze het voor elkaar zou krijgen, en toen ik had neergelegd belde ik zelf inspecteur Hammill om hem te vertellen wat ze tegen mij had gezegd. Zo. Nu had hij wat te inspecteren.

Met een gonzend hoofd liep ik Charlies kamer nog eens in. Charlie had met een man staan praten. Het leek me uiterst belangrijke informatie, maar al tijdens het gesprek met Laura was even bij me opgekomen of ik niet te vooringenomen was. Ik had gedacht dat Charlie was ontvoerd door een man, en nu was daar ineens een getuige die Charlie had zien praten met een man. Maar goed, het was te vroeg om daar al over te oordelen. Nu ik de hele dag kriskras over het eiland had rondgereden, had ik de kaart ervan goed in mijn hoofd en zag ik precies voor me waar Laura was geweest toen ze Charlie zag, en waar Charlie op dat moment had gestaan, aan het begin van haar krantenwijk. Wie die man ook geweest mocht zijn en waar hun gesprek ook over was gegaan, het stond vast dat ze daarna nog een stuk of wat kranten had bezorgd. Maar wie was hij?

Op de schaapsklok zag ik dat het tien voor halfvier was. Over een uur of wat zouden we in het vliegtuig naar Florida zijn gestapt. Ik ging te midden van alle rommel op de vloer zitten en keek nog eens om me heen. Misschien was Charlie zomaar ontvoerd en waren er geen aanwijzingen of patronen te herkennen. Of zou er in deze chaotische tienerkamer een aanwijzing te vinden zijn? Ik begon met de laden van haar bureau. Ik opende ze een voor een en gooide de inhoud eruit. Toen pakte ik de dingen die ik eruit had gegooid stuk voor stuk op, bekeek ze goed en legde ze weer in de la.

Een lichtpeertje, een hartvormig fluwelen kussentje, een paar kleurpotloden van verschillende lengte, puntenslijpers van ijzer en van plastic, een gebarsten liniaal, blocnotes met uitsluitend blanco bladzijden, oorkondes van zwemwedstrijden en hordelopen, een door de directeur van haar school ondertekende oorkonde voor een uitmuntend opstel over *Great Expectations* dat ik nooit eerder had gezien, een leeg parfumflesje, een aftandse kam, een wirwar van in elkaar verknoopte halskettinkjes, een doos gebroken pastelkrijtjes, inktpatronen, maandverband, tampons, oude catalogussen, verjaardagskaarten van vriendinnen van verleden jaar die ik stuk voor stuk las, uitgedroogde Prittstiften, haar oude mobiele telefoon zonder de simkaart, een blikje veiligheidsspelden, een halfvol pakje Marlboro Lights, twee doosjes lucifers, een boekenlegger met een borduurwerkje in kruissteken erop die ze op de basisschool had gemaakt, een paar oude modebladen, een grote schelp, een stukgelezen exemplaar van *Lord of the Flies*, idem van *The Outsider*, een zaklantaarntje dat het niet deed, geurkaarsen die nooit aangestoken waren geweest, haarbanden, een dun polsbandje met de tekst 'Make Poverty History' erop, een naaigarnituurtje, een paar onderbroekjes (schoon), gelpennen, inktpatronen voor haar printer, een oude pop uit de tijd dat ze nog een baby was, een horloge dat het al lang niet meer deed, een kleurige katoenen sjaal met een inktvlek aan een van de met franje versierde uiteinden. Er waren mappen met werkstukken voor haar einddiploma, en ik bekeek elke bladzijde voor het geval er verborgen tussen wiskundige formules, wetenschappelijke gegevens, grafieken, afbeeldingen, tekeningen en tabellen iets zou staan dat een aanwijzing voor mij zou kunnen betekenen.

Ik bekeek haar verspreid over het bureau liggende spullen nog eens, maar hield daar plotseling mee op. Haar laptop, daar had ik nog niet aan gedacht.

Ik schoof de stoel naar achteren, gooide de capuchontrui en de oude spijkerbroek op de vloer en ging zitten. Ik zette het apparaat aan, het gaf een piepje, en ik wachtte tot het opgestart was. Rory en ik hadden haar de laptop gegeven op haar laatste verjaardag. Ik wist niet goed hoe ik ermee om moest gaan; hij was van een ander merk dan de mijne, met andere software. Net als op haar echte bureaublad was het ook op haar virtuele bureaublad een ongeorganiseerde bende. Ik vond er opstellen over toneel, geschiedenis, natuurkunde, Engels, kunstgeschiedenis en Frans. Er was een map met oefenexamens die ze had gedownload. Er stond een MSN-icoontje. Maar wat ik eigenlijk zocht was haar e-mail. Ik wist dat Charlie gebruikmaakte van hotmail en ging ervan uit dat haar gebruikersnaam Charlie zou zijn, maar had natuurlijk geen idee wat haar wachtwoord was. Ik probeerde 'Charlie', 'Charlie1', 'Charlie2', 'Charlie3' en 'Charlie4'. Ik probeerde 'Landry', 'Oates' en 'Landry-Oates'. Ik probeerde de naam van de straat waaraan we in Londen hadden gewoond ('Wiltshire') en probeerde het nog eens nadat ik ons oude telefoonnummer erachter had gezet. Ik probeerde 'Sludge' en vervolgens de naam van haar lievelingskonijn Bertie, dat dood was gegaan toen ze acht was. Ten einde raad toetste ik de namen van een aantal popgroepen en zangers in waarvan ik wist dat ze er fan van was. Ik belde Ashleigh en vroeg of zij Charlies wachtwoord kende, maar dat was niet het geval.

Ik wilde het al bijna opgeven. Ik probeerde nog 'Hope' (de

meisjesnaam van mijn moeder), en 'Falconer' (die van Rory's moeder). Toen schoot me te binnen dat Charlie zichzelf een jaar of twee geleden een tweede voornaam had gegeven: Sydney, nota bene. Ik probeerde het.

En ineens zat ik erin.

Charlie was altijd erg gesteld op haar privacy. Ik moest op haar kamerdeur kloppen en wachten totdat ze zei dat ik binnen kon komen. Als ik eens een blik wierp op wat ze aan het lezen of schrijven was, schermde ze dat af met haar hand en keek ze me boos aan. Als ze een brief kreeg, ging ze die vaak boven op haar kamer zitten lezen. Nu zat ik hier met al haar e-mails voor me. Heel veel waren het er uiteindelijk niet, als ik de spam en de berichten over technische updates niet meetelde. Haar contacten onderhield ze voor het grootste deel via MSN-chatrooms of met sms'jes, maar hier waren genoeg berichten om heimelijk een indruk te krijgen van haar privéwereld. Om te beginnen waren er een aantal berichten van haar vader. Als ik niet had geweten wie Rory was, zou ik gedacht hebben dat ze afkomstig waren van een vriendje, want hij schreef erin hoe mooi en bijzonder hij Charlie vond, dat ze niet te snel volwassen moest worden en dat hij altijd van haar zou blijven houden. Ik las ze snel door en klikte weer andere aan.

Er waren er een paar van Ashleigh, maar die waren grotendeels in sms-taal geschreven. 'mzzl & suc6! Xiej!' stond bijvoorbeeld ergens te lezen. In een ander bericht werd haar de hele tekst van 'My Favourite Things' toegestuurd.

Een jongen die Gary heette had haar een stel e-mails in een wat formele, badinerende stijl gestuurd met artikelen die hij van websites had geplukt over onderwerpen die in de belangstelling staan. Er was er een over George Bush en zijn connecties met de olie-industrie, en een andere over fossiele brandstoffen. Ik nam niet de tijd om ze te lezen.

Er was een boodschap van Eamonn met de korte inhoud: 'Wat kunnen ouders toch zeiken. Dit is het stuk waar ik het laatst over had', gevolgd door een onbegrijpelijk artikel over een muzikant wiens naam me niets zei.

En maar één kort bericht van Jay: 'Mijn mobiel heeft het begeven, dus maar zo: laten we om 2 u afspreken op de gewone plek. Ik neem het spul mee. xxx Jay.' Wat voor spul, welke plek? Ik legde mijn hoofd in mijn handen en deed even mijn ogen dicht.

Toen ik beneden de deur dicht hoorde slaan, gevolgd door gedempt geblaf van Sludge, stond ik op en klapte de laptop dicht.

'Sludge wilde niet buiten blijven,' riep Jackson terwijl ik de trap afliep. 'Ze bleef maar janken en aan haar riem trekken. Ze heeft een drol gedaan op het gazon van die mensen met dat mooie huis bij het café, maar we hadden geen plastic zakje bij ons.'

'Waar is Rory?'

'Hij moest zijn auto ophalen op de plek waar hij hem had laten staan. Hij komt zo.'

Ik keek naar Jacksons gezicht. Zijn ogen glommen en hij had rode konen. Ik dacht even dat hij misschien koorts had en legde mijn hand op zijn voorhoofd, maar die duwde hij geërgerd weg.

'Mam?'

'Ja.'

'Weet je nog dat je vroeg of ik een lijstje wou maken?'

Ik had een paar seconden nodig om me te herinneren dat ik hem dat had gevraagd toen ik op de politie wachtte.

'Ja. Heb je het gedaan?'

'Zal ik het halen? Het is niet lang. Eigenlijk staan er maar een paar woorden op. Er staat: heb je op haar computer gekeken?'

'Ik heb net haar e-mails nagelezen.'

'En heb je haar agenda bekeken?'

'Welke agenda?'

'Nou, gewoon haar agenda.'

'Nee.'

'Die zit waarschijnlijk in haar schooltas. Daar heeft ze hem meestal.'

'In haar schooltas?' Die had ik niet zien liggen, maar ik had er ook niet aan gedacht. 'Waar ligt die?'

'Ik zag dat ze hem gisteren toen ze thuiskwam in de gangkast beneden ophing.'

Daar hing hij inderdaad, onder haar oude jas. Onder het toeziend oog van Jackson haalde ik hem meteen van het haakje en deed hem open. Haar knipselmap van kunstgeschiedenis zat erin, de lunchtrommel met nog de kruimels van haar boterhammen van gisteren, haar pennenetui, twee of drie schriften en een wiskundeboek. En, in het dichtgeritste vak aan de voorkant, een kleine ringbandagenda. Ik bladerde hem door, maar mijn vingers trilden zo dat ik moeite had met het omslaan van de bladzijden. In het begin van het schooljaar had ze zowat alles genoteerd – de dagen waarop vakanties begonnen en eindigden, de weekends dat ze naar Rory zou gaan, tandartsbezoek, afspraken met vriendinnen, feestjes, concerten, roostervrije dagen. Maar gaandeweg werden de bladzijden leger. Af en toe een paar initialen, soms met een vraagteken erbij. Krabbeltjes. Telefoonnummers in een hoekje. Verderop in het najaar en in de winter waren er nauwelijks aantekeningen, behalve, viel me op, af en toe een kruisje linksboven bij een dag. Er stonden kruisjes bij maandag 26 juli, vrijdag 20 augustus, en verder op donderdag 16 september, woensdag 13 oktober en dinsdag 9 november. Verder niet.

'Wat is er? Mam, waar kijk je naar?'

'Niks bijzonders,' mompelde ik. Ik keek naar de kruisjes, fronste mijn voorhoofd, keek de bladzijden ertussen nog eens na. Er zat steeds ongeveer één maand tussen, en een ingeving volgend, telde ik het aantal dagen dat steeds tussen twee opeenvolgende kruisjes was verstreken: vijfentwintig, zevenentwintig, zesentwintig, zesentwintig, vierentwintig.

Charlies menstruatiecyclus. Natuurlijk. Maar toen kreeg ik een koude rilling en keek ik december nog eens door. Niets. Geen kruisje. Er waren – ik telde het snel na – negenendertig dagen verstreken tussen 9 november, de laatste dag met een kruisje, en vandaag, zaterdag 18 december. Misschien betekende het niets, maar het kon zijn dat Charlie niet ongesteld was geworden en bang was dat ze zwanger was. Misschien betekende het dat ze zwanger was.

Ik sloeg de agenda dicht en keek met een lege blik naar Jackson.

'Wat is er, mam?' vroeg hij weer.

'Niks,' zei ik.

Hij zweeg.

'O, ik geloof dat ik je vader hoor binnenkomen. Ga hem eens vragen of hij zin heeft om tosti's te maken. Dat kan hij zo goed.'

'Neem jij er dan ook een?'

'Ik moet even een telefoontje plegen.'

Ik rende naar boven om te voorkomen dat ik Rory zou zien en liep mijn slaapkamer in. Renata lag in bed. Ze lag met open ogen naar het plafond te staren. Ik pakte de telefoon en belde het nummer van Hammill. Het was in gesprek en ik kon geen boodschap achterlaten, dus belde ik het politiebureau en vroeg naar rechercheur Beck. Ik werd met haar doorverbonden.

'Met Nina Landry,' zei ik. 'Ik denk dat mijn dochter misschien zwanger is, of dat ze dat in elk geval denkt.'

'Hoe weet u...'

'Uit haar agenda,' zei ik zonder verdere uitleg. 'Hebt u Laura nog gesproken, het meisje dat haar misschien had gezien?'

'Ik geloof dat inspecteur Hammill op dit moment met haar praat.'

'Verder geen nieuws dus?' vroeg ik, hoewel ik het antwoord al wel wist.

'We vorderen. Zodra we iets weten, hoort u van ons. Echt hoor. Ik heb zelf ook een dochter, en ik kan me voorstellen hoe bezorgd u bent...'

'Ja, hoor.'

Ik gooide de telefoon neer, sloot de gordijnen voor het geval Renata wilde slapen, ging de kamer uit en deed de deur achter me dicht.

Rory en Jackson waren in de keuken. Rory zag er vreselijk uit, hij had rode ogen en zijn haar stak rechtovereind. Hij praatte honderduit tegen Jackson. Overspannen kletspraat was het, waar niemand veel waarde aan zou hechten, zeker Jackson niet, die zenuwachtig naar hem zat te kijken.

'Ik moet jou even spreken,' zei ik tegen Rory.

'Wat is er?' vroeg hij. 'Charlie?'

'Onder vier ogen,' zei ik. 'Jackson, lieverd, wil jij eventjes in je kamer wachten? Dit is iets privés.'

Hij keek me even aan en liep toen verslagen de keuken uit. We hoorden hem met zware tred de trap opgaan.

'Ik heb in haar agenda zitten kijken,' zei ik.

'En?'

'Ze noteert er haar afspraken in, maar het enige is dat…'

Ik hoorde de telefoon gaan, en ik rende erheen om op te nemen.

'Nina? Met inspecteur Hammill.'

Een gevoel van hoop welde in me op; het lukte me maar nauwelijks om overeind te blijven staan.

'Ja?'

'Nog geen nieuws, helaas, maar we willen wel heel graag zo snel mogelijk uw man spreken. Is hij er al?'

Ik riep Rory. Hij kwam aanlopen en nam de hoorn van me over. Zijn gezicht was krijtwit, op zijn bovenlip en voorhoofd parelden zweetdruppeltjes.

'Ja,' hoorde ik hem zeggen. 'Goed. Ja, natuurlijk.' Hij legde de hoorn neer en keek mij aan. 'Ik moet naar het politiebureau. Ze willen dat ik een verklaring afleg.' Hij keek me aan met een scheef lachje, dat ik associeerde met een prikkeldraadversperring. 'Toch gek hoe ze het voor elkaar krijgen dat je je schuldig voelt, alleen omdat je vader bent.'

Ik wachtte, maar ik had een gevoel alsof ik op hete kolen zat.

'Het is even voorbij Miller Street, hè?'

'Klopt.'

Hij draalde even; ik wachtte zonder iets te zeggen.

'Nou, tot zo dan maar,' zei hij.

Meteen nadat hij de deur had dichtgedaan pakte ik mijn mobiele telefoon van de oplader en toetste een nummer in. Ik wachtte totdat er werd opgenomen en een jonge stem zich meldde.

'Ja?'

'Met Jay? Je spreekt met Nina.'

'Hebt u haar al gevonden?'

'Nee.'

'De politie heeft gebeld. Ze willen me spreken.' Hij klonk bang. Maar Rory was tenslotte ook bang voor de politie.

'Ze willen iedereen spreken,' zei ik. 'Iedereen die Charlie goed kent. Ik heb erover zitten denken om naar je toe te komen en met je te praten.'

'Als u wilt.' Hij zweeg even. 'Ik wil graag helpen.'

'Goed. Zal ik dan naar de boerderij komen?'

'Als u wilt.' Weer volgde een korte pauze. 'Maar niet tegen mijn vader zeggen waar het over gaat, hoor.'

'Ik haal mijn auto en dan ben ik met een paar minuten bij je. Vijf minuten, op zijn hoogst tien.'

'Ik zal bij de schuren op u wachten, bij de weg. Dan hoeft u niet helemaal naar het huis te rijden.'

'Oké.'

Eerst moest ik iets voor Jackson regelen. Rory zat op het politie-bureau, en het was duidelijk dat ik hem niet meer aan Renata kon toevertrouwen. Eigenlijk moest er iemand op háár passen. Maar ik wilde hem niet meenemen en de kans lopen dat hij dingen zou horen over Charlies seksleven, en ik wilde hem ook niet alleen laten. Hij was pas elf jaar en heel bang.

Ik belde Bonnie omdat ik dacht dat ze misschien vroeg terug zou zijn van haar kerstinkopen, maar ik kreeg het antwoordapparaat. Ik probeerde de ouders van Sandy, hoewel ik wist dat Jackson en Sandy ruzie hadden sinds er iets was gebeurd tijdens een partijtje voetbal kort geleden. Mijn twijfels bleken irrelevant, want er werd niet opgenomen. Het was bijna Kerstmis. Iedereen was de deur uit, boodschappen aan het doen, een kerstboom aan het kopen, op bezoek bij grootouders, of zat op het vliegveld te wachten op een vlucht naar de zon.

Ik liep Jacksons kamer binnen. Het was er koud doordat ik de verwarming had uitgedraaid. Ik had gedacht dat we die pas in januari weer nodig zouden hebben. Hij stond bij het raam over zee uit te kijken. Hij stond er een beetje ineengedoken bij, en toen hij zich naar me omdraaide, keek hij me aan met een bleek, angstig gezicht.

'Lieverd, ik moet ergens naartoe en ik vind dat je met me mee moet gaan. Pak snel je jas, wil je.'

Zonder een woord te zeggen volgde hij me de trap af en stak hij zijn armen in de mouwen van zijn jas.

'We moeten eerst de auto halen. Die heb ik bij de tijdschriftenwinkel laten staan.'

Hij knikte. We gingen op weg. De wind was ijzig. Toen ik omhoogkeek, zag ik laaghangende grijze wolken. Het leek alsof het zou gaan sneeuwen, dacht ik. Ik hield Jacksons koude hand vast en trok hem voort. Af en toe zei ik dingen als: 'Het komt allemaal goed, lieverd', en 'We vinden haar wel'. Het schoot me te binnen dat hij nog niets had gegeten.

In The Street ging ik met Jackson bij de bakker naar binnen. Ik keek in de vitrine wat ze hadden. Het assortiment was niet erg indrukwekkend. De gebakjes en taarten zagen eruit als fabriekswerk. Ik keek Jackson aan.

'Wil je een broodje kaas of een broodje ham?'

'Maakt me niet uit.'

Ze kostten maar een pond per stuk. Ik kocht er van elk een. Ik probeerde te bedenken wanneer ik zelf voor het laatst gegeten had, maar kon het me niet herinneren. Op het feestje? Ik wist het niet meer. Buiten op straat reikte ik Jackson het broodje kaas aan. Ik pelde het plastic van het andere broodje af en nam een hap. Het brood was klef en vochtig. De ham smaakte nergens naar. Ik moest moeite doen om de hap die ik had genomen fijn te kauwen en door te slikken. Maar het gaf niet. Zolang ik maar iets in mijn maag had, zodat ik op de been bleef en straks niet zou flauwvallen. Ik pakte Jacksons vrije hand en begon over te steken naar de plek waar mijn auto stond. Vlakbij klonk ineens het geluid van piepende banden. Alles leek zich ineens vertraagd af te spelen, en ik realiseerde me met een vreemd, ziek gevoel van humor wat er had kunnen gebeuren. Mijn dochter was vermist en ik rende als een kip zonder kop rond, zodat het niet veel had gescheeld of Jackson en ik waren in het ziekenhuis beland, wat me trouwens wel een rustgevend idee leek. Dan kon iemand anders het tenminste van me overnemen.

Maar we waren niet overreden. Ik draaide me vliegensvlug om en duwde Jackson naar achteren. Voor me zag ik de motorkap van een auto die op slechts enkele centimeters van me tot stilstand was gekomen. Door de grille kwamen rookwolken naar buiten, alsof de auto zelf boos op me was. Door de weerkaatsing van het licht in de voorruit kon ik de bestuurder niet zien, maar de auto kwam me vaag bekend voor. Ik liep naar het portier aan de bestuurderskant en zag daar tot mijn verbazing Rick zitten, die mij geschrokken aanstaarde. Hij draaide het raampje omlaag.

'Ik, eh… Alles in orde met jullie?' zei hij. Hij keek echt heel geschokt. Alsof ik hem vandaag niet al genoeg last had bezorgd.

'Het spijt me ontzettend,' zei ik. 'Ik kan niet meer goed denken. Ik ben zonder te kijken de straat op gelopen. Het is helemaal mijn eigen schuld. Het spijt me vreselijk.'

Er klonk getoeter van de auto achter die van Rick. Er was zich een file aan het vormen. Uit een van de auto's verder naar achteren stapte een man. Zijn haar was zo kort geknipt dat je zijn hoofdhuid ertussendoor kon zien, hij droeg een camouflagebroek en een groen legerjack.

'Niks aan de hand! We gaan al!' riep ik.

'Stom kutwijf,' riep hij. 'Ga als de sodemieter opzij.'

Even was ik geneigd ruzie te gaan maken. Misschien zelfs handtastelijk te worden. Omdat ik zo opgefokt was. Maar toen ik naar mijn zoontje naast me en naar Rick keek, slikte ik mijn woede in. Het kostte me moeite, maar het lukte.

'Neemt u me niet kwalijk,' zei ik tegen de man. 'We gaan al.'

Ik vroeg Rick of hij zijn auto even aan de kant wilde zetten. Ik zei dat ik met hem wilde praten. Hij startte de auto weer en parkeerde hem voor het café.

'Hoe is het met Karen?' vroeg ik.

Hij wreef in zijn ogen. Het was niet duidelijk of hij gewoon doodmoe was of dat hij zijn tranen wegwreef.

'Ze slaapt,' zei hij. 'Ze hebben haar zware medicijnen gegeven. Ze moet alleen rusten. Ze was dronken geworden bij jou. Sorry daarvoor.'

'Het geeft niet.'

'Jawel, het geeft wel.'

'Ligt ze in het ziekenhuis?'

'Ja,' zei hij. 'Ze wilden haar liever niet verplaatsen. Ze zal er op zijn minst een paar dagen moeten blijven.'

'Is er iemand bij haar?'

'Eamonn zei dat hij langs zou gaan. Nou, ik moet het nog zien. Als je het van je kinderen moet hebben!'

'Wat ga je nu doen?' vroeg ik.

'Niet veel,' zei hij. 'Ik heb een paar dingetjes te doen die niet zo belangrijk zijn. Ik kan mijn tijd maar het beste nuttig besteden, wat moet ik anders? Maar ach, wat zanik ik toch! Heb je nog nieuws over Charlie?'

'Ze is nog steeds zoek,' zei ik.

'Wat? Heb je nu nog niets gehoord?'

'Niets.'

'Weet je zeker dat ze niet gewoon ergens naartoe is met een vriendin? Die leeftijd heeft ze tenslotte.'

'Dat dacht ik eerst ook. Maar we hebben haar fiets en haar tas gevonden. Ze was bezig met haar krantenwijk.'

'O, mijn god!' zei Rick. Hij keek me geschokt aan. 'Wat verschrikkelijk. Heb je de politie gebeld?'

'Ja, natuurlijk. Ze zijn net begonnen met het onderzoek. Ik

ben er alleen niet zo zeker van of ze wel beseffen dat het dringend is.'

'Wat afschuwelijk,' zei hij. 'Ik moest steeds bij Karen blijven. Maar Nina, als ik iets kan doen, dan hoef je het maar te vragen. Dat weet je.'

Ik kreeg ineens een idee. Ik wierp een blik op Jackson, die verveeld op zijn broodje kaas stond te kauwen. Hij kende Rick goed en voelde zich bij hem op zijn gemak.

'Er is inderdaad iets,' zei ik. 'Ik moet iemand spreken die Charlie kent. Heel erg dringend. Mag Jackson heel even bij jou blijven terwijl ik dat doe? Ik heb het al aan anderen gevraagd, maar…'

'Eh…' zei Rick. Hij keek op zijn horloge – bijna kwart voor vier. Ik zag dat hij nu al spijt had van zijn spontane aanbod. Op een ander tijdstip, op een andere dag zou ik hem niet aan zijn aanbod gehouden hebben, maar vandaag kende ik geen medelijden.

'Alsjeblieft, Rick. Je zou me er een groot plezier mee doen.'

'Ik, eh…'

'Geef me het nummer van je mobiele telefoon, dan bel ik je zodra ik… eh… deze persoon gesproken heb. Ik heb maar een minuut of twintig nodig, een halfuur op zijn hoogst. Je weet dat ik het je niet zou vragen als het niet belangrijk was.'

Rick zuchtte. Eerst mijn auto. Toen mijn feestje. En nu mijn zoon.

'Goed,' zei hij. 'Kom maar, Jack. In de auto is het warm.'

Jackson sprong zo te zien opgewekt op de achterbank. Hij zou vast blij zijn dat hij bij mij weg kon. Ik sloeg Ricks mobiele nummer op in mijn telefoon, waarna zij wegreden. Ik zag Jackson praten en gebaren maken, terwijl Rick stoïcijns en uitdrukkingsloos voor zich uit keek. Ik stapte in mijn auto, maar voordat ik de motor startte, staarde ik even voor me uit. Ik dacht nergens aan, liet alles even betijen en probeerde rustig te worden. Wilde dit alles enige zin hebben, dan moest ik zorgen dat ik helder kon denken. Anders was het voor mijzelf en anderen alleen maar tijdverspilling. Ik ademde een paar keer diep in en uit. Toen draaide ik het contactsleuteltje om. De motor kuchte een paar keer luid en viel toen stil. Ik probeerde het nog eens. Deze keer kuchte hij maar heel kort.

'Nee,' zei ik. 'Alsjeblieft niet, hè!'

Ik draaide het sleuteltje nog een keer om, en nu volgde slechts een zachte klik. Toen niets meer.

Ik sprong uit de auto en rende naar de hoek om te kijken of Rick en Jackson door een of ander gelukkig toeval nog in zicht waren. Ik was net op tijd om te zien hoe de achterkant van de auto om een hoek verdween.

Ik rende terug en probeerde het nogmaals, maar het was duidelijk dat de auto niet wou starten. Ik pakte mijn mobiele telefoon. Rory zat nog op het politiebureau, Renata lag te huilen in mijn bed, Christian zat in de file op de M25 en het was onduidelijk of hij daar ooit nog uit zou komen, Bonnie was kerstinkopen aan het doen, en Rick zat in zijn auto met mijn zoon. De moed zonk me in de schoenen. Misschien moest ik het Joel vragen; hij zou wel komen, tenzij natuurlijk Alix de telefoon opnam.

Toen bedacht ik iets anders.

'Hallo.'

'Jay, met Nina Landry spreek je. Ja. Luister, ik sta in het dorp, vlak bij de tijdschriftenwinkel. Ik wilde net naar je toe komen, maar mijn auto doet het niet. Jij ziet zeker geen kans hierheen te komen, hè? Rij je auto?'

'Motor,' zei hij.

'Zou je dan kunnen komen?'

'Waarom niet?' zei hij. 'Als u even wacht; ik ben er zo.'

'Bedankt.'

Weer wachten. Ik ging in die ellendige auto zitten die het niet deed en trommelde met mijn vingers op het stuur. Ik draaide het contactsleuteltje nog een paar keer om en hoorde steeds de klik en verder niets. Toen zag ik Tom, de dominee, over straat op me afkomen. Hij droeg een grote boodschappentas en had een krant onder zijn arm. Het leek alsof hij in zichzelf praatte, of misschien praatte hij wel tegen God. Hij bleef bij mijn auto staan. Ik opende het portier.

'Dag, Nina. Ik had gedacht dat je ondertussen wel in Florida zou zitten.'

'Van gedachten veranderd,' zei ik vermoeid. Ik kon mijn verhaal niet aan een ander kwijt.

'Mankeert er iets aan je auto?'

'Ja. Net nu ik hem het hardste nodig heb, wil hij niet starten.'

'Zal ik eens kijken?' Hij legde zijn krant en de boodschappentas op de passagiersplaats, boog zich zonder mij toestemming te vragen over me heen en trok aan de hendel om de motorkap te openen. Hij trok zijn wollen handschoenen uit en boog zich met een vergenoegd gezicht over de motor. Weer zo'n man die van auto's houdt, dacht ik.

Maar toen hoorde ik het geronk van een motorfiets die naast mijn auto tot stilstand kwam. Tom ging rechtop staan toen de berijder eraf stapte. Hij had een zwarte helm op die zijn hoofd en gezicht bedekte. Hij deed hem af. Ik opende mijn portier.

'Hallo,' zei hij.

'Wil je even in de auto komen zitten?' vroeg ik. 'Ik moet je iets belangrijks vragen. Het ziet er allemaal niet goed uit. Slecht zelfs.'

'Slecht?' zei hij. 'Wat Charlie betreft?'

'Ja.'

Hij keek naar mij en vervolgens naar Tom, wiens hoofd weer onder de motorkap was verdwenen.

'Kunnen we ergens praten? Ik voel me erg te kijk zitten. Het is hier net een vissenkom. Vooral met hem erbij.'

'Het is hier in de buurt overal nogal open,' zei ik.

Hij keek me aan en begon toen ineens te grijnzen.

'Weet u wat? Spring maar achterop,' zei hij. 'Dan rij ik wel ergens naartoe waar we alleen kunnen zijn.'

'Achter op je motor?'

'Waarom niet? Of vindt u het eng?'

Het klonk als een uitdaging. Ik bekeek hem goed. Mager,

bleek gezicht, groene ogen. Deze knaap – of jonge man – was het geheim in Charlies leven. Hij wist misschien iets van wat er gebeurd was, misschien zelfs alles. Hij was misschien een dood- normale tiener, maar het kon ook zijn dat hij ernstig gestoord en gewelddadig was. Ik haalde mijn schouders op.

'Ik vind niks meer eng, behalve wat mijn dochter nu over- komt,' zei ik, en ik stapte uit de auto en sloeg het portier achter me dicht. 'Maar niet te ver, hoor. Daar heb ik geen tijd voor.'

Ik liep naar de dominee, die nog steeds moeite deed om zijn nieuwsgierigheid te verbergen, wat hem niet goed lukte.

'Tom,' zei ik, 'ik heb geen tijd om het uit te leggen, maar ik moet nu weg. Ik vond het heel aardig van je dat je aanbood om me te helpen, maar…'

'Ik ben nog maar net begonnen,' zei hij.

'Geeft niet,' zei ik. 'Het doet er niet toe.'

'Weet je wat? Als je mij het autosleuteltje geeft, ga ik nog even door, oké? Het is misschien iets heel simpels.'

'Als je wilt,' zei ik. 'Maar het hoeft echt niet, hoor.'

'Ik hou ervan om dingen te repareren.'

Ik haalde het autosleuteltje van mijn sleutelring, gaf het aan hem en keek toen Jay weer aan.

'Zullen we gaan, dan?'

'Daar zit een reservehelm in,' zei hij, en hij wees naar de kof- fer achter de zitting. Ik haalde hem eruit, stelde het riempje in op de juiste lengte en deed het vizier naar beneden. Ik zwaaide mijn rechterbeen over de motor en ging achter hem op het zadel zitten.

'Zet uw voeten op die voetsteunen,' zei hij. Ik deed het. 'En sla uw armen om mijn middel.' Ik deed het. 'Meegeven met de bewegingen van de motor,' instrueerde hij. 'Probeer er niet te- genin te gaan. Ontspannen.'

Hij keek achterom.

'Zo had ik me onze eerste ontmoeting niet voorgesteld,' zei hij, en hij deed zijn vizier naar beneden.

Het ene moment stonden we nog bij het trottoir, het volgende raasden we zo snel door The Street dat het wegdek onder me door leek te schieten als een snelstromende rivier en de huizen nog maar vage vlekken waren. Toen we de hoek om gingen leek het bijna alsof we plat tegen de grond lagen. Als ik mijn hand uitstak, zou ik mijn knokkels aan de straatstenen schaven. Mijn kaakspieren verkrampten en mijn maag leek vloeibaar te worden. Een paar seconden lang dacht ik helemaal niet meer aan Charlie, ik dacht alleen dat ik dood zou gaan. Toen de motor overeind kwam, begon de wereld er weer normaal uit te zien. We reden langs de werf en de camping met stacaravans, langs het strand met de ondersteboven gekeerde roeiboten, langs de strandhuisjes. Daarna werd de bebouwing spaarzamer en de weg smaller.

Ik klampte me aan Jay vast en ik liet me meegaan met de bewegingen van de motor. Charlie had dit ook gedaan, dacht ik. Ook zij had zo gezeten, met haar armen om het middel van deze jongen, ook zij had haar wang tegen het zwarte leer van zijn jack gedrukt terwijl de wereld voorbijvloog. Maar thuis had ze daar niets over gezegd, mij had ze erbuiten gelaten.

'Hier kan het wel,' zei hij, en we stopten op een karrenspoor dat van de kustweg naar beneden liep tot aan de waterlijn. Achter ons lag het dorp met zijn winkels, cafés, straten en mensen. Voor ons lag een woest landschap met bosjes, moerasland en steile dijkjes, met daarachter de open zee. Ik zag golven uiteenspatten en over de kleiner wordende slikken spoelen. Ik hield van deze kant van het eiland, en tegelijkertijd joeg die mij angst aan. Ik had een gevoel alsof Jay en ik de enige mensen op deze hele, platte grijze wereld waren, waar je niet kon zeggen waar het water ophield en de lucht begon. De wind sloeg me in het gezicht toen ik de helm afzette. Ik stapte af en merkte dat ik stond te trillen op mijn benen.

'Dat ging helemaal niet zo slecht,' zei hij, terwijl hij ook zijn helm afzette.

'Charlie is nog steeds zoek,' zei ik. 'Het begint er steeds beroerder uit te zien. Met elk uur dat voorbijgaat wordt het slechter. De politie is mensen aan het ondervragen, maar ik kan niet thuis blijven zitten. En ik ga jou vragen stellen die geen moeder aan het vriendje van haar dochter zou mogen stellen.' Hij keek me onbewogen aan. Het viel ook niet mee om met deze wind anders dan onbewogen te kijken. Ook ik voelde mijn wangen verstijven. 'Het maakt me niet uit wat je zegt. Ik zal niet over jullie oordelen. Het kan me niet meer schelen. Het kan me niet schelen wat jullie samen uitvreten. Het kan me niet schelen dat je het voor me hebt verzwegen. Ik wil Charlie vinden. Meer niet. Als ik haar vind, is alles vergeten en vergeven.'

Hij keek naar het water, en ik keek naar zijn gezicht, ik was op zoek naar iets, een of ander teken. Er ging een lichte trilling over zijn gezicht, zoals wanneer de wind over het water strijkt.

'Ik wil helpen haar op te sporen,' zei hij. 'Natuurlijk wil ik dat. Ik weet zeker dat ze wel weer opduikt. Ze zal er wel een reden voor hebben. Mensen verdwijnen niet zomaar.'

Weet jij er meer van? dacht ik. Was jij het?

'Om te beginnen moet je het me vertellen als je iets weet waar we wat aan zouden kunnen hebben. Weet jij waar ze is?'

'Nee.' Hij bleef me gewoon aankijken.

'Zweer je het?'

'Als u dat wilt, goed. Ik zweer het.'

'Oké, en ben jij Charlies vriendje?'

'Zo zou je het kunnen noemen.'

'Hoe lang al?'

'Vier, vijf maanden ongeveer. Vanaf de zomer.'

Zo lang al, dacht ik. Zoveel dagen heeft ze het al geheim gehouden voor me, heeft ze me bedrogen, heeft ze gedaan alsof ze ergens anders was. Charlie had me wel veel toevertrouwd, maar dit had ze achtergehouden.

'Waarom heeft ze het mij niet verteld?'

'Weet ik niet. Het was iets tussen ons. We vonden het wel prettig om het geheim te houden. Het is altijd anders als het openbaar wordt. Het voelde...' Hij zweeg.

'Ja?'

'We vonden het gewoon prettig zo. Volwassenen denken altijd dat ze tegen je kunnen zeggen wat je moet doen. Ze denken dat ze nog weten hoe het is om jong te zijn. Dat wilden we niet.'

'Was het serieus?'

'Serieus?'

'Ja. Waren jullie een stel?' Ik hapte naar adem en legde mijn hand op mijn maag, want ik realiseerde me ineens dat ik over dit alles praatte in de verleden tijd. 'Hou je van haar? Houdt zij van jou?'

'Ach, houden van…'

'Verdomme, Jay. Snap je dan niet dat ze misschien vreselijk gevaar loopt?'

'Wij hebben het nooit over "houden van".'

'Waar hebben jullie het dan over?'

Hij werd knalrood.

'Ach, van alles,' zei hij. 'Gewone dingen.'

'Drugs?' vroeg ik.

'Niet echt, nee.'

'Draai er niet omheen.'

'Hasj wel eens. Verder eigenlijk niet. Ecstasy één keer, maar dat beviel haar niet.'

'Heeft ze jou dingen verteld die ze geheim wilde houden, iets wat nu een aanwijzing zou kunnen zijn?'

Hij boorde de neus van zijn motorlaars in de grond.

'Dit is wel vreemd, hoor.'

'Wat heeft ze je verteld?'

'Ze heeft wel eens wat over haar vader verteld.'

'Ga door.'

'Ze vond het niet leuk dat hij zo dol op haar was. Ze zei dat het niet eerlijk was tegenover Jackson en dat ze het er een beetje benauwd van kreeg. Ze wilde er eigenlijk liever niet met u over praten omdat… nou ja, omdat u haar moeder bent. Dat zou een beetje gek zijn.'

'Maar het ging niet om iets bepaalds?' vroeg ik.

'Hoezo, iets bepaalds?'

'Nou, dat hij haar seksueel misbruikte,' zei ik ronduit. 'Bijvoorbeeld.'

Hij knipperde met zijn ogen.

'Nee.' Hij zweeg even en zei toen: 'Maar ze heeft wel eens tegen me gezegd dat ze alle oudere mannen viezeriken vond.'

'Waarom? Waarom vond ze dat?'

'Weet ik niet. Op dat moment dacht ik dat het gewoon een van haar onbezonnen uitspraken was. U weet hoe ze is. Ze zegt wel vaker dat soort dingen.'

'Gingen jullie met elkaar naar bed?'

Hij mompelde wat.

'Ik weet dat jullie het deden, Jay. Ik wil het alleen uit jouw mond horen.'

'Hoe weet u het?'

'Charlie was bang dat ze zwanger was.'

Het was alsof ik hem een klap in het gezicht had gegeven.

'Hè?'

'Ze was over tijd.'

'Nee,' zei hij.

'Gebruikten jullie condooms?'

'We hebben niet… we deden niet…'

'Volgens mij heeft dit alles misschien te maken met het feit dat ze zwanger was, of dat ze zich er zorgen over maakte dat ze misschien zwanger was. Dus ik moet het weten.'

'Het was niet zo.'

'Wat was niet zo?'

'We gingen niet met elkaar naar bed,' mompelde hij.

'Ik geloof je niet.'

'Dat moet u zelf weten.' Hij stak zijn kin uitdagend naar voren en keek me tartend aan. Hij had rode vlekken op zijn bleke wangen. 'Het is echt waar.'

'Wou je zeggen dat jullie nooit met elkaar naar bed zijn geweest?'

'Niet als zodanig.'

'Wat betekent dat?'

'Dat weet u wel.'

'Zeg het dan.'

Ik had zin om hem een klap in zijn gezicht te geven, hem een stomp te geven in zijn door het leren jack beschermde maag.

Hij draaide zich om en keek me aan. De wind blies zijn haren in zijn gezicht, en zijn groene ogen glansden. Hij balde zijn vuisten, en even dacht ik dat hij me een klap zou geven. 'Het betekent dat we wel wat met elkaar gedaan hebben – en u weet wat dat betekent – maar dat ik uw dochter niet gepenetreerd heb. Zo goed?'

'Dat kan niet waar zijn.'

Hij haalde zijn schouders op, draaide zich om en keek weer naar de zee.

'Dan gelooft u het niet,' zei hij.

'Zweer je het?'

'Zweren? Ik zweer het, ik verklaar het onder ede, het is eerlijk, echt waar. Maar ja, als ik loog, zou ik natuurlijk ook zeggen dat ik de waarheid sprak, hè? Ze wilde eerst aan de pil.'

Ik dacht aan Alix, onze huisarts.

'En, is ze nu aan de pil?'

'Dat heeft ze niet gezegd.'

Misschien betekenden die kruisjes in haar agenda toch iets heel anders, dacht ik. Misschien zat ik helemaal op het verkeerde spoor.

'Maar als je de waarheid zegt, waarom dacht ze dan dat ze zwanger was?'

'Dat zou u haar moeten vragen. Sorry, neem me niet kwalijk, dat had ik niet moeten zeggen. Dat meende ik niet. Luister, ik weet het niet. Misschien…'

'Misschien wat?'

'Ik weet het niet.'

'Wat wil je nou zeggen?'

'Hè, verdomme!'

'Zeg het dan. Zeg me wat je denkt.'

'Ze is een paar weken geleden een keer met iemand anders naar bed geweest.'

'Met wie?'

'Weet ik niet.'

'Met wie denk je?'

'Ik meen het. Ik weet het niet. U denkt zeker dat als u dezelfde vraag steeds opnieuw stelt, ik op een gegeven moment wel antwoord zal geven. Ze heeft het niet gezegd. Ze zei alleen maar dat ze iets had gedaan waar ze spijt van had, dat ze het zichzelf erg kwalijk nam en dat ze hoopte dat ik het haar zou vergeven.'

'En heb je dat gedaan?'

'Het was eigenlijk een soort wraak van haar.'

'Je bedoelt dat jij hetzelfde had gedaan?'

'Dat gaat u eigenlijk niks aan, hè?'

'Wanneer speelde dit zich af?'

'Een paar weken geleden.'

'Wanneer precies?' drong ik aan.

Hij dacht even na.

'Tegen het einde van de vorige maand. De precieze datum weet ik niet. Dat heeft ze me niet gezegd. Ik was in Frankrijk voor mijn uitwisselingsprogramma van school. Ze vertelde het me toen ik terugkwam.'

Ik was in stilte aan het rekenen geslagen. Het laatste kruisje in haar agenda stond bij 9 november, dus als ze zich nu druk maakte over het feit dat ze een paar weken over tijd was, moest Charlies vrijpartij een week of twee daarna zijn voorgevallen.

'Juist, ja,' zei ik.

'Hebt u nog meer vragen?'

'Wat weet ik nog meer niet?' vroeg ik wanhopig. 'Als ik van jouw bestaan niet wist, kunnen er nog zoveel andere dingen zijn waar ik ook niks van weet. Ik dacht dat ik haar van haver tot gort kende, en ineens is ze een mysterie voor me. Alsof ze een vreemde voor me is. Alsof ik niet meer weet wie ze is.'

'Ze zegt altijd dat ze een hechte band met u heeft,' zei Jay. 'Ze zegt dat u haar in haar waarde laat. Heel anders dan haar vader. Ze was van plan u in Florida over ons te vertellen. Dat zei ze tenminste.'

'Ik wil haar gewoon zien te vinden,' zei ik. 'Als jij haar iets aangedaan hebt, dan zweer ik dat ik je…'

'Nee.'

'Waar spraken jullie af?'

'Op allerlei plaatsen. Op het vasteland. Soms bij mij thuis, als er verder niemand was, en in de hooischuur van mijn vader. Of op de boten, maar daar zijn we al een week of zo niet geweest. Te koud met dit weer.'

'Die oude boten bij de kaap, bedoel je?'

'Ja.'

Hij glimlachte, en ik voelde mijn huid tintelen. Ik had het ijskoud en was bang. 'Daar komt verder niemand, daarvoor is het er te eng. Maar Charlie en ik vinden het daar juist leuk.'

Het was een verzameling woonboten en tot woonboot verbouwde schepen die betere tijden hadden gekend. Oorspronkelijk hadden er kunstenaars in gewoond, en vanaf de jaren zestig hippies. Ik had er in het bibliotheekje naast de boekwinkel wel eens foto's van gezien uit de tijd dat ze nieuw waren. Sommige waren klein, met een rechthoekige stuurhut met een groot stuurwiel achterop, hoewel er nooit mee gevaren werd en ze bij eb zelfs droogvielen in de modder. Maar er waren ook grote, met aan dek honden die aan de reling waren aangelijnd en bloempotten, tafels en stoelen en zelfs ironisch bedoelde tuinkabouters. De boten waren van hout of van ijzer en waren allemaal geverfd in primaire kleuren, met loopplanken naar de brede houten steigers. Ik geloof dat ze vroeger zelfs een eigen brievenbus hadden. Rick had me wel eens verteld dat op een van de schuiten een stel woonde dat potten bakte, die ze in het café verkochten, en weer anderen roosterden pinda's of maakten bonensalades en worteltaarten.

Maar dat was verleden tijd. Er woonden al sinds vele jaren geen mensen meer. De hippies en de kunstenaars waren vertrokken, de verf was gaan bladderen, de ijzeren rompen waren gaan roesten, de loopplanken waren naar beneden gevallen doordat de boten waren losgeraakt van hun ligplaats of waren weggezakt in de modder waarop ze rustten. Regen en wind hadden jarenlang vrij spel gehad in de stuurhutten, en vandalen hadden aan het verval bijgedragen door stenen door de ramen te gooien, de stuurwielen af te breken, zittingen, bedden en tafels kapot te slaan, de dekken te beschilderen met graffiti en de scheepsruimen te gebruiken als afvalstortplaats. Ik was er met Sludge een paar keer langs gelopen, maar zelfs op een mooie zomerdag bezorgden ze me koude rillingen.

'Breng me er nu naartoe,' zei ik.

'Waarom?' Hij keek me aan alsof ik een krankzinnige was.

'Als dat een geheime plek is waar jij en Charlie je kunnen verbergen, is ze daar misschien naartoe gegaan.'

'Ik wil er niet naartoe.'

'Mijn auto doet het niet, weet je nog? En je zou me toch op de motor terugbrengen. Rij er maar langs, ik wil graag dat je meegaat.'

'U vindt er echt niks. U verspilt uw tijd.'

'Laten we het dan zo snel mogelijk afhandelen.'

'Het slaat nergens op,' zei hij nog eens.

Ik zette de helm op en maakte het riempje vast onder mijn kin. Jay was nog steeds niet in beweging gekomen. Ik keek hem strak aan.

'Hou je soms iets voor me achter?'

'Natuurlijk niet.'

'Nou, kom op dan.'

Zonder nog een woord te zeggen zette hij zijn helm op en startte de motor. Ik klom achterop en sloeg mijn armen om zijn middel. Ik probeerde te bedenken waar Charlie die laatste week van november was geweest. Ik kon het me niet herinneren. Het landschap schoot in een waas aan me voorbij, ik rook de zilte zeelucht. Ze was met Ashleigh naar een feestje geweest, en ik had haar om middernacht opgehaald, maar toen had alles toch in orde geleken met haar? Ik herinnerde me dat ze in de auto stapte. Haar korte grijze rokje, haar lange benen in die lage laarsjes, haar glanzende haar. Ik deed mijn ogen dicht terwijl de wind langs me heen gierde.

De laatste keer dat ik langs de boten was gelopen was met Christian geweest, begin oktober. Ik herinnerde het me duidelijk, het was zo'n heldere herfstdag waarop alles scherp omlijnd is. Het was eb, en de boten lagen schots en scheef op de slikken. Op de half ingestorte scheepsdekken zaten tientallen uitgelaten, lawaaiig krassende meeuwen. Nu stond het water hoger, en nijdige golfjes rimpelden om de karkassen. De wind zong tussen de half afgebroken dekplanken. Er waren er een stuk of acht, negen. Een van de ijzeren karkassen was in brand gestoken sinds ik hier voor het laatst was. Er was nu niet veel meer van over dan een zwartgeblakerd wrak.

'Welke was het?' vroeg ik aan Jay terwijl ik afstapte.

'Hoe bedoelt u?' Hij keek ontsteld, zijn gezicht was op sommige plaatsen blauw van de kou.

'Naar welke boot gingen Charlie en jij? Jay?'

Hij reageerde op mijn scherpe toon door om zich heen te kijken alsof hij hier nooit eerder was geweest, en knikte toen voor zich uit.

'Die daar.'

Hij had in de richting van een van de kleinere, houten boten geknikt, die slechts te bereiken was via een van de grote boten dichter bij de wal. Het schip was in zijn betere dagen blijkbaar flesgroen van kleur geweest. Hier en daar zaten op de romp nog schilfers verf in die kleur. De deur naar de stuurhut was van zijn hengsels gerukt. Het schip maakte licht slagzij in het opkomende water.

Ik legde de helm naast de motor neer.

'Ga jij maar voor.'

'Wilt u erheen?'

'Waarom denk je dat we hier zijn?'

Hij legde zijn helm zorgvuldig op het zadel van zijn motor.

'Als u dat per se wilt.'

We moesten een loopplank over om op het eerste schip te komen. Het hout was glibberig en op veel plaatsen gebarsten, en regelmatig dacht ik dat we eraf zouden glijden en in het ondiepe water terecht zouden komen dat over de slikken klotste. Ik klauterde achter Jay aan het dek op en glibberde naar de andere kant, waarbij ik kapotte bloempotten, een verwrongen, roestig fietswiel, het uitgedroogde karkas van een zeemeeuw en een lege wijnfles moest zien te ontwijken. Toen klommen we op de houten boot.

'Charlie?' riep ik terwijl ik me erop liet zakken. 'Charlie, ben je daar? Ik ben het, Nina. Mama. Mammie.'

Mijn stem weerkaatste tegen de smoezelige oppervlakken en zocht zich een weg naar het troosteloze interieur van het schip.

Ik riep nog eens, harder deze keer.

Ik baande me een weg naar de versplinterde deur van de stuurhut en draaide me om om achterwaarts via de kapotte sporten van de smalle trap in de stuurhut naar beneden te klimmen. De lucht was koud en bedompt, en het rook er naar ammoniak en tabak. Alles in de stuurhut leek vettig en oud en verwaarloosd. De matrassen die op de banken lagen waren gescheurd, en het schuimrubber stak uit de scheuren naar buiten. Het plafond was smoezelig en vochtig. Op de vloer lag een deken.

'Was het hier? Gingen jullie hiernaartoe?'

Jay, die vanaf het dek naar beneden keek, trok een grimas.

'Het was oké,' zei hij. 'Vooral 's zomers. Soms namen we bier mee. Charlie heeft zelfs wel eens een thermosfles warme chocolademelk meegenomen.'

Dus zo was ik mijn thermosfles kwijtgeraakt.

Ik duwde de deur naar een smerig ruikend toilet open. Ik trok de kastdeurtjes open.

'Charlie?' riep ik nogmaals, hoewel ik wist dat ze hier niet was. Alles getuigde van verlatenheid en verwaarlozing.

'Genoeg gezien?' vroeg Jay.

'Ik wil alle andere ook zien,' zei ik.

'Wát zei u?'

'Nu we hier toch zijn, wil ik de andere boten ook vanbinnen zien.'

'Waarom?'

'Om Charlie.'

'Zij is hier niet.'

'Het is zo gebeurd.'

Toen we weer buiten waren, leek de zoektocht bijna ondoenlijk. De volgende boot was omgevallen en had het schip ernaast meegetrokken in zijn val. Naast elkaar lagen ze in de modder, en het opkomende water kabbelde al om de kapotte relingen.

'U kunt daar niet op, hoor,' zei Jay.

'Charlie zou er over het slik heen hebben kunnen lopen.'

'Dan zouden er sporen zijn.'

'Die kunnen door het water zijn weggespoeld.'

'Er is daar niets,' zei Jay. 'Die schuiten zijn vervallen en verrot. Wie zou hier nou komen?'

'Jullie kwamen hier.'

'Het was een plek waar je alleen kon zijn,' zei Jay. 'Het is maar een klein eiland.'

Ik liep door. De volgende boot was een enorm vrachtschip, dat eruitzag alsof het opnieuw was opgebouwd door een krankzinnige. Het bovendek leek een uitdragerij van de meest uiteenlopende voorwerpen, die erop waren vastgespijkerd – planken, metalen badkuipen, schuttingpanelen, golfplaten, autobanden. De loopplank die erheen leidde was wankel en bezorgde je duizelingen als je erop stapte.

'Die ziet er niet erg stevig uit,' zei Jay.

'Jij bent de jongste van ons tweeën,' zei ik. 'Dat zou ík eigenlijk tegen jou moeten zeggen.'

Het was maar één losse plank zonder reling, dus ik spreidde mijn armen als een koorddanser en wankelde naar de overkant. Toen ik was aangekomen op wat ooit het dek was geweest, zag ik een halfopenstaande deur met daaronder een zwart gat. Onderin zag ik de zachtjes kabbelende weerkaatsing van licht op water. Er hing een geur van zeewier en verrotting. Ik haalde diep adem en ging voorzichtig een paar treden naar beneden. Toen keek ik om me heen en zag ik dat ik daar niets te zoeken had. Ik klom snel weer omhoog en hijgde in de koude lucht alsof ik onder water was geweest.

'Ik moet zo weg,' zei Jay, die ongemakkelijk zijn gewicht van het ene been naar het andere verplaatste.

'Ik ben bijna klaar,' zei ik, toen ik weer aan land was. De laatste boot zag er in vergelijking met de andere bijna netjes uit. De romp leek intact. Ik kon me voorstellen dat het schip vroeger gebruikt was voor het vervoer van bijvoorbeeld steenkool van grote zeeschepen naar bestemmingen ergens verderop aan de rivier. Degene die er een generatie of twee geleden een woonboot van had gemaakt, had goed werk geleverd. De ruiten waren ingeslagen en de metalen schoorsteen was op het dek gevallen, maar er was nog genoeg over waaraan je kon zien wat mensen naar deze kant van het eiland had getrokken, waar het woest en eenzaam en ver van de bewoonde wereld was. Als het vuur in de open haard brandde en het buiten stormde, moest deze boot een knus onderkomen zijn geweest.

Toen ik de loopplank af liep, bleef ik ineens staan.

'Kijk,' zei ik.

'Wat is er?' vroeg Jay, terwijl hij naderbij kwam.

Ik wees naar het pad, dat omgewoeld en modderig was.

'Er is hier iemand geweest,' zei ik.

Jay keek weifelend.

'Zou kunnen,' zei hij. 'Er komen hier wel mensen met honden.'

'Maar kijk,' zei ik, en ik wees naar de bemodderde loopplank. Jay haalde even zijn schouders op. 'Er is hier iemand geweest.' Ik riep Charlies naam, riep dat ze zich geen zorgen hoefde te maken, dat ik haar alleen wilde zien, maar mijn woorden verwaaiden in de wind. Afgezien van Jay had niemand iets kunnen horen.

'Ik loop even het dek op om te kijken,' zei ik. 'En dan mag je me een lift terug geven.'

'Wilt u dat ik meega om te kijken?'

Ik liep over de loopplank en stapte op het dek. Ik stond hoog en ving veel wind, bijna alsof ik op zee was. Ik draaide me om en keek naar Jay. Ik zag zijn mond bewegen, maar kon niet horen wat hij zei. Ik stak een vinger op om hem duidelijk te maken dat ik maar één tel nodig had. Ik draaide me weer om en ging op zoek naar een ingang. De opbouw zag er niet erg professioneel uit, het was meer een gammele houten hut die op het dek was neergezet. Er zaten raampjes in. Ik wist niet of het matglas was of dat het binnen gewoon te donker was om iets te kunnen zien. Ik liep over het dek heen en weer totdat ik een deurtje vond. Ik drukte de koperen klink naar beneden; de deur bleek naar binnen toe open te gaan. Ik ging naar binnen, en ineens gebeurde er van alles. Het was alsof ik van een rots stapte en naar beneden viel. Er ging een flits door mijn hoofd, en het begon te zoemen. Mijn ogen begonnen te prikken en er welden tranen bij me op. Ik werd over mijn hele lichaam gloeiend heet en vervolgens ijskoud en toen weer gloeiend heet. Maar tegelijkertijd was ik volkomen beheerst en heel precies. Ik deed een stap achteruit en gebaarde heftig naar Jay dat hij moest komen, en ik riep iets tegen hem waarvan ik wist dat hij het niet zou kunnen horen.

Wat ik namelijk had gezien in de opbouw, was dat er in het halfduister een bloot been en een voet van een meisje naar voren staken. Ik haalde een paar keer diep adem. Niet dat het er allemaal nog toe deed. Alle moeite was voor niets geweest. Maar evengoed zou het leven gewoon doorgaan, de wereld draaide gewoon door, de dingen zouden hun normale loop hebben. Ik haalde nog een paar keer diep adem. Nu niet huilen. Niet overgeven. Dit zou het laatste zijn wat ik voor mijn kind deed, voor Charlie. Ik ademde nog één keer diep in en uit en ging toen weer naar binnen. Eerst durfde ik niet te kijken.

'Charlie,' zei ik zwak, maar ik begreep dat het geen zin had. Het been en de voet waren van een bleke, wasachtige stilte, net zo dood als het hout waar ze op lagen. Ik slikte en dwong mezelf me om te draaien en naar de voet en de besmeurde voetzool te kijken. 'Charlie,' zei ik nogmaals, en terwijl ik erop afliep, merkte ik dat mijn ogen aan het donker begonnen te wennen. Ik dwong mezelf door te lopen.

En weer had ik het gevoel dat ik een schok kreeg en dat de

vloer onder me vandaan wegviel. Daar stond ik dan, op een scheepswrak aan de rand van het eiland, met voor me het lijk van een meisje. Volmaakt rustig liep ik naar buiten, en aan dek haalde ik mijn mobiele telefoon uit mijn zak en toetste het nummer van het politiebureau in. Iemand nam op. Ik wist niet wie het was. Het deed er niet toe.

'Met Nina spreekt u,' zei ik.

'Met wie?' zei de stem.

'U weet wel,' zei ik. 'Nina.' Ik wist even niet eens meer wat mijn achternaam was. 'Landry. Nina Landry. Ik sta bij de boten aan de zuidoostkant van het eiland. Ik heb hier het lijk van een meisje gevonden.'

De stem zei iets. Ik hoorde gekraak.

'Nee,' zei ik. 'Nee. Het is het lijk van een meisje, maar het is niet mijn dochter. Het is iemand anders. Ze heeft een lichte huidskleur en steil haar en ze lijkt helemaal niet op Charlie, behalve dat ze volgens mij van ongeveer dezelfde leeftijd is. Ik ken haar niet. Ik zal hier blijven totdat u komt.'

Op het dek stond een blauw melkkrat. Ik ging erop zitten en bad tot de god waarin ik niet geloofde; ik zei dat ik spijt had van wat ik had gedacht en smeekte hem me te vergeven. Want op het moment dat ik naar het meisje keek, naar het gezicht met de lege blik in haar ogen, ogen die niet naar mij keken, was er een gevoel van blijdschap door me heen gegaan dat het niet Charlie was. Het was alsof het leven dat van me was weggenomen me toen werd teruggegeven. Ik dacht aan die andere moeder. Zou zij hetzelfde hebben gedacht als ik? Was zij op zoek gegaan naar haar dochter? Wat zou ze denken als ze wist dat het lichaam van haar dochter gevonden was door een vrouw wier eerste emoties die van opluchting en dankbaarheid waren geweest?

Terwijl de vloed gestaag kwam opzetten en het water tegen de romp van de boot waarop ik stond klotste, werd het daglicht ook steeds zwakker. Ik keek op mijn mobiele telefoon – het was zes minuten over vier. Ze hoefden maar van het politiebureau hierheen te rijden, dus ze konden er zo zijn, over een paar minuten op zijn hoogst. Ondertussen moest ik in deze schemerwereld waken bij een dood meisje. Het vlakke, sombere landschap om me heen was gehuld in een onbestemd soort grijs; alle kleuren leken eruit weggetrokken, en het was bijna niet te zien waar de zee ophield en het land begon. Ik vroeg me af hoe het dode meisje heette en wie haar hier had achtergelaten. Ik werd bevangen door een kille, huiveringwekkende angst, waardoor ik me nauwelijks kon bewegen of zelfs maar kon ademhalen. Enkele ogenblikken lang had ik me laten gaan en gedacht dat het feit dat dit dode meisje Charlie niet was, betekende dat mijn dochter in veiligheid was, alsof haar dood was afgekocht met de dood van dit meisje. Maar het was zeer onwaarschijnlijk dat ze hier gewoon een natuurlijke dood was gestorven. Iemand had haar vermoord. Ik dacht aan haar opgeblazen gezicht en blauwe lippen. Ze was gewurgd.

Ik keek naar Jay, die een sigaret probeerde op te steken. Hij stond met zijn rug naar de wind gedraaid, en hij dekte met zijn handen steeds het vlammetje af van de lucifers die hij afstreek. Zag ik zijn handen trillen? Ik keek een tijdje naar hem en stond toen op en riep zijn naam. Hij hoorde het niet – mijn woorden verwaaiden in de wind. Daarom ging ik even later het schip af en liep via de smalle loopplank naar hem terug. Toen riep ik met scherpe stem zijn naam.

Hij draaide zich vliegensvlug om, alsof ik hem een klap had gegeven. Hij gooide de zoveelste tevergeefs aangestoken lucifer weg en stopte de sigaret achter zijn oor.

'Bent u klaar?'

'Ik heb iets gevonden.'

Zijn gelaatstrekken bleven onveranderd, maar toch zag zijn gezicht er ineens anders uit; zijn groene ogen leken donkerder, de spieren om zijn mond waren aangespannen.

'Heeft het met Charlie te maken?' vroeg hij een tel later.

'Ik heb een lijk gevonden,' zei ik botweg. Weer keek ik naar de uitdrukking op zijn gezicht. Hij werd bleek. Hij hief een arm om zijn hand voor zijn mond te slaan, maar brak die beweging halverwege af, zodat hij even in een houding bleef staan alsof hij groette, of alsof hij mij wilde afweren, wilde voorkomen dat ik nog dichter bij hem kwam. Ik bleef doodstil staan en wachtte, en liet mijn blik geen moment van zijn gezicht afdwalen.

'Is het Charlie?' vroeg hij ten slotte, en zijn stem brak, zodat hij de zin die hij als een man was begonnen als een klein jongetje beëindigde.

'Nee.'

Zijn hand ging naar zijn mond. Hij sloot zijn ogen. Het viel me op hoe lang zijn wimpers waren.

'Maar…' zei hij, en hij zweeg. Toen werd hij ineens actief. Hij tastte met trillende vingers in zijn jasje naar zijn telefoon. 'We moeten de politie bellen.'

'Heb ik al gedaan,' zei ik. 'Ze kunnen elk moment hier zijn. Maar voordat ze komen, wil ik dat je meegaat om te zien of je haar kent.'

'Haar?'

'Het meisje dat daar ligt.'

'Dat meisje? U wilt dat ik…'

'Ja.'

'Nee.'

'Misschien ken je haar.'

'Nee,' herhaalde hij. 'Dat kan ik niet.'

'Eén snelle blik.'

'Ik wil nu weg. Ik heb gedaan wat ik kon. Dit is niet goed.'

'Er is niks aan. Het is net alsof ze slaapt, meer niet,' loog ik.

'Waarom wilt u dat ik dit doe? Wat is er toch met u?'

Ik pakte hem bij zijn arm en trok hem mee naar de loopplank. 'Ik ga wel eerst. Kom jij maar achter me aan.'

'Ik wil naar huis,' zei hij. 'Ik voel me helemaal niet lekker. Ik wil graag helpen Charlie te zoeken, maar dit is gewoon ziek.'

'Wacht totdat ik aan de overkant ben voordat je erop stapt, anders vallen we allebei.'

Ik liep met gespreide armen naar de overkant en draaide me toen naar hem om.

Toen Jay op de plank ging staan, was zijn gezicht verwrongen alsof hij op het punt stond om in huilen uit te barsten, en hij sloeg met zijn armen op en neer alsof hij moest vechten om zijn evenwicht te bewaren. Vlak voordat hij bij mij aankwam, gleed hij uit en wankelde. Zijn voet schoot uit, en een paar seconden lang balanceerde hij met op en neer wiekende armen op de plank. Het leek alsof hij eraf zou vallen, maar hij wist zich aan de plank vast te houden, zodat zijn benen naar beneden bungelden en hij met zijn wang op het slijmerige hout lag. Behoedzaam werkte hij zich overeind en met zijn blik op mij gericht legde hij de rest van de afstand kruipend af. Zijn ogen waren net zwarte gaten in zijn bemodderde, bleke gezicht. Zijn zwarte leren motorjack was besmeurd met lelijke grijsgroene vegen, en zijn motorlaarzen zaten onder het schuim.

'Hier,' zei ik kortaf, terwijl ik hem mijn hand toestak. 'Nog een klein stukje.'

Hij legde zijn magere, koude hand in de mijne. Ik trok hem naar me toe, en hij kroop het dek op.

'Hier ligt ze,' zei ik.

Ik trok mijn mouw over mijn hand, duwde de deur naar de cabine open en ging naar binnen. Ik hoorde Jay achter me zwaar ademen. Ik knielde neer naast het meisje.

'We mogen haar niet aanraken,' zei ik, hoewel ik dat wel wilde. Ik wilde haar lange zwarte haren liefkozen en haar wasachtig witte wang. Ik zag dat ze donkerrode vlekken in haar hals had, bloeduitstortingen door het geweld waarvan ze het slachtoffer was geworden.

Er klonk een geluid achter me alsof er een deur werd geopend die decennialang niet gebruikt was, en er viel een schaduw over haar uitdrukkingsloze gezicht. Jay stond voorovergebogen met één hand op zijn maag in de deuropening. Zijn mond stond half open, en er kwam een vreemd schor gekreun uit.

'Kijk nou eens. Heel even maar,' zei ik. 'Ken je haar? Jay?'

Schokkerig richtte hij zijn hoofd op en keek met een woeste blik naar haar.

'Nee,' wist hij uit te brengen, en toen wendde hij zich van mij af en rende het dek over. Ik hoorde het geluid van overgeven. Ik wierp nog een laatste blik op het meisje dat daar zo stil in de halfduistere cabine lag, op haar lange, witte benen, haar volle borsten, haar geopende hand met de armband om de pols, haar donkere haar, haar geopende ogen die naar mij staarden, door me heen staarden, naar iets achter mij staarden. Ik hield mijn adem in.

Ik wendde me af, liep de ijzige lucht in en ging bij Jay staan, die zich neergehurkt aan de reling vasthield en over zee uitkeek. Hij kromp ineen toen ik hem naderde.

'Hier,' zei ik, en ik haalde een tissue uit mijn zak en reikte hem die aan. Hij pakte hem aan en drukte hem tegen zijn mond. Zijn ogen waren bloeddoorlopen, en zijn natte haren plakten aan zijn voorhoofd.

'Ik had nog nooit een dode gezien.'

'Weet je heel zeker dat je haar niet kende?'

Hij deed zijn ogen dicht.

'Ja.'

'Nou, in elk geval komt daar de politie aan. Met twee auto's.'

'Wat is er met haar gebeurd?'

'Weet ik niet,' zei ik, maar ik dacht aan de rode plekken in haar hals en haar blauwe lippen.

'Kan ik dan nu naar huis?'

'Ze zullen jou ook wel willen spreken. Je moet je ouders maar even bellen en vertellen wat er aan de hand is.'

'Ja,' zei hij, maar hij deed verder niets.

Ik ging bij de loopplank staan en stak mijn handen op naar de naderende auto's, waarvan de koplampen in de steeds dichter worden duisternis priemden.

'Deze kant op,' riep ik toen inspecteur Hammill uitstapte, gevolgd door Andrea Beck en, uit de tweede auto, Mahoney en een kleine, kalende man die ik niet eerder had gezien, maar die al bezig was witte handschoenen aan te trekken.

Daar kwamen ze, over het ruwe, met bosjes begroeide terrein, vier figuren gehuld in dikke jassen en met stevig schoeisel aan hun voeten. Weg waren hun vriendelijkheid en neiging tot geruststellen, nu straalden ze een serieus, fanatiek soort professionaliteit uit. Niemand zei iets, en ik hoorde alleen de wind door de bosjes gieren, de golven over de slikken en het kiezelstrand spoelen en het dreigende gekras van de meeuwen. Inspecteur Hammill kwam in alle rust de loopplank op lopen, het magere lijf rechtop en geen moment uit balans; rechercheur Andrea Beck was wat onzekerder en kwam enigszins wankelend achter hem aan. Ze hadden allebei witte plastic schoenovertrekken aan hun voeten.

'Zou u allebei aan de wal op mij willen wachten, alstublieft?' vroeg Hammill. 'Dan kom ik zo naar u toe.'

In de verte zag ik nog een stel koplampen op ons af komen. De politiemensen stonden nu alle vier aan dek. Een voor een bogen ze zich voorover en gingen ze de cabine in. Ik dacht aan het meisje dat daar lag en dat zonder hen te zien naar hen staarde terwijl ze zich over haar heen bogen, en er ging een heftige rilling door me heen.

Ik opende mijn mobiele telefoon en toetste een nummer in, terwijl ik voortdurend bleef kijken naar wat zich voor mij afspeelde.

'Ashleigh?'

'Mevrouw Landry? Hebt u haar gevonden?'

'Nee, maar…'

'Wat kan er toch met haar gebeurd zijn?' zei ze op een jammertoon. 'Wat hebt u…'

'Dat is nu juist wat ik probeer te achterhalen,' zei ik.

'Hebt u Laura gesproken?'

'Ja. Luister, ik wou je wat vragen.'

'O? Wat dan? O, en mijn moeder zegt dat u het moet zeggen als zij iets kan doen om te helpen. Ze zegt dat ze ervan overtuigd is dat het uiteindelijk…'

'Een paar weken geleden zijn Charlie en jij naar een feestje geweest.'

'Eh… ja, dat zou kunnen. Maar we gaan zo vaak naar feestjes of…'

'Dit was eind november. Jay was weg voor zijn uitwisselingsprogramma, en jullie tweeën zijn er samen heen gegaan. Weet je het nog?'

'Ik geloof het wel. Alleen de datum zou ik niet meer weten.'

'Wie gaf dat feestje?'

'Rosie. Rosie en haar oudere broer Graham.'

'Waar wonen zij?'

'Twee huizen van het café aan Sheldrake Road.'

'Heb jij die avond veel met Charlie opgetrokken?'

'Eh… af en aan.'

'Met wie was ze toen?'

Er viel een schaduw over me heen. Jay was naast me komen staan en luisterde mee. Ik wendde me half van hem af, maar bleef me steeds bewust van zijn aanwezigheid.

'Met wie?'

'Ja.'

'Een jongen, bedoelt u?'

'Ja. Vertel het me maar.'

'Ik ben niet de hele avond bij haar geweest.'

'Je was daar zelf met iemand?' Ik hoorde zelf hoe ik het zei: koel, scherp, bazig, harteloos.

'Nou, dit vind ik eigenlijk… nee, dat was ik niet.'

'Ashleigh, het maakt me echt niets uit, ik zweer het je, het kan me geen bal schelen. Ik wil alleen, nee, ik móét weten met wie Charlie eventueel die avond daar was.'

'Ik geloof dat ze met iemand was, ja,' mompelde ze. 'Of dat ze misschíén met iemand was. Maar ik weet niet wie. Charlie heeft mij er niets over gezegd. Ik zou het u vertellen als ik het wist, eerlijk waar. U moet me geloven. Maar weet u, ik was niet de hele tijd bij haar. Ik was een beetje… hoe moet ik het zeggen… ik had wat gedronken, en het was zo vreselijk druk en donker, en er waren van die flitslichten en er werd harde muziek gedraaid. Het was een wirwar van dansende, lachende en roepende mensen. Nou ja, kortom, het liep een beetje uit de hand. Het was een beetje eng. Rosie was in tranen en zei steeds maar dat haar vader een toeval zou krijgen als hij alle rommel zag. Op een gegeven moment zag ik Charlie niet meer. Ik weet niet waar ze naartoe is gegaan, maar naderhand was ze helemaal van streek. Echt van streek, met huilbuien en zo. Ze huilt nooit. Als er gehuild wordt, ben ik het altijd, en dan troost zij mij. Maar toen moest ze haar gezicht onder de kraan houden en ervoor zorgen dat ze kalmeerde voordat u zou komen om ons op te halen.'

'Wat zei ze tegen je?'

Inspecteur Hammill was weer aan dek gekomen. Even bleef hij onbeweeglijk staan, met zijn hoofd achterover alsof hij de zilte lucht goed wilde inademen.

'Ze zei alleen maar dat ze nu alles verpest had.'

'En je hebt er geen idee van met wie ze was?'

'Dat zei ik al, ik weet het niet. Ik heb eerst nog tegen haar gezeurd dat ze het me moest vertellen, maar ze werd helemaal stil en chagrijnig. Ik dacht bij mezelf dat als ze het wilde, ze het me later wel zou vertellen, als het háár uitkwam.'

'En wie zou het wel kunnen weten?'

'Wat er gebeurd is?'

'Ja.'

'Graham misschien. Rosies broer. Hij zat er een paar dagen later nog om te gniffelen, en zei zoiets van dat haar smaak wat jongens betreft steeds vreemder werd, of misschien was het nog wel erger. Toen is Charlie tegen hem uitgevallen. Ze was echt woest op hem. Ik dacht dat ze hem zou gaan slaan.'

'Bedankt,' zei ik.

'Waar gaat het om?' vroeg Ashleigh. 'Waarom wilt u het weten?'

'Ze heeft niet gezegd dat ze zich over iets bepaalds druk maakte, of wel?'

'Ik geloof het niet.' Haar stem ging de hoogte in van paniek. 'Ik weet het niet. Ze is mijn beste vriendin. Ze heeft niks aan me. Ik zou moeten weten waar ze is, maar ik weet het niet.'

'Nee,' zei ik vermoeid. 'Zo moet je het niet zien.'

'Het zal toch wel goed met haar zijn, mevrouw Landry?'

'Ja,' zei ik. Mijn stem haperde even, dus zei ik het nog een keer, harder en beslister deze keer. 'Ja. En je helpt me echt goed.'

Ik keek naar inspecteur Hammill die op me af kwam lopen, maar het schemerde al zo dat ik zijn gelaatsuitdrukking niet kon zien. Ik begon naar hem toe te lopen, maar ineens leek mijn lichaam zwaar als een blok graniet. Elke wankele stap die ik deed kostte me enorm veel moeite. Ik wierp een blik op de boot en dacht aan het lijk dat erin lag, en toen keek ik weer naar Hammill, die bezig was de plastic overtrekken van zijn voeten te halen.

'En?' vroeg ik, toen hij opstond.

Hij negeerde me en sprak Jay aan.

'Jij bent Charlottes vriendje, hè?'

Jay knikte. Hij had rode vlekken in zijn gezicht en keek angstig. Hij had tranen in zijn ogen.

'Mahoney hier…' Hij knikte naar Mahoney, die inmiddels op ons af kwam lopen. '…zal met je naar het bureau gaan, waar hij je verklaring zal opnemen. Oké?'

Jay knikte alleen.

'Heb je je ouders gebeld?'

Hij schudde zijn hoofd.

'Doe dat nu meteen maar,' zei hij. 'Zeg maar dat ze naar het bureau moeten komen en dat jullie elkaar daar zullen zien. Dan zijn ze erbij als jij je verklaring aflegt.'

Toen draaide hij zich naar mij om.

'Komt u met mij mee,' zei hij, en hij liep naar zijn auto. Toen we daar aankwamen, kwam ook Andrea Beck bij ons staan. Ze boog zich voorover naar inspecteur Hammill en fluisterde hem iets in het oor. Ik hoorde de 'Brampton Ford' noemen en zag Hammill knikken. Ik herhaalde de naam voor mezelf zodat ik hem zou onthouden: Brampton Ford. Ik had de naam niet eerder gehoord.

'Wat?' zei ik. 'Wie is dat? Hoe heet het meisje?'

'We praten in de auto verder,' zei Beck. 'Het is koud. En u bent in shock.'

Was dat zo? Verkeerde ik in een shocktoestand? Ik dacht over mezelf na alsof ik iemand anders was, dacht na over mijn gedrag. Werd mijn vermogen om te doen wat ik kon om Charlie te vinden erdoor beïnvloed? Dat was het enige waar ik me druk om maakte.

'Ik mankeer niks,' zei ik, maar ze deed het achterportier al voor me open. Toen ik was ingestapt, deed ze het dicht. Hammill kwam naast me zitten, terwijl Andrea Beck achter het stuur plaatsnam.

'Hebt u al iets ontdekt?' vroeg ik meteen. 'Wie is het? Weet u dat? En weet u al hoe ze aan haar einde gekomen is?'

Er viel een stilte.

'Wat deed u hier in godsnaam?' vroeg Hammill, en nu klonk er voor het eerst iets hards in zijn stem.

'Hoe bedoelt u?' vroeg ik. 'Er ligt daar een lijk van een meisje. Wat doet het ertoe waarom ik hier was?'

Weer viel een stilte. Toen Hammill doorging, was dat met de zorgvuldigheid van iemand die alle moeite doet om rustig te blijven.

'Mevrouw Landry. Uw dochter is vermist. Wij zijn druk bezig met haar opsporing. Nu is er een meisje gevonden dat ongeveer even oud is als uw dochter. En degene die haar heeft gevonden, bent u. Dat vind ik vreemd.'

'Maar wie is ze?' vroeg ik nogmaals. 'Weet u wie ze is? Komt ze hier uit de buurt?'

'Dit begint er ernstig uit te zien voor u,' zei Hammill.

'Ernstig,' echode Andrea Beck voorin. 'Heel ernstig.'

'Het was de hele tijd al ernstig,' zei ik.

'We hebben nog een lijk, en...'

'Hoe bedoelt u, nóg een lijk?' zei ik. 'Hebt u de hoop opgegeven mijn dochter levend terug te vinden? Ze is nog maar pas vermist.'

'Dat bedoelde ik niet.'

'Maar u hebt het idee dat u op zoek bent naar een lijk?'

'Het was gewoon een verspreking. Wat ik bedoel, is dat het feit dat we een ander meisje hebben gevonden misschien verband houdt met de vermissing van uw dochter.'

'Denkt u dat daar nog twijfel over zou kunnen bestaan?'

'Hou op,' zei Hammill kortaf. 'Ik begin me af te vragen of u me wel alles hebt verteld wat u weet. Want mocht dat niet het geval zijn, dan moet ik u waarschuwen dat er een situatie ontstaat die wij heel ernstig zouden noemen.'

'Natuurlijk heb ik dat,' zei ik. 'We hebben het tenslotte wel over míjn dochter, en over dit arme meisje, dat ook iemands dochter is. Ik was steeds degene die de politie probeerde aan te sporen iets te ondernemen toen niemand het echt belangrijk vond.'

'Wij voeren hier het onderzoek uit. U zou thuis moeten zitten, zodat wij ons werk kunnen doen.'

'Ik ben degene die het lijk heeft gevonden en doet wat u zou hebben moeten doen. Hoe durft u mij ervan te beschuldigen dat ik dingen achterhoud?'

'Maar dat is juist wat ik zeggen wil,' zei Hammill. 'Hoe kwam het dat u het lijk vond? Wat deed u hier?'

Ik vertelde dat ik contact had gezocht met Jay en waar we over hadden gepraat en waarom we hierheen waren gekomen.

'Ik geloof dat het een plek is waar jonge mensen elkaar ontmoeten,' zei ik. 'Dit is maar een klein eiland, en als je niet naar het vasteland wilt, zijn er niet zoveel plekken waar je naartoe kunt. Zodra ik de boten zag, dacht ik dat dit nou precies het soort plek is waar je kunt onderduiken. Of waar je een lijk kunt verbergen, zoals nu blijkt.'

Andrea Beck mompelde binnensmonds iets wat ik niet helemaal verstond.

'Dit is toch niet te geloven!' zei Hammill. 'Ik ken collega's van me die u zouden opsluiten voor wat u doet.'

'Voor wat ik doe?' zei ik. Ook ik moest moeite doen om mijn emoties in bedwang te houden. 'Hebt u het nu pas in de gaten?

Ik ben een wanhopige moeder die op zoek is naar haar dochter.'

'Hebt u er niet bij stilgestaan dat u het feitelijk moeilijker voor haar maakt? U praat met getuigen die hun verhaal aan ons zouden moeten vertellen. U loopt maar rond op een plaats delict. Dat lijk daarbinnen zou wel eens de beste aanwijzingen kunnen opleveren voor onze zoektocht naar uw dochter, en u banjert daar maar rond en verstoort de hele boel.'

'Ik verstoor de boel?' zei ik ongelovig. 'Het is alleen maar dankzij mij dat u überhaupt op een misdaad bent gestuit. Ik heb het gevoel dat we hier onze tijd verspillen. Mijn hoofd tolt, en ik weet niet precies wat er gebeurt, maar één ding is me duidelijk. Tot een halfuur geleden wist ik wel dat mijn dochter was verdwenen, maar hoopte ik tegen alle aanwijzingen in dat ze misschien gewoon was weggelopen uit een soort puberale rebellie, maar nu weten we dat er op het eiland een meisje is vermoord, en alles voelt nu... o god, u snapt niet wat voor een gevoel het geeft om hier in een warme auto te zitten, een auto die niet eens rijdt, om maar naar de opkomende vloed te kijken en een gesprek als dit te voeren, terwijl Charlie daar ergens misschien in gevaar verkeert en erop wacht gered te worden.' Ik wees naar het grote horloge om Andrea Becks pols. 'Kijk,' zei ik. 'Het is bijna tien voor halfvijf, en het is al bijna helemaal donker. Het is ijskoud. Charlie is al uren zoek. Al uren! Elke minuut telt nu, elke seconde. En er ligt hier een dood meisje. We moeten ons haasten. We moeten haar nu zien te vinden. Snapt u het niet? Alstublieft!'

Ik zweeg ineens en wachtte op een reactie.

Inspecteur Hammill streek met zijn hand door zijn keurige grijze baard en keek uit het raampje. Hij kneep zijn ogen half dicht alsof er in de duisternis iets te zien was.

'Ik weet niet precies wat hier aan de hand is, mevrouw Landry.'

'We proberen de verschillende informatiestromen die we hebben samen te voegen,' zei Andrea Beck, die zich half omdraaide in haar stoel en mij door haar dikke pony aankeek. Ze sprak heel gewichtig, maar het klonk alsof ze een lesje uit een leerboek opzei. 'We proberen de grenzen van het onderzoek in kaart te brengen, maar die grenzen veranderen steeds. Snapt u?' Ze keek me onderzoekend aan en draaide zich toen weer om.

'Informatiestromen samenvoegen, godbetert!' zei ik woedend, maar ik had er meteen spijt van. Ik had hen harder nodig dan ik ooit in mijn leven iemand nodig had gehad, en dit was niet het juiste moment om punten te scoren door hen belachelijk te maken. 'Neem me niet kwalijk, het spijt me, het spijt me echt. Ik weet me gewoon geen raad met mezelf. Ik wil alleen maar helpen.'

'Ik zal open kaart met u spelen, mevrouw Landry,' zei inspecteur Hammill. 'Want ik geloof dat u dat van ons wilt. In dit soort gevallen, als er een meisje vermist is, praten we met haar vrienden en vriendinnen, we gaan op zoek naar geheimzinnige bestelauto's die misschien voorbij zijn gekomen en we kijken of er in de buurt mensen wonen die ooit veroordeeld zijn voor seksueel misbruik. Maar wat we vooral doen, en daarbij baseren we ons op de statistische waarschijnlijkheid, is met vriendjes praten, en wat misschien nog wel belangrijker is, met de leden van het gezin waar ze deel van uitmaakt.'

'Dat weet ik,' zei ik. 'Daarom praat u ook met Rory.'

'Hij zit nu op het bureau,' zei Hammill. 'Hij legt op dit moment een verklaring af.'

'Ik hoop alleen dat dat u er niet van weerhoudt ook op andere plekken te zoeken,' zei ik.

'We willen ook van u een volledige verklaring,' zei hij.

'Ik heb de indruk dat u de gang van zaken wilt vertragen,' zei ik. 'Terwijl het juist nodig is om de zaken te bespoedigen.'

'U kunt daarbij helpen door mee te gaan naar het bureau en een verklaring af te leggen.'

'Ik heb al een verklaring afgelegd. Twee zelfs. Ik heb niets meer te zeggen. Ik heb alles al gezegd. Ik heb alles verteld wat ik weet. Ik heb daar niets aan toe te voegen. Mijn dochter is in gevaar, we moeten haar vinden. Als u mij om nog een verklaring vraagt, gebeurt er niets anders dan dat er tijd verstrijkt, en dat is dom. Het is gevaarlijk. Het is verkeerd. Ik kan dat niet goedvinden. U moet Charlie zoeken. U moet gewoon…'

'Laten we gaan, Andrea,' zei Hammill. De jonge vrouw draaide het contactsleuteltje om, en de auto kwam grommend in beweging.

'Dit is krankzinnig,' zei ik. Ik haalde mijn mobiele telefoon uit mijn zak en toetste een nummer in.

'Hallo,' zei ik toen Rick opnam. 'Met mij, Nina.'

'Nog nieuws? Jackson en ik waren net…'

'Nee,' zei ik kortaf. 'Luister, ik kan Jackson nu niet komen ophalen. Ik moet weer naar het politiebureau.'

'Waarvoor?'

Ik wilde zeggen dat er een lijk was gevonden, maar realiseerde me toen dat die mededeling een nadere verklaring zou vergen, zodat ik mijn verhaal nog een keer zou moeten vertellen.

'Weer voor een verklaring,' zei ik. 'Ik zal het zo snel mogelijk doen, maar het zal nog wel even duren voordat ik Jackson kom ophalen.'

'Maar…'

'Ik ben je er echt dankbaar voor,' zei ik. 'Mag ik Jackson even?'

'Mammie?' Hij sprak met een verwachtingsvol stemmetje. 'Heb je Charlie al gevonden?'

Ik moest iets wegslikken en omklemde de telefoon. 'Nog niet, lieverd. Maar dat duurt niet lang meer. Papa of ikzelf zal je gauw komen ophalen bij Rick, oké?'

'Mijn Game Boy ligt in papa's auto. Ik heb hem erin laten liggen toen we…'

Ik onderbrak zijn klaagzang. 'We zullen hem meenemen.'

'Ik wil hem nu.'

'Jackson.'

'Ik wil mijn Game Boy nu hebben. Ik verveel me hier en ik wil mijn Game Boy…'

'Dat kan op het moment niet, Jackson. Je zult even geduld moeten hebben.'

'Het is allemaal háár schuld.'

'Wat bedoel je?'

'Het is allemaal de schuld van Charlie. Ze verpest het altijd voor me. Jij geeft alleen maar om haar. Papa en jij zijn altijd bezorgd over haar, alleen omdat zij de oudste is. En nu kunnen we niet op vakantie omdat ze is weggelopen. Ze wil alleen maar aandacht. Je denkt helemaal niet aan mij, hè?'

'Lieverd…'

'Ik wil mijn Game Boy.'

'Ik pak je Game Boy wel,' zei ik. 'Ik kom je gauw halen.'

'Beloof je het?'

'Ik beloof het.'

'Kinderen…' zei Andrea Beck terwijl we voor het politiebureau stopten.

Ik wierp een boze blik op haar achterhoofd en had een sterke neiging haar een klap in haar nek te geven. Ik balde mijn vuisten in mijn schoot en probeerde te bedenken wat ik moest doen zodra ik hier weg kon. Ik zou eerst Rosies broer opsporen en uitzoeken met wie Charlie op het feestje was geweest. Ik fronste mijn voorhoofd, dwong mezelf me te concentreren, bande alle angst uit en wiste het beeld van het dode meisje. Alles op zijn tijd, zei ik tegen mezelf. Buiten werd het steeds donkerder, de schemering zette door. Er viel een sneeuwvlok op mijn wang, en de wind zong in de elektriciteitskabels boven ons.

Achter ons kwam ook Mahoneys auto tot stilstand. Jay stapte uit. Het leek net alsof hij het afgelopen uur magerder en jonger was geworden.

'Deze kant op,' zei Andrea Beck. 'Mevrouw Landry? U zult hier even moeten wachten totdat we klaar zijn voor u.'

'Wachten? Moet ik hier wachten?'

'Een paar minuten maar. Hebt u iets te lezen bij u?'

'Bent u gek geworden?'

'Ik weet dat u bezorgd bent, maar dat betekent toch niet dat u…'

'Ik ga niet wachten. Ik moet Charlie zien te vinden.'

'Het duurt niet lang.'

'Charlie heeft me nodig.'

'Mevrouw Landry.' Knipoog. 'Wat Charlie op het moment nodig heeft is…'

Net op dat moment kwam Rory een zijkamertje uit, begeleid door een geüniformeerde politieman. Jay mocht jonger ogen, Rory was een stuk ouder geworden. Hij zag er vaal uit en doorgroefd van vermoeidheid. Zijn vettige haar stond in pieken rechtovereind. Hij bewoog zich schuifelend voort en sleepte zijn colbertje achter zich aan.

'Deze kant op, meneer,' zei de politieman, en hij wees naar de toiletten.

'Wat is er aan de hand?'

'Ze proberen me een schuldgevoel aan te praten, alleen omdat ik haar vader ben. In wat voor wereld leven we eigenlijk?' zei hij. 'Jij gelooft me toch wel, hè Nina?'

Ik keek naar zijn boze gezicht. Ik dacht aan de enge e-mails die hij Charlie had gestuurd. Ik wist niet wat ik moest zeggen.

'Meneer,' zei de politieman, die de deur van de wc openhield.

'Nina…?'

'Ik moet iets uit je auto halen,' zei ik vriendelijk. 'Jacksons Game Boy. Die heeft hij erin laten liggen.'

'Heb je eigenlijk wel gehoord wat ik zei?'

'Geef je sleutel even,' zei ik.

'Onze dochter is vermist, ik word als een misdadiger behandeld, en jij zeurt over Jacksons Game Boy?'

'Deze kant op, mevrouw Landry,' zei Andrea Beck.

'Ik kom zo,' zei ik. 'Gaat u maar vast vooruit, ik ben over een minuutje bij u.' Ze zuchtte en liep de kleine wachtkamer in. Ik zag twee stoelen staan en een laag tafeltje met een grote doos tissues erop. Kennelijk werd er hier op het bureau veel gehuild. 'Geef me even je sleuteltje,' zei ik, terwijl ik mijn hand ophield voor Rory. 'Je staat toch voor de deur geparkeerd, hè?'

'Ik pak hem straks wel.'

'Maar…'

'Ik pak hem godverdomme straks wel!' schreeuwde hij. Hij liep ineens rood aan van woede.

Hij gooide zijn colbertje op de grond en schuifelde de toiletruimte in. Ik raapte het jasje op, haalde de autosleuteltjes eruit en liep daarmee naar de uitgang. Het gonsde er van de activiteiten, je hoorde radio's kraken en telefoons rinkelen, maar niemand lette op mij. Als ik dan per se moest wachten, kon ik tenminste de tijd benutten om mijn belofte aan Jackson na te komen.

Ik had Rory's auto al zien staan toen ik aankwam, hij stond een paar meter verderop geparkeerd, met één wiel op het trottoir. Ik opende het portier aan de bestuurderskant en bekeek het vertrouwd aandoende rommelige interieur: zakjes chips, cassettebandjes met gebarsten doosjes, snoeppapiertjes, gescheurde landkaarten, een klokhuis, sinaasappelschillen, een omgevallen beker met een koffievlek eromheen, een plastic tasje dat bij inspectie een vieze trainingsbroek bleek te bevatten. Geen Game Boy. Ik keek onder de stoelen.

'Mevrouw Landry?' Ik keek op.

Andrea Beck was me gevolgd toen ik het politiebureau verliet. Ik besteedde geen aandacht aan haar, wurmde me uit de auto en deed de achterklep open. Daar lagen de gebruikelijke spullen – een reserveband, een losse kaplaars, een rol touw, een paar moersleutels, een jutezak. En in een hoek iets kleurigs. Ik stak mijn hand ernaar uit om te kijken wat het was. Even dacht ik dat ik moest overgeven. Ik kreeg het koortsachtig warm, en toen brak het koude zweet me uit. Ik sloeg dubbel, zag de grond draaierig op me af komen. Toen begon de wereld er langzaam weer normaal uit te zien en stond ik weer rechtop naast Rory's auto, met Charlies sjaal in mijn hand.

De sjaal was lichtblauw, roze en paars met lovertjes erop gestikt. We hadden hem zien liggen toen we anderhalf jaar geleden op vakantie waren in Italië. Ze was er meteen dol op geweest, en ik had hem zonder dat ze het wist voor haar gekocht en maanden daarna, met Kerstmis, aan haar cadeau gedaan. Ze droeg hem altijd, om haar hals, om haar haar of om haar hoofd. Ze had hem omgehad toen ze gisteravond de deur uit ging, toen ze nog achterom kijkend naar me had geglimlacht. De laatste keer dat ik haar had gezien. En nu vond ik hem hier, in de kofferbak van Rory's auto.

Ik raapte de jutezak op, en daaronder lag Charlies leren schoudertas. Met trillende vingers pakte ik hem op.

'Mevrouw Landry,' zei Andrea Beck boos. 'Wilt u met me meegaan, alstublieft. Inspecteur Hammill vraagt naar u, en hij is…'

Ik draaide me snel om, en met de sjaal en de tas in mijn handen zette ik het op een lopen. Ik geloof dat ik nog iets riep, maar dat weet ik niet zeker. Ik zag verbaasde gezichten en open monden terwijl ik de trap op rende, het bureau in en langs de balie. Ik raasde de gang door en gooide de deur van het spreekkamertje open. Rory zat aan één kant van het bureau, inspecteur Hammill aan de andere kant. Alsof het in slowmotion gebeurde zag ik de kop koffie uit Rory's hand schieten, waarna de koffie in een grote kring om zijn stoel heen over de vloer spatte. Ik zag hoe hij geschrokken opkeek en hoe zijn gelaatsuitdrukking veranderde toen ik de sjaal omhoog stak. Ik zag hem half overeind komen, en hij opende zijn mond al om iets te zeggen. Maar ik had maar twee passen nodig om de afstand tussen ons te overbruggen, ik hief mijn vuisten op en gaf hem zulke harde stompen dat hij met een klap weer op zijn stoel terechtkwam, waarna de tas nog eens tegen zijn borst stootte. Ik boog me naar hem over en schreeuwde zo hard dat mijn keel er pijn van deed: 'Waar is ze?'

Ik voelde dat ik achteruitgetrokken werd alsof ik een vechtersbaas in een café was. Ik probeerde me los te wurmen, maar ik kon niet op tegen degenen die me vasthielden. Ze hielden me stevig beet en drukten me neer op een stoel. Ik hijgde. Alles om me heen leek in een rood waas gehuld. Ik herkende de mensen niet, ik begreep niet wat er gezegd werd. Langzamerhand drong het tot me door dat iemand me bij mijn naam noemde, en toen dacht ik aan Charlie en dwong ik mezelf te kalmeren.

'Het is al goed,' dwong ik mezelf te zeggen. 'Laat me maar los.'

'Wat is er met u aan de hand?'

Ik keek om me heen wie er had gesproken. Het was inspecteur Hammill, en hij keek verbluft en boos tegelijk.

'Dit,' zei ik, en ik wees naar de sjaal en de tas op het tafeltje. 'Ik ging de Game Boy van mijn zoon uit zijn auto halen. En dit vond ik in de kofferbak. Charlies sjaal en haar tas. Die had ze bij zich toen ze gisteravond uit logeren ging. Rory heeft het gedaan.'

Hammill en Andrea Beck keken allebei om naar Rory. Zijn huidskleur was niet wit meer, maar een afschuwelijk soort blauw, een lijkkleur.

'Meneer Oates,' zei Hammill op kalme toon. 'Zijn deze sjaal en deze tas van uw dochter?'

Rory keek mij aan. Hij bevochtigde zijn lippen met zijn tong.

'Het spijt me, Nina,' zei hij.

'Schoft die je bent,' zei ik.

Hij keek inspecteur Hammill weer aan.

'Ja,' zei hij. 'Die zijn van Charlie.'

'En hebt u die sinds vandaag in uw bezit?'

'Ja.'

'Waar is ze?'

'Het spijt me,' zei hij. 'Het spijt me vreselijk. Ik weet het niet.'

Hij boog zich voorover op het bureau en begon te huilen; een snotterend gehuil was het, dat de stilte in de kamer verstoorde.

Ik voelde een steek in mijn borst die zich door mijn hele lichaam verspreidde. Als ik een zwaar voorwerp binnen handbereik had gehad, zou ik dat hebben vastgepakt en Rory's snikkende gezicht ermee hebben bewerkt, de man van wie ik eens had gehouden, de man met wie ik getrouwd was geweest.

'Meneer Oates,' zei Hammill. 'Ik wil u nog één kans geven. Maar ik vraag me af of u wel weet hoe ernstig de situatie is.'

'Dat weet ik heus wel,' zei hij treurig, terwijl hij zijn hoofd van het bureau haalde. 'Mijn god, dat weet ik heus wel.'

'Ik bedoel niet wat uw dochter betreft,' zei Hammill. 'Dat spreekt voor zich. Ik bedoel voor uzelf. Maar voordat we verder gaan, wil ik van u weten of u kunt bevestigen dat u uw dochter vandaag hebt gezien?'

'Ja.'

'Is ze bij u in uw auto geweest?'

'Ja.'

'Wat voor…!' begon ik, maar Hammill snoerde me snel de mond.

'Blijft u hier buiten, mevrouw Landry,' zei hij. 'Probeert u zich te beheersen.' Hij pakte een stoel en schoof die dichter naar de tafel waaraan Rory zat. 'De tijd is kostbaar, meneer Oates. Hebt u enig idee waar uw dochter nu kan zijn?'

'Nee.'

'Waar hebt u haar gesproken? En wanneer?'

Rory keek me nog een keer van opzij aan. Mijn gezicht was als een masker, voelde ik.

'Nina gaat met onze kinderen op vakantie,' zei hij. 'Ik was vanmorgen in de buurt. Ik ben hiernaartoe gereden omdat ik ze nog even wilde zien en afscheid van ze wilde nemen.'

'Je bedoelt,' zei ik met zachte, bijna afgeknepen stem, 'dat je op het eiland was toen we elkaar vanmorgen aan de telefoon hadden?'

Rory ging door alsof ik niets had gezegd.

'Toen ik het dorp in reed, kwam ik Charlie tegen. Ze was haar krantenwijk aan het doen. Ze is in de auto komen zitten en we hebben een paar minuten met elkaar gepraat. Ze was uit logeren geweest en ze heeft een paar dingen bij mij achtergelaten zodat ze die niet steeds mee hoefde te slepen. Het leek mij eerlijk gezegd ook niet erg veilig om naast haar tas met kranten ook haar eigen schoudertas te moeten dragen. En ze zag er een beetje verfomfaaid uit, ze was niet helemaal zichzelf. Ik was van plan haar spullen later thuis te brengen.'

'Hoe laat was dat?' vroeg inspecteur Hammill.

'Dat weet ik niet precies. Kwart voor tien ongeveer. Zoiets. Ik

weet het niet precies. Het duurde ook maar kort,' voegde hij eraan toe.

'En waar was het? Waar precies?'

'Op Lost Road. Het moet tamelijk aan het begin van haar
krantenwijk zijn geweest. Haar tas was nog behoorlijk vol.'

'Hoe was haar stemming?'

'Ze was verbaasd me te zien. Maar we hadden een redelijk
normaal gesprek. Ze had het nog over de vakantie.'

'Wat zei ze daarover?'

Rory zweeg even.

'Dat ze er veel zin in had.'

'Heeft ze nog iets anders gezegd?' vroeg Hammill. 'Heeft ze
nog gezegd wat ze verder van plan was?'

'Nee. Ze zei dat ze verder moest met haar krantenwijk.'

'Meneer Oates,' zei Hammill, nu met een scherpe ondertoon
in zijn stem. 'Wat had u in godsnaam voor reden om ons dat niet
eerder te vertellen?'

Ik zag dat Rory de spieren van zijn onderkaak aanspande. Op
zijn gezicht had hij die slome, uitgestreken uitdrukking die ik
me herinnerde van de ergste tijd voordat hij wegging.

'Het leek me niet ter zake doen,' zei hij. 'Ik had geen nieuwe
informatie. Toen ik Charlie tegenkwam, was ze nog niet vermist. En daarna zijn er ook nog mensen geweest die haar gezien
hebben.'

'Ben je gek geworden?' zei ik verbijsterd. 'Je hebt het over onze dochter, besef je dat wel! Ben je verdomme helemaal doorge-
draaid? Of ben je dronken? Is dat het?'

Rory keek mij aan en keek toen weer naar Hammill, alsof hij
zich ergerde.

'Nee,' zei hij vlak. 'Ik ben niet dronken.'

Ik keek Hammill aan.

'Die onzin gelooft u toch niet, hè?'

Hammill trok een diepe frons. Zijn hele gezicht leek ineens
doorgroefd. 'Meneer Oates, ik ben geneigd uw ex-vrouw gelijk
te geven. Ik begrijp niet waarom u ons niet hebt verteld dat u uw
dochter had gesproken.'

'Het zou geen verschil hebben gemaakt,' zei Rory bijna mompelend.

'Ja, het zou wel verschil hebben gemaakt,' zei Andrea Beck. 'Een getuige heeft ons verteld dat ze Charlie met een man heeft zien praten toen ze haar krantenwijk aan het doen was. Wij hebben naar deze man gezocht, en nu blijkt dat u het geweest bent.'

'U hebt heel wat uit te leggen,' zei Hammill.

Rory sloeg met een resoluut gebaar zijn armen over elkaar, alsof de mening van anderen hem niets kon schelen.

'Ik weet niet of het hiervoor de juiste tijd en de juiste plaats is, maar Nina heeft waarschijnlijk het een en ander over mij verteld. Dingen die ze in elk geval vandaag over de telefoon tegen mij heeft gezegd. Zij verdenkt mij ervan dat ik iets te maken zou hebben met het feit dat Charlotte is weggelopen. Dat is wat ze van mij denkt.'

'Nou, én?' vroeg Hammill botweg.

'Ik heb de laatste tijd wat problemen gehad,' zei Rory. 'Op zakelijk gebied voornamelijk. En mijn ex-vrouw maakt daar gebruik van om een wig te drijven tussen mij en mijn kinderen.'

'Rory,' zei ik, 'ik kan bijna niet geloven dat wij hier deze dingen zeggen terwijl Charlie daar ergens buiten is, misschien dood, misschien nog in leven. Ja, je hebt gelijk, je hebt grote problemen gehad. Je bent geestelijk ingestort, je hebt een ernstig drankprobleem en je hebt je tegenover de kinderen gedragen op een manier waardoor ik eraan twijfelde of ze bij jou wel in goede handen waren. Misschien kunnen we deze discussie op een later tijdstip verder voeren?'

'Ik probeerde uit te leggen waarom ik u en de andere politiemensen niet heb verteld dat ik Charlie had gesproken.' Hij keek Hammill smekend aan. 'Nina heeft me gedreigd met een soort eilandverbod. Dan zou ik Charlie en Jackson helemaal niet meer kunnen zien. Toen ik vanmorgen hiernaartoe kwam om hen te zien, verbrak ik onze afspraak. Ik had mezelf niet in de hand. Ik moest mijn kinderen zien voordat ze weggingen. Ik zou ze met Kerstmis niet zien. Maar ik was bang dat als Nina erachter zou komen, ze een rechtszaak tegen me zou beginnen. Het spijt me, ik ben gewoon in paniek geraakt.'

'Allemaal onzin,' zei ik woedend. 'Dringt het wel tot die botte, egocentrische hersenen van je door dat Charlie iets verschrikkelijks is overkomen? Denk je soms dat wij nu, nu dit allemaal gebeurt, nog zullen geloven dat jij alleen maar bang was voor onenigheid over een bezoekregeling?'

'Het spijt me,' zei hij. 'Ik dacht dat het geen kwaad kon.'

Ik had het gevoel alsof alles donker werd om me heen.

'Geen kwaad kon?' zei ik. 'Dat zullen we misschien nooit te weten komen.'

'Hou nou eens op met al dat gedoe,' zei Hammill. 'We moeten uitgaan van wat we nu weten. We moeten roeien met de riemen die we hebben.'

'Bedoelt u dat u dit kletsverhaal voor zoete koek slikt?' zei ik woedend.

'U niet dan?' zei Hammill.

Ik boog me voorover op mijn stoel en legde mijn gezicht in mijn handen. Ik voelde me ineens zo ellendig dat ik geen zin meer had om nog wat te zeggen. Ik had niet eens meer zin om na te denken. Toen ik eindelijk wel wat zei, had ik het gevoel alsof ik een zwaar gewicht met me mee torste.

'Ik weet het niet,' zei ik. 'Rory heeft niets gezegd totdat bleek dat ik Charlies spullen in zijn auto had gevonden. Als ik die niet had gevonden, zou hij nog steeds niet hebben toegegeven dat hij haar had gesproken. Waarom zouden we hem nu dan wel geloven?'

'Wat wil je daarmee zeggen?' zei Rory, die ineens begon te schreeuwen en uit zijn stoel overeind kwam. 'Wat wil je daar godverdomme mee suggereren, Nina? Denk je dat ik een moordenaar ben? Een viezerik? Denk je dat?'

'Ik zei alleen maar dat...' Maar ik zweeg ineens en drukte mijn vingers tegen mijn slapen. 'Wacht eens eventjes,' zei ik. 'Hier klopt iets niet.'

'Nina, mevrouw Landry...'

'Nee, luister. Dit is belangrijk.' Ik stak mijn vinger uit naar Rory. 'Jij hebt mij om halfelf gesproken. Ik herinner me dat Karen tegen Eamonn zei dat het zo laat was, en dat was vlak voordat jij belde.'

'Wat wilt u daarmee zeggen?' zei inspecteur Hammill, en hij fronste aandachtig.

'Je zegt dat je haar om ongeveer kwart voor tien hebt gesproken, en toen heb je om halfelf opgebeld en gevraagd of je haar kon spreken.'

'Hoe zit dat, meneer Oates?' zei Hammill. Hij keek streng, nors.

'Ik was in de war,' mompelde Rory. 'Het voelde allemaal niet goed. Het leek wel alsof het haar niet echt kon schelen dat ik dat hele eind gereden had om haar te spreken. Ze was alleen maar opgewonden dat ze op vakantie zou gaan met Nina en haar nieuwe vriend. Daar raakte ik van in de war. Ik wilde haar langer spreken dan stiekem een paar minuten in de auto. Ik wilde normaal met haar omgaan, en ook met Jackson, zoals het hoort in een gezin.'

'Wat deed u tussen ongeveer tien uur en halfelf?' vroeg Andrea Beck. Ik was bijna vergeten dat zij bij ons in de kamer was.

'Ik heb in de auto een paar biertjes gedronken,' zei Rory. 'Ik ben de dam op gereden en wilde naar huis gaan, maar toen heb ik de auto op de parkeerplaats daar neergezet en heb ik een beetje langs het moeras gelopen en nog wat gedronken. Ik heb lopen nadenken. Hè? Kijk me niet zo aan. Het is waar. Ik weet waar u aan denkt, maar het is waar.'

'Waar is Charlie? Waar is ze?'

'Ik hou van haar!' riep hij uit. 'Ik hou van haar. Ze is mijn dochter, shit, godverdomme!'

'Ophouden, jullie allebei,' zei Hammill. 'Wat een chaos. Het is mijn eigen schuld, omdat ik jullie hier samen in de kamer heb gezet.'

'Waar hebt u het over?' Mijn stem haperde. 'Als ik Charlies spullen niet in Rory's auto had gevonden, zou u uw tijd hebben verspild, want dan zou Rory gewoon tegen u hebben kunnen liegen. Als hij de waarheid niet wil vertellen, zult u iets moeten ondernemen. Het duurt nu niet lang meer voordat het echt donker is.'

'Nee,' zei Hammill. 'Wacht. We moeten heel wat dingen op een rijtje zien te krijgen. Mij is bijvoorbeeld niet duidelijk wat bij het vinden van het lijk uw rol was, en die van die jongeman, de vriend van uw dochter. Het lijkt me dat we ook moeten inventariseren hoe de verhoudingen liggen tussen u en uw ex-man. En ik wil ook meer weten over de onenigheid die er tussen u en meneer Oates bestaat over de kinderen.'

'Nee,' zei ik. 'Dat zijn maar bijzaken. Ik heb u daar alles al over verteld wat u weten moet. Natuurlijk moet u ook Rory's hele verhaal horen. En u moet zien uit te zoeken of ze zwanger was of niet.' Ik zag hoe Rory zijn gezicht vertrok van schrik, maar dat kon me niet schelen. 'En van wie. Dat is belangrijk. Mij hoeft u niet meer te spreken. Wat u moet doen, is gewoon doorgaan met zoeken. Ik heb u alles verteld wat ik weet. Alles. Ik heb niets achtergehouden. U moet alleen Charlie gaan zoeken. Dat is belangrijk. Alstublieft.'

'Neemt u me niet kwalijk, mevrouw Landry,' zei Hammill, 'maar ik zou graag willen dat u het aan mij overliet om te bepalen wat belangrijk is. Op dit moment is het grootste gevaar dat we uitsluitend afgaan op één enkele aanwijzing, terwijl die irrelevant of misleidend kan zijn. Het is belangrijk om het hele plaatje duidelijk te krijgen. Wat ik voorstel, is dus om een zo volledig en gedetailleerd mogelijke verklaring van meneer Oates op te nemen.' Hij keek hem vorsend aan. 'En dan bedoel ik echt zo volledig mogelijk. Ik kan u wel zeggen dat u mogelijk in staat van beschuldiging zult worden gesteld, en dat betekent dat ik u voordat we aan het gesprek beginnen officieel moet waarschuwen. Het betekent dat we grond hebben om aan te nemen dat er een misdaad gepleegd is. Ik moet u daarom op bepaalde punten wijzen. Dat het gesprek op de band zal worden opgenomen, dat u niet onder arrest staat, dat u te allen tijde een einde aan het gesprek kunt maken en dat u te allen tijde juridische bijstand mag vragen. Hebt u dit begrepen?'

'Ja,' zei Rory.

'Wilt u zich laten bijstaan door een advocaat?'

Er viel een stilte. Zou Rory het in zijn hoofd halen de voortgang nog verder te vertragen door ergens een advocaat vandaan te laten halen? Ik kende hem. Ik zag aan zijn gezicht dat hij erover nadacht.

'Nee,' zei hij ten slotte. 'Ik wil gewoon helpen.'

Hammill keek mij aan.

'Ik wil dat u buiten wacht. Zodra we klaar zijn met meneer Oates zullen we uw verklaring opnemen.'

'Ik heb de hele dag al verklaringen afgelegd. Ik heb u al gezegd dat er niets meer te zeggen is.'

'Ik geloof juist dat we nog een heleboel van u willen horen,' zei hij. 'Alstublieft. Hoe sneller u besluit om mee te werken, des te effectiever kunnen wij aan de gang.'

Hij knikte naar Andrea Beck, die met mij de deur uit liep en vervolgens de gang door, langs een ruimte waar een agente aan het telefoneren was. We gingen een kamer in. Andrea Beck vroeg of ze koffie of thee voor me kon halen. Ik zei eerst automatisch nee, maar veranderde toen van gedachten. Ik moest iets in mijn maag hebben, zoals een auto brandstof nodig heeft. Ik probeerde te bedenken wat het sterkst was, wat een meer stimulerende werking had.

'Koffie, alstublieft.'

De koffie kwam uit een automaat in de hoek van de kamer, dus die kreeg ik onmiddellijk voorgezet. Ik goot er koffiemelk bij uit een plastic kuipje en scheurde toen twee suikerzakjes open en strooide die leeg in het kopje. Andrea Beck zei dat ze zo terug zou komen en ging de kamer uit. Ik zag dat een jonge geüniformeerde agent voor de deur van de kamer had postgevat en nam aan dat dat was om mij in de gaten te houden.

Ik nam een flinke slok koffie en brandde mijn mond. Ik was dankbaar voor de schrik die de pijn bij me teweegbracht. Daardoor kon ik makkelijker helder denken.

Ik moest bedenken wat ik kon doen, maar wel steeds in gedachten houden dat wat ik deed zinloos zou kunnen zijn, niet meer dan een dwaze actie. Ik wist niet goed wat ik van Rory moest denken, of hij volstrekt stompzinnig was of daadwerkelijk schuldig aan iets verschrikkelijks. Maar hij zat nu bij de politie, en ik kon niets meer doen. Ik moest aannemen dat Rory niets had gedaan en nagaan wat er voor andere mogelijkheden waren.

Ik dacht aan het dode meisje, zag haar stille gezicht en haar nietsziende ogen voor me. Ik herinnerde me dat Andrea Beck inspecteur Hammill iets in het oor had gefluisterd toen ze van de boot af kwam waar het dode meisje op lag. Brampton Ford. Wat was dat? Een persoonsnaam? Een plaatsnaam? Ik keek om me heen en zag dat er in de hoek op de grond een stompje potlood lag. Ik raapte het op en trok een tissue uit de doos. Voorzichtig, om de tissue niet te scheuren, maakte ik in grote, onhandige letters een lijstje.

Dood meisje. Wie is ze?
Brampton Ford?
Kende ze Charlie? Zo ja, hoe?
Zwanger? Van wie?
Rosie en Graham (via café Sheldrake Road)

Ik keek even naar wat ik had opgeschreven, probeerde tot een besluit te komen en mezelf te kalmeren en stak het papiertje toen in mijn zak. Ik sloeg het laatste restje koffie achterover, stond op en liep naar het raam. Ik probeerde het te openen, maar het zat vastgeklemd. Ik dacht aan de jonge agent voor de deur en aan Andrea Beck, die elk moment kon terugkomen. Ik stond op en deed de deur open.

'Kan ik iets voor u doen?'

'Waar is het toilet?'

'Die gang in, aan uw linkerhand.'

'Dank u.'

Ik ging de wc in, deed een plas, hield mijn gezicht even onder de koude kraan en droogde het af met papieren handdoekjes. Toen liep ik zo ontspannen en doelgericht als ik kon nog een keer langs de balie. Andrea Beck was nergens te zien. Ik knikte en glimlachte naar de dienstdoende agente die zat te telefoneren.

'Ben zo terug,' zei ik stemloos en gaf een betekenisloos tikje op mijn pols, daar waar mijn horloge zou horen te zitten. Ze keek me even aan, maar schonk verder geen aandacht aan me. Ik liep de straat op, waar het koud en al bijna donker was, en ik struikelde bijna over een kat, die zonder geluid te maken voor mijn voeten wegschoot. Ik begon pas te rennen toen ik al bij de hoek was en vanuit het politiebureau niet meer te zien was. Ik haalde diep adem en rende zo snel als ik kon langs de school, voorbij de kerk, Lady Somerset Road in, waar ik linksaf sloeg en toen meteen rechtsaf, Sheldrake Road in.

Ashleigh had gezegd dat Rosie en Graham twee huizen van het café woonden, aan het andere einde van Sheldrake Road. Ik had steken in mijn zij en mijn benen waren loodzwaar toen ik bij de Barrow Arms aankwam, waar voor de ingang een enorm opgeblazen rendier stond, en in het grote erkerraam een opzichtig versierde kerstboom. De lichten binnen waren allemaal al aan, en door de gesloten deuren hoorde ik gelach.

Twee panden verderop stond een roze geverfd en met grindsteen bepleisterd huis, dat er kaal en eenzaam bijstond, alsof het eigenlijk ergens anders thuishoorde en hier achteloos was neergezet, zonder dat er verder aandacht aan was besteed. De gordijnen waren dicht en zowel boven als beneden brandde licht. Dat was op zich een goed teken.

Ik belde aan en wachtte hijgend totdat er iemand open zou doen.

'Hallo?'

In de deuropening verscheen de dikste man die ik ooit had gezien, en het leek alsof hij zin had zich met geweld door de deuropening naar buiten te worstelen. Hij had droevige bruine ogen, net als Sludge als ze een standje kreeg. Ik probeerde naar hem te glimlachen.

'Neem me niet kwalijk dat ik u stoor,' zei ik. 'Zou ik Graham of Rosie kunnen spreken?'

'Rosie is er niet. Graham wel. Wie kan ik zeggen?' vroeg hij beleefd.

'Hij kent me niet. Mijn naam is Nina Landry. Zegt u maar dat ik de moeder van Charlie ben, van Charlie Oates, en dat ik zijn hulp nodig heb. Het is dringend.'

Langzaam draaide hij zijn zware lijf om. Ik keek naar het patroontje op het vloerkleed en zag dat hij geen schoenen droeg, alleen sokken, en dat hij kleine voeten had. 'Echt dringend,' voegde ik eraan toe.

'Graham,' riep hij naar boven. 'Graham, hier is een dame voor je. Het is dringend, zegt ze.' Hij keek me over zijn schouder aan en vroeg me om binnen te komen, en ik liep door de gang achter hem aan en vervolgens de warme huiskamer in, waar in de hoek een straalkacheltje stond te gloeien. Op alle vensterbanken en planken aan de muur stonden legers kleine, kleurige soldaatjes en vreemde wezens.

'Graham en ik hebben ze samen beschilderd,' zei hij, mijn blik volgend. Ik had het angstige vermoeden dat hij een gesprek met me wilde beginnen. 'Nadat zijn moeder was overleden. Om hem een beetje afleiding te bezorgen. We hebben hier drie verschillende legers staan. Meer dan tweeduizend man.'

'Ongelooflijk,' zei ik. 'Komt Graham naar beneden?'

'Hij speelt er nu natuurlijk niet meer mee. Hij zegt ook bijna niets meer tegen me. Zo zijn ze als ze groter worden, hè? Maar hij komt eraan, hoor. Wilt u niet gaan zitten? Zal ik uw jas aannemen? Wilt u een kopje thee?'

'Nee hoor, geen thee, dank u. En ik hou mijn jas aan, ik ben zo klaar. Ik moet alleen uw zoon even spreken.'

'Heeft hij wat uitgehaald?'

'Nee. Ik moet alleen wat te weten zien te komen.'

'Hallo, u wilde mij spreken?'

Ik keek naar de jongeman. Hij was lang en mager en hij had de bruine ogen van zijn vader, die er ooit ook zo ongeveer uit moest hebben gezien, voordat hij droevig en dik was geworden.

'Ik ben Nina Landry, de moeder van Charlie Oates.'

'Ja, en?'

'Ze is hier op een feestje geweest.'

'Ja, één keer.' Hij wierp een geamuseerde, enigszins minachtende blik op zijn vader. 'Jij was er toen niet.'

'Een feestje?' zei zijn vader. 'Hier?'

Graham maakte een wegwerpgebaar.

'Dat had je me moeten vertellen,' zei zijn vader.

'We hebben toch opgeruimd, of niet soms?'

'Jawel, maar…'

'Mag ik even één ding vragen?' onderbrak ik. 'Dan ga ik weer.'

'Hoor je het nou? Deze dame wil jou niet horen klagen. Zij is hier om met mij te praten.'

'Wilt u dat ik wegga?' vroeg zijn vader.

'Het doet er niet toe,' zei ik.

'Ja,' zei Graham.

Zijn vader kwam moeizaam overeind.

'Weet u zeker dat u geen thee wilt?' vroeg hij.

'Heel zeker.'

'Dan laat ik u nu alleen met hem. Laat u het me weten als…'

'Dank u.'

'Mooi zo,' zei Graham. 'Opgeruimd staat netjes.'

'Ik wil graag weten met wie Charlie die avond was.'

'Met wie ze het gedaan heeft, bedoelt u?'

'Ja.' Ik klemde mijn kaken op elkaar en keek hem aan. 'Dat bedoel ik.'

'Waarom vraagt u zoiets aan mij? En waarom denkt u dat ik het u zou vertellen? Het was een feestje. Met mensen die iets met andere mensen hadden. Die dingen gebeuren op feestjes.' Hij haalde zijn schouders op. 'Ik heb geen zin hier verder op in te gaan.'

'Charlie wordt vermist,' zei ik. 'Ze is in gevaar.'

'Vermist? Ik zou me er niet zo druk om maken. Ze is gehaaid genoeg. Die kan heus wel voor zichzelf zorgen.'

Ik dacht erover om hem zo hard als ik kon een knietje te geven, zodat die grijns van zijn gezicht verdween.

'Ze is ontvoerd. De politie is ingeschakeld. Ze is in gevaar, en elke minuut telt. Degene met wie ze op jouw feestje was heeft er misschien iets mee te maken. Dus zeg het alsjeblieft.'

'Oké, oké.' Hij stak zijn handen omhoog alsof hij zich overgaf. 'Maar zegt u dan wel tegen haar dat ik het eigenlijk niet wilde zeggen.'

Het had iets obsceens om met deze zak over Charlie te praten, laat staan over Charlies liefdesleven. Ik ging mijn boekje ver te buiten en had het gevoel dat ik met iets onbehoorlijks bezig was. Ik klemde mijn vingers tegen elkaar en kneep ze zo hard samen dat het pijn deed.

'Wie was het?' vroeg ik.

Hij keek me aan en praatte traag, en kennelijk deed hem dat plezier.

'Als u het echt weten wilt. Het was die gothic-jongen. De zoon van die leraar.'

Ik deed mijn mond open, maar er kwam geen geluid uit.

'U kent hem wel, die mafkees. Eamonn. Die knaap met die paardenstaart en die zwarte nagels.'

'Eamonn en Charlie? Echt waar?'

'Ja hoor.' Weer liet hij dat afschuwelijke onderdrukte gegniffel horen. 'Zeker weten.'

Ik deed mijn ogen dicht. Ik zag het gezicht van Eamonn voor me toen hij op het feestje bij mij thuis informeerde naar Charlie. Ik had zijn gelaatsuitdrukking geïnterpreteerd als een uitdrukking van heimelijke verliefdheid, maar nu zag ik die ineens als een uiting van iets anders. Van wellust? Triomf? Angst?

'Dank je,' wist ik nog uit te brengen.

'U hebt er zelf om gevraagd.'

'Zeg je vader namens mij gedag, alsjeblieft. Ik kom er wel uit.'

Hij keek me na. Aan zijn gezicht te zien leek hij het nogal vermakelijk te vinden. Voor sommige mensen is alles komedie.

Ik deed de voordeur achter me dicht voordat de reusachtige, treurige vader me had kunnen aanklampen en liep de straat uit. Ik had het koud, het was vochtig en ik voelde me een beetje misselijk. De straat leek zich tot in het oneindige voor me uit te strekken, en ik voelde mijn voeten zwaar op het natte trottoir neerkletsen. Er reed een auto langs die groot licht voerde en die me verblindde en plassen water over mijn benen spatte.

Eamonn en Charlie. Charlie en Eamonn. Hij was een gothic, een slimme, eenzame jongen, die overspoeld werd door duistere en verwarde gedachten. Ik had hem altijd gemogen, medelijden met hem gehad, maar nu had ik er geen enkele moeite mee me hem voor te stellen als iemand die mijn dochter kwaad zou kunnen doen. Hij, Rory, Jay. Mijn mobiele telefoon ging, en ik haalde hem uit mijn zak en keek naar het nummer. Niet iemand die ik kende. Ik veronderstelde dat het Hammill of Andrea Beck was, die zich afvroeg waar ik was en me zou sommeren me op het bureau te melden, alsof ik een spijbelend schoolmeisje was. Ik liet hem bellen. Een pulserend icoontje op het scherm waarschuwde dat de batterij bijna leeg was. Ik zag dat er twee boodschappen waren ingesproken en beluisterde die. De eerste was van Jackson; hij moest zijn bericht hebben ingesproken voordat ik in de politieauto met hem had gepraat; en de tweede was van Christian, die zei dat de file eindelijk was opgelost, maar dat de verkeersstroom zich nog steeds maar stapvoets voortbewoog en dat hij waarschijnlijk nog wel een paar uur nodig zou hebben voordat hij bij me was. Hij zei dat hij van me hield. Dat had hij nooit eerder gezegd, en nu waren de woorden betekenisloos. Het waren woorden waar ik niets aan had.

Ik moest Eamonn zien te vinden. Ik had zijn mobiele nummer niet, en ik kende ook geen van zijn vrienden. Ik zou Rick moeten bellen. Het schermpje van mijn mobiele telefoon viel uit. Ik drukte op het 'aan'-knopje, maar er gebeurde niets. Ik schudde het apparaat heftig heen en weer en drukte nog een keer op het knopje. Niets. De batterij was nu echt leeg. Er zat weinig anders op dan gewoon bij hem langs te gaan.

Sheldrake Road was niet ver van het huis van Karen en Rick, maar toen ik hijgend en puffend langs de onverlichte weg rende, leek het ontzettend ver. Ik rende voorbij Miller's Street en sloeg toen The Saltings in, de weg die langs de kust liep. Links van me lagen huizen waar je door de gesloten gordijnen licht zag branden en waar rook uit de schoorsteen kwam. Rechts van me was het donkere, klotsende water. Het was nu bijna vloed. Ik hoorde kleine golfjes op het kiezelstrand slaan.

Er brandde licht in Ricks huis, maar toen ik aanbelde en woest met de klopper op de deur sloeg, werd er niet opengedaan. Ik klopte nog eens, deed een stap achteruit en riep hun namen. Ik hoorde mijn stem over het water achter me echoën. Er kwam niemand. Ik draaide me om en keek uit over het water. Ik zag de lichtjes van het vasteland rechts van me, waar de dam lag. Voor me uit lag het oefenterrein van het leger, en daar was niemand te zien. Het was er stil en kaal.

Misschien zat Eamonn in het café, dacht ik. Ik liep terug naar het huis van Graham en Rosie, duwde de deur van The Barrow Arms open en tuurde met toegeknepen ogen de rokerige, helverlicht ruimte in. Sommigen keken op en staarden me aan, maar ik besteedde geen aandacht aan hen en keek om me heen of ik Eamonn zag.

'Zoek je iemand, schat?' riep een stem uit een hoek. Om hem heen klonk proestend gelach.

'Eamonn,' zei ik. 'Eamonn Blythe.'

'Nooit van gehoord.'

'De gothic.'

'Dan ben je hier verkeerd.'

Ik ging weer naar buiten. Er was nog een café in het dorp, vlak bij het restaurant van Rory dat nooit zijn deuren had geopend. Daar kon ik het nog proberen. Maar ik wist dat het geen zin had. Ik wist dat Eamonn daar niet zou zijn, dat ik hem op deze manier niet zou vinden. Maar ik wist niet wat ik moest doen, en ik moest íéts doen. Ik begon weer te rennen, en rende de hele weg van Sheldrake Road naar Tinker's Yard, met de onderstebovengekeerde oude boten onder de halfvergane dekzeilen en met langs de omheining de rij lege trailers. Ik passeerde het restaurant met de dichtgetimmerde ramen en het oude uithangbord, dat in de wind heen en weer zwiepte, en ging het tweede café binnen, dat kleiner en sjofeler was dan The Barrow Arms. Boven de bar hingen gebarsten oranje lampen, en voor de jukebox lag een oude hond. Eamonn was niet in het voorste gedeelte van het café. Ik liep door naar het achterste deel, waar vier kaalgeschoren jongens met tatoeages op hun blote armen in een nevel van sigarettenrook aan het poolen waren. Ik vroeg of een van hen Eamonn had gezien.

'Wie?'

'Eamonn Blythe.'

'Nooit van gehoord.'

'Hij heeft lang haar in een paardenstaart en doorgaans is hij in het zwart gekleed. Jullie zouden het vast nog wel weten als jullie hem gezien hadden.'

'Die gothic? Die komt hier nooit. Dat zou hij niet durven.'

De jongens grijnsden naar elkaar en keerden me de rug toe.

'Bedankt,' zei ik vreugdeloos.

Buiten in de ijzige duisternis bleef ik even staan om na te denken. Als ik Eamonn niet kon vinden, moest ik al mijn aandacht maar concentreren op de vraag wie het dode meisje was. Ik draaide me om en liep langs de kust, passeerde het voormalige restaurant nog een keer en vervolgens Tinker's Yard en de werf, waar zij aan zij de boten lagen die voor de winter op de wal waren gezet en waarvan de lijnen klepperden in de wind. Ik stopte bij mijn voordeur. Het huis was donker, de ramen waren nietsziende ogen.

Ik tastte in het halfdonker naar mijn sleutel, en toen ik de deur opendeed schoot Sludge op me af en sprong tegen me op, waardoor ik bijna op mijn knieën viel. Ze kwijlde met haar roze tong op mijn handen en zette haar voorpoten op mijn borst. Er hing een zware hondenlucht om haar heen, haar adem was warm en haar ogen glansden. Had ze wel eten gehad? Ik kon het me niet herinneren. Dat soort dingen werd niet meer in mijn geheugen opgeslagen. En het gedrag van Sludge bood wat dit betrof geen aanknopingspunten. Ze deed altijd alsof ze honger had. Als je haar voer voorzette, at ze het altijd op. En als je op een plek waar ze bij kon iets eetbaars neerzette, wat dan ook, en er was niemand in de buurt om haar tegen te houden, dan at ze dat ook op. Zo was ik hele maaltijden aan haar kwijtgeraakt. Op Jacksons vorige verjaardag had ze een halve taart opgegeten. Ik besloot dat het maar het beste was haar nu wat te geven.

Terwijl ik haar naar binnen trok, zag ik een envelop op de mat liggen. Ik raapte hem op en voelde dat er iets zwaars in zat. Het was mijn autosleuteltje, en er zat een briefje bij van Tom, de dominee: 'Dag Nina, de poolklemmen moesten alleen even schoongemaakt worden. Trakteer me maar eens op een borrel. Tot ziens! Tom.' Ik begreep hieruit dat mijn auto weer gerepareerd was.

Ik pakte de etensbak van Sludge, die meteen begon te trillen en rondjes te rennen en een gedempt opgewonden gejank ten gehore bracht. Ik gooide droge hondenbrokken in haar bak, die merendeels op de keukenvloer terechtkwamen, en binnen enkele seconden had ze alles op. Ik vulde de bak met koud water, en dat dronk ze met grote halen van haar lange roze tong op.

Ik plugde de oplader in mijn mobiele telefoon, waarna op het lcd-schermpje een stekkertje naar me begon te knipogen.

Ik dacht aan vanochtend, toen Eamonn slaperig naar buiten was komen lopen terwijl zijn vader pogingen deed om mijn auto te repareren. Eamonn en Charlie. Eamonn met mijn kleine meid. Ik deed mijn best om er niet aan te denken wat ze samen deden, met als onvermijdelijk gevolg dat ik aan niets anders kon denken. Mijn dochter had hier met mij in dit huis gewoond, ze had met me gepraat, ze had hier gegeten, haar huiswerk gedaan, en ondertussen had alles wat in haar leven belangrijk was geweest zich elders afgespeeld, in een wereld waarvan ik niets wist. Ze had een vriendje en ze had dat vriendje bedrogen, als dat inderdaad het geval was, en toen was ze bang geworden dat ze zwanger was, en toen… ja, wat toen?

Ze had hier in mijn huis het leven van een dubbelspion geleid, en ze had steeds haar dekmantel in stand gehouden. Ze had me nooit iets verteld. Was dat omdat ze me niet had vertrouwd? Of omdat ze me die informatie niet waard vond? Of was het gewoon omdat ik een volwassene was?

Ik haalde het vragenlijstje uit mijn zak en streek het glad op de keukentafel. Brampton Ford. Ik deed het kastje open waar de telefoonboeken, landkaarten en reisgidsen in lagen. Ik haalde een oude wegenkaart tevoorschijn en zocht het op. Het was een dorp verderop langs de kust, maar dan een paar kilometer landinwaarts. Ze had dus in de buurt gewoond, maar ook weer niet zo dichtbij dat je er te voet of op de fiets naartoe zou gaan. Ik kreeg ineens een idee en rende naar boven. Voordat ik Charlies kamer in ging, deed ik voorzichtig de deur van mijn eigen slaapkamer open. Het was er donker, maar ik hoorde Renata niet ademhalen, en toen ik naar het bed liep, zag ik daar ook geen hobbel onder het beddengoed liggen. Ik knipte het licht aan en zag dat ze er niet meer was. Haar koffer was weg, haar kleren waren weg, Renata was weg. Toen zag ik dat er een papiertje op het kussen lag waar wat op geschreven stond. 'Ik liep je alleen maar voor de voeten,' stond erop. 'Ik bel je wel. xxx, Renata.'

Charlies kamer had iets van een uitgeperste sinaasappel die ik steeds opnieuw uitperste in de hoop er nog meer uit te krijgen. Eigenlijk was het probleem natuurlijk juist het tegenovergestelde. Het sap stroomde alsof het de Niagara-waterval was, en ik moest er iets uit zien te peuren waar ik wat aan had. Er waren zoveel gegevens en zoveel aanwijzingen dat ik er makkelijk in kon verdwalen.

Ik ging achter Charlies computer zitten en ging naar Google. Ik typte 'Brampton Ford' in. Het was hopeloos. Een kwart miljoen hits. Ook in Australië bleek een Brampton Ford te liggen. Er was daar een squashteam dat gepromoveerd was naar de derde divisie van de squashbond van New South Wales. In Canada was een autodealer die onder die naam handelde. En natuurlijk waren er talloze vindplaatsen waar 'Ford' en 'Brampton' los van elkaar in voorkwamen.

Charlie was een kei geweest in het uitzoeken van dingen. Wat zou zij gedaan hebben? Ik bekeek mijn lijstje. Ik omcirkelde Brampton Ford. Wat zou de informatie waar ik naar zocht kunnen inhouden? Welk soort informatie zocht ik precies? Niemand wist nog dat het meisje dood was, maar haar lichaam moest daar toch al wel een paar dagen hebben gelegen. Ik zette er dus de woorden 'meisje' en 'vermist' achter en klikte nogmaals op 'zoeken'. En toen zag ik meteen wat ik zocht: 'Olivia Mullen, 16-jarige scholiere uit deze streek, vermist sinds...' Ik klikte de link aan, die bleek te bestaan uit een aantal korte nieuwsitems uit Zuidoost-Engeland. 'Olivia Mullen, 16-jarige scholiere uit deze streek, vermist sinds 12 december. Ze was boodschappen gaan doen in het winkelcentrum in Coulsdon Green en was niet naar huis teruggekeerd. Tijdens een persconferentie deden haar ouders, Steven en Linda Mullen, een emotionele oproep aan iedereen die haar gezien zou kunnen hebben daar melding van te doen.'

Steven en Linda. Twee mensen die hadden gewacht op de thuiskomst van hun dochter, net zoals ik daarop had gewacht. Zouden ze al op de hoogte gebracht zijn? Door twee agenten met doodgraversgezichten? Vandaag of morgen zouden ze nog een laatste keer naar haar gaan kijken om haar te identificeren. Wanneer zou ik Charlies gezicht weer zien? Zou zij dan ook onder een laken liggen? Ik moest dit soort gedachten uitbannen, want ik werd er gek van, maar ze bleven zich steeds aan me opdringen.

Olivia Mullen. De naam riep een vage, ongrijpbare herinnering in me wakker. Olivia Mullen. Livia Mullen. Livvie Mullen. Liv Mullen. Li Mullen. Ik kende die naam. Ik zocht in mijn geheugen alsof het een bibliotheekboek was en bladerde hoofdstuk na hoofdstuk door. Ik had haar nooit in levenden lijve ontmoet. De namen van haar ouders zeiden me niets. Ik herhaalde de naam hardop: 'Olivia Mullen. Liv Mullen. Liv.' Ik wist het zeker. Ik had de naam niet gehoord maar gezien, wist ik. Geschreven of gedrukt dus. Nee, niet gedrukt. Geschreven. Met de hand geschreven. Waar zou ik een met de hand geschreven meisjesnaam gezien kunnen hebben? Alleen hier in Charlies kamer. Ik groef zo geconcentreerd in mijn herinnering dat het bijna een fysieke inspanning was, en het was een pijnlijke inspanning, alsof ik mijn hand in een kleine, donkere ruimte stak en iets probeerde vast te pakken dat net buiten mijn bereik lag. Ik had hem op een brief of een ansichtkaart zien staan, ik wist het zeker. Nou, dat was geen probleem. Ik kende Charlies kamer zo langzamerhand als mijn broekzak. Ik was wat dat betreft een topexpert. Charlie bewaarde haar brieven in de onderste twee laden aan de rechterkant van haar bureau.

Ik trok de laden er een voor een helemaal uit en strooide de inhoud over de vloer. Ik bekeek de brieven stuk voor stuk. Woorden en zinnen sprongen me in het oog, vertrouwelijkheden, onthullingen, roddels, leugentjes, oordelen, beschrijvingen, beschuldigingen. Geheimen, totaal andere werelden. Sommige waren geschreven in een stijf, harkerig Engels en waren afkomstig van Charlies Franse correspondentievriendin. Het deed er allemaal niet toe. Ik zocht alleen namen, liet mijn wijsvinger steeds in het midden van de bladzijde van boven naar beneden gaan, waarna ik, als ik er niet de namen Li, Livia of Olivia op aantrof, de brieven op een andere stapel gooide. Ik kwam namen tegen die ik kende en namen waarvan ik nog nooit had gehoord. Hoe had Charlie tijd kunnen vinden voor al deze mensen? En dan ook nog eens voor mij? De stapel werd langzaam kleiner, en toen ik erdoorheen was, kon ik wel janken. Ik had niets gevonden. Maar ik had wel gelijk. Ik wist zeker dat ik gelijk had.

Ik trok ook de andere laden eruit en strooide de inhoud uit op de vloer. Ik ging de stapel door op zoek naar een brief of ansichtkaart die ik misschien over het hoofd had gezien, maar ik vond er geen. Wat dit betreft – maar dan ook alleen wat dit betreft –

was Charlie goed georganiseerd. Ze leefde dan misschien in een chaos, maar het was een georganiseerde chaos. De brieven en kaarten die ze ontving kwamen in die laden te liggen, en nergens anders.

Dat wil zeggen, er was één andere plek. Charlie had de laatste paar maanden veel tijd besteed aan haar eindexamenwerkstuk voor kunstgeschiedenis. Dit bestond uit een omvangrijk plakboek vol tekeningen, teksten en plaatjes. Ze had er afbeeldingen voor van het internet gehaald en uit tijdschriften geknipt. Maar ook ansichtkaarten. Het was waarschijnlijk Charlies meest waardevolle bezit. Ze had er zoveel tijd aan besteed, er zoveel over nagedacht en er zoveel fantasie in gestopt. Ik ging aan haar bureau zitten en bladerde het plakboek door. Ik maakte de ansichtkaarten los en las wat er achterop stond. Soms moest ik zelfs een hele bladzijde eruit losscheuren om een kaart te kunnen bekijken die deel uitmaakte van een groter geheel. Het was net alsof ik een rijkversierde middeleeuwse bijbel uit elkaar trok. Ineens dacht ik eraan wat er zou gebeuren als alles slechts een misverstand zou blijken te zijn en Charlie hier binnen zou komen lopen en zou zien hoe ik haar werkstuk voor kunstgeschiedenis kapotmaakte. Dat ik op dit moment in de lach had kunnen schieten was minder onvoorstelbaar dan op enig ander moment op die afschuwelijke dag, maar erg voorstelbaar was het niet.

En toen zag ik de kaart. Ik wist het meteen, zonder dat ik hem zelfs maar hoefde om te draaien om te kijken wat erop geschreven stond. Het was een ansichtkaart in min of meer impressionistische stijl met daarop een rij strandhuisjes in pastelkleuren – blauw, geel, groen en rood in allerlei nuances. Op een van die huisjes was met balpen een kruis getekend, met daarnaast in zwierige letters alleen de woorden 'Weet je nog?' Ik trok de kaart los en draaide hem om. Het was hem. Ze had in een groot, mooi gevormd meisjeshandschrift geschreven: 'Lekker uitwaaien hier. Mijn wetsuit is nog nooit zo nat geweest. Sorry dat ik niks heb laten horen. Computer gecrasht. Ja, je hebt gelijk, ik ga het uitmaken. Snap niet dat ik er ooit aan begonnen ben. Tot gauw. Lievs, Liv.'

Dat was wat ik me had herinnerd. Die rare afscheidsgroet, zo'n uitspraak waar je tong van in de knoop raakt, zoals wel in de kinderboeken voorkwam die ik aan Charlie en later aan Jackson had voorgelezen, 'Lievs, Liv.' Ik staarde naar de woorden totdat ze vervaagden. 'Ik ga het uitmaken. Snap niet dat ik er ooit aan begonnen ben.' Wat zou dat betekenen? Wat ging ze uitmaken? Met wie ging ze het uitmaken? Even vroeg ik me af of ik wel gelijk had met mijn veronderstelling dat Liv van de ansichtkaart de Olivia was die ik in dat scheepswrak had zien liggen. Of was ik als iemand die naar de wolken tuurt en daar allerlei dingen in herkent die alleen in de fantasie bestaan? Maar die gedachte schoof ik terzijde. Ik was er instinctief zeker van dat Liv dezelfde was als Olivia Mullen, en dat Olivia Mullen het dode meisje was dat ik in die boot had gevonden.

Charlie had Olivia gekend. Olivia was verdwenen; ze was vermoord aangetroffen op een van die boten waar Charlie wel eens heen ging met Jay; misschien was ze daarnaartoe gegaan om 'het' uit te maken, wat 'het' ook geweest mocht zijn. Wie had ze daar getroffen? En nu was Charlie ook verdwenen en… Ik maakte deze gedachte die me dreigde te verstikken niet af. Ik sprong op en rende naar beneden. In mijn haast zette ik halverwege de trap mijn voet verkeerd neer en verstuikte mijn enkel. Ver weg, in een gemoedstoestand die als normaal gold, voelde ik een scherpe pijnscheut. Ik pakte de telefoon en toetste uit mijn blote hoofd het nummer van het politiebureau in. Toen een vrouw zich meldde, onderbrak ik haar halverwege haar zin en zei dat ik inspecteur Hammill of Andrea Beck wilde spreken, nu meteen, onmiddellijk, dringend. Het had te maken met het dode meisje, zei ik erbij zodat ze op zouden schieten.

En opschieten deden ze. Binnen dertig seconden had ik Andrea Beck aan de lijn.

'Met Nina Landry,' zei ik.

'Nina, mevrouw Landry, zou u alstublieft meteen naar het

bureau willen komen,' zei ze, en ik kon horen dat ze enige autoriteit in haar stem probeerde te leggen. 'Inspecteur Hammill is er helemaal niet over te spreken dat u weg bent gegaan. En eigenlijk moet ik zeggen dat ik hem nog nooit zo woedend heb gezien. Doorgaans vat hij het heel kalm op als de dingen anders gaan dan hij verwacht, maar ik moet zeggen dat ik nu blij ben dat ik niet in uw schoenen sta. Hij heeft het er al over dat hij...'

'Dat doet er nu allemaal niet toe. Ik heb belangrijke informatie voor jullie. Charlie was een vriendin van Olivia Mullen.'

'Olivia Mullen... maar hoe weet u...? Waarom denkt u dat...?'

'Ik heb geen tijd om het uit te leggen. Ik weet wie het dode meisje is, en ik weet dat Charlie haar kende. Ik heb hier net een ansichtkaart gevonden die Olivia aan Charlie heeft gestuurd.'

'Maar...'

Ik hoorde een andere stem en toen gekraak; de hoorn werd door iemand anders overgenomen.

'Is zij dat? Laat mij dat maar doen. Geef maar meteen hier.' Andrea Beck had gelijk. Inspecteur Hammill klonk inderdaad heel boos. 'Mevrouw Landry, ik waarschuw u – als u nu niet ogenblikkelijk naar het bureau komt, en dan bedoel ik écht ogenblikkelijk, dan zullen de consequenties voor u bijzonder onaangenaam zijn.'

'Hou uw mond,' overschreeuwde ik hem. 'Charlie kende Olivia Mullen...'

'Hoe weet u dat?'

'Olivia heeft haar een ansichtkaart gestuurd, en die heb ik net gevonden. Het is een foto van een stel strandhuisjes. Dat zou belangrijk kunnen zijn.'

'Mevrouw Landry.' Hij was steeds luider gaan praten, en zijn stem klonk nu hard en heftig. 'U gaat over de schreef. Wat u doet druist tegen alles in en kan gevaarlijk zijn. Misschien stelt u het leven van uw dochter in de waagschaal met wat u doet.'

'Hebt u gehoord wat ik zei? Ze kenden elkaar. Dit stond erop: "Lekker uitwaaien hier. Mijn wetsuit is nog nooit zo nat geweest. Sorry dat ik niks heb laten horen. Computer gecrasht. Ja, je hebt gelijk, ik ga het uitmaken. Snap niet dat ik er ooit aan begonnen ben. Tot gauw. Lievs, Liv."'

'Mevrouw Landry!' Hij schreeuwde nu echt.

'Hebt u het gehoord? Ze wilde een einde maken aan een relatie of zo. En ze kende Charlie.'

'Ik stuur een politiewagen langs om u op te halen. En als u er dan niet bent...'

Ik legde de hoorn neer. Ik deed mijn ogen dicht, zette mijn vingertoppen op mijn slapen en probeerde na te denken. Olivia en Charlie waren met elkaar bevriend geweest. Hoe bevriend? Ik dacht niet dat ik Charlie ooit over haar had horen praten, en ik had haar nooit in levenden lijve gezien. Wie zou het me kunnen vertellen? Ashleigh? Ik pakte de hoorn op en toetste Ashleighs mobiele nummer in.

'Hallo, met...'

'Kende Charlie ene Olivia Mullen?'

'Hoe? Olivia? Weet ik niet. Heeft ze het nooit over gehad. Het zou kunnen, maar weet u, Charlie heeft haar leven ingedeeld in allemaal aparte vakjes, die ze min of meer van elkaar gescheiden houdt. Je hebt bijvoorbeeld school, en dan heb je...'

Ik brak het gesprek af en legde de hoorn niet terug op de haak, zodat de politie me niet kon bereiken. Ineens kwam er een schandelijke gedachte bij me op. Natuurlijk... Olivia's ouders bellen. Daar komt toch nooit iemand achter. Maar Olivia's ouders zouden waarschijnlijk niet weten dat hun dochter dood was. Nee, ik kon hen niet bellen. Dat zou al te erg zijn. Jawel, ik kon het wel. Ik was tot alles in staat, hoe erg het ook was, als ik er wat aan had bij het opsporen van Charlie. Ik kon best de ouders opbellen van een meisje dat net dood was gevonden en hun het een en ander vragen. Het was grof, maar dat kon me niet schelen. Schuldgevoel en piëteit moest ik maar voor later bewaren. Daar had ik nu geen tijd voor.

Ik toetste het informatienummer in en kreeg een telefoniste

220

die me vroeg welk nummer ik wilde hebben.

'Het nummer van Mullen,' zei ik. 'Steven Mullen, in Brampton Ford.'

Er viel een stilte.

'Ik heb het nummer hier,' zei de telefoniste. 'Of zal ik u meteen doorverbinden?'

'Ja,' zei ik. Mijn hart bonsde zo luid dat ik even dacht dat het aan de andere kant van de lijn ook te horen zou zijn.

Er klonk een ingeblikte stem die me het nummer meedeelde, dat ik niet noteerde, en me vertelde dat de rest van het gesprek negen pence per minuut zou kosten. Toen klonk er een beltoon. En toen een stem.

'Ja?' De stem van de vrouw trilde, en het leek alsof ze haar adem inhield. Ik begreep meteen dat zij de moeder was en dat ze het nog niet had gehoord, van haar dochter. Ik begreep dat ze thuis naast de telefoon zat te wachten, dat ze elke keer als er gebeld werd de hoorn greep en steeds nerveus en met ingehouden adem 'Ja?' zei, in de hoop dat het Olivia was of iemand die belde over Olivia. Ik wist precies wat voor misselijkmakende angst ze voelde, hoe een beklemmend gevoel van hoop haar de adem afsneed. Ik wist het precies, maar toch ging ik door. Maakte dat mij tot een monster? Ja.

'Spreek ik met Linda Mullen?'

'Ja, spreekt u mee.'

'Mevrouw Mullen, rechercheur Andrea Beck hier,' zei ik.

'Olivia?' De vraag kwam eruit alsof ze naar adem snakte, alsof iemand haar een stomp in haar maag had gegeven.

'Er is nog geen nieuws,' zei ik. 'Ik wilde u alleen wat vragen.'

'Ja?' Deze keer klonk de stem vlak en dof.

'Weet u of ze wel eens op het eiland Sandling kwam?'

'Op Sandling? Ja, ja, ik geloof dat ik uw collega heb verteld dat ze...'

'Mooi, mooi. Dat wilden we nog even verifiëren. En kunt u ons vertellen waarom ze daarnaartoe ging en wanneer? De precieze datums, alstublieft.'

'Ze is er op een vijfdaagse cursus windsurfen geweest.'

Charlie had ook die cursus windsurfen gedaan. Ik herinnerde me dat na zo'n dag haar haren gebleekt waren door zon, zand en zout, en dat haar huid zanderig en goudkleurig was.

'Ze had het daar heerlijk en ze is er bevriend geraakt met een paar leeftijdgenoten. Toen ze terugkwam, straalde ze en had ze een lekker kleurtje,' vervolgde Linda Mullen. 'Ze wilde er volgend jaar weer heen.' Er klonk een snikje aan de andere kant van de lijn. 'Eh, sorry... Wanneer? Wacht even, ik heb hier mijn agenda, ik kan zo de precieze datums vinden.' Er klonk geknisper van bladzijden die omgeslagen werden. 'Hier... van maandag 9 tot en met vrijdag 13 augustus.'

'Dank u wel,' zei ik.

'Waarom vraagt u dat? Hebt u misschien iets gevonden?'

'Nog één ding: heeft ze ooit de naam genoemd van een meisje dat Charlie heet? Charlotte Oates.'

'Charlie? Ja, ze was erg op haar gesteld. Ze heeft nog een ansichtkaart gestuurd uit... wacht u even. Er wordt aangebeld. Eén seconde. Even kijken wie daar is.'

Ze liep over een tegelvloer. Ik hoorde haar voetstappen, en ook haar ademhaling bleef ik horen. Toen het geluid van een deur die opengedaan werd.

'Hallo,' zei ze tegen degene die had aangebeld. Toen klonk haar stem ineens anders. 'Wát? Wát zegt u?'

Ik gooide de hoorn erop en drukte mijn voorhoofd tegen de muur. Het zweet liep over mijn gezicht en ik was misselijk van schaamte.

Maar daar had ik geen tijd voor. De politie kon elk moment hier zijn. Ik pakte het autosleuteltje en mijn nog niet helemaal opgeladen mobiele telefoon, rende naar buiten en sloeg de deur achter me dicht. Onder het rennen voelde ik de steken in mijn enkel. Mijn hoofd bonsde, het bloed gutste door mijn aderen en de ijskoude wind blies recht in mijn gezicht. Ik spande mijn ogen in om in het halfduister te zien waar ik liep. De golven rolden op de kust en slurpten en klotsten op het kiezelstrand. Ik probeerde na te denken. Ideeën en fragmenten van gedachten schoten door mijn hoofd en sloegen uiteen tegen mijn schedeldak. Charlie en Olivia hadden elkaar afgelopen zomer ontmoet op een cursus windsurfen. En van wie hadden ze daar les gehad? Nou, onder anderen van Joel. Die ellendige Joel. De man in wiens armen ik had gelegen en die me zijn diepste geheimen had toevertrouwd.

Ik rende The Street door naar de plek waar mijn auto stond en deed een schietgebedje dat die het zou doen. Een politieauto reed langs, en ik wendde mijn hoofd af in de hoop dat ze me niet zouden zien. Uit het café kwam muziek en licht. Toen ik bij mijn auto aankwam, morrelde ik even met het sleuteltje voordat ik het in het slot kreeg en liet me vervolgens achter het stuur vallen. Op de passagiersplaats lag een opgerolde krant. Die moest daar zijn achtergelaten door dominee Tom, want in het wit op de voorpagina had hij met grote hoofdletters 'ik moet een beurt hebben' geschreven. Ik denk dat hij de auto bedoelde. Ik stak het sleuteltje in het contact en draaide het om. De motor hikte en hoestte even maar begon toen te lopen. De dominee had een borrel van me te goed.

Ik sloot mijn mobiele telefoon aan op de sigarettenaansteker, reed de weg op en trapte het gaspedaal diep in, zodat ik als een raceauto optrok. Voorbij Tinker's Yard, rechtsaf Lee Close in, linksaf The Street in en vandaar naar Flat Lane.

Met piepende banden kwam ik voor Joels huis tot stilstand, ik sprong uit de auto en hinkte naar de voordeur, waar ik, terwijl ik met één hand de bel ingedrukt hield, met de andere op de deur bonkte. Toen de deur openzwaaide, viel ik zowat naar binnen, en toen ik weer rechtop stond, zag ik het gezicht van Alix, die me enigszins verbijsterd en boos aankeek. Tussen de spijlen van de trap zag ik het verschrikte gezicht van Tam.

'Waar is Joel?' riep ik.

'Wat is er in hemelsnaam…?'

'Waar is Joel?' herhaalde ik, nu nog luider. Ik zag hoe haar gezicht verstrakte en hoe ze haar ogen toekneep.

'Hij is achter, hij is net binnen en staat op het punt onder de douche te gaan. Ik snap echt niet waarom…'

Ik beende langs haar heen en stampte met mijn bemodderde schoenen op de vloer.

'Joel!' riep ik. 'Joel!'

'Nina!' Hij kwam de bijkeuken uit. Hij had zijn werkkleding nog aan, hoewel hij zijn overhemd al half had losgeknoopt en zijn laarzen had uitgetrokken. 'Wat is er in hemelsnaam…?'

'Olivia Mullen,' zei ik, terwijl ik op hem toe liep, met Alix in mijn voetspoor.

'Wat?'

'Olivia Mullen? Heb jij haar afgelopen zomer op de cursus windsurfen gehad?'

'Wacht even.' Hij legde een hand op mijn schouder om me te kalmeren, maar ik rukte me los. 'Wees nou eens rustig en vertel me wat er aan de hand is. Je hebt Charlie nog niet gevonden?'

'Daar heb ik allemaal geen tijd voor. Olivia Mullen. Ik geloof dat mensen die haar kennen haar Liv noemen. Ze trok op met Charlie.'

'Ik kan me haar niet herinneren.'

'Doe je best.'

'Nina, ik zeg je toch dat…'

'Ze was van 9 tot 13 augustus hier.'

Hij zweeg en dacht even na.

'Zo uit mijn hoofd gezegd was ik die week vrij.'

'Dat was je niet,' zei Alix die achter hem stond koel.

'Dat was ik wel.'

'Waar was je dan?' vroeg Alix. 'Op stap met een andere vrouw?'

'Mama?'

Tam stond in de deuropening. Ze had rode ogen en een opgezwollen gezicht. 'Mama?'

'Maak je geen zorgen,' zei Alix zonder zich om te draaien. 'Ik kom zo bij je. Wacht boven maar.'

'Ik geloof je niet,' zei ik. Ik keek Joel dreigend aan, en hij hield zijn blik koel en onbeweeglijk op mij gericht.

'Ik wil niet boven wachten.'

'Het kan me niet schelen wat je gelooft,' zei hij. 'Het is toevallig wel de waarheid. Ik weet trouwens niet wat dit allemaal te betekenen heeft. Wat heeft die Olivia te maken met de verdwijning van Charlie, en wat geeft jou het idee dat ik daar ook maar iets mee te maken zou hebben? Als je wilt beweren dat ik iets van doen zou hebben met haar verdwijning, dan had ik graag dat je daarmee voor de dag komt.' Even was zijn gezicht vertrokken van boosheid, maar toen verzachtte zijn uitdrukking zich weer. Hij deed een stap naar voren, zodat zijn gezicht nu maar een paar centimeter van het mijne was, en keek op me neer. Ik zag zijn baardstoppels en de zweetdruppeltjes op zijn voorhoofd, de haarvaatjes in zijn pupillen, het zachte pulseren aan zijn slaap. 'Luister eens, Nina. Ik weet dat je je ontzettend veel zorgen maakt om Charlie. Het is de nachtmerrie van elke ouder, en als ik je op wat voor manier ook kan helpen, dan zal ik dat doen, hoe dan ook. Weet wel wie je vrienden zijn.' Achter ons snoof Alix luidruchtig, maar ik besteedde er geen aandacht aan. 'Ik ben je vriend,' vervolgde hij. 'Op mij kun je vertrouwen...'

'Oké. Geef die dan maar aan mij,' zei ik, en ik wees naar de grote houten voorhamer die uit zijn gereedschapstas stak.

'Wat moet je daar in hemelsnaam mee?'

'Doet er niet toe,' zei ik, en ik bukte me om de voorhamer te pakken. Het verbaasde me hoe zwaar hij was.

'Ze is niet goed snik,' zei Alix.

'Misschien. Misschien ook wel. Ik heb ook een sterke zaklantaarn nodig.'

'Ik bel de politie,' zei Alix.

'In die tas zit er een,' zei Joel. 'Hier.'

'Dit is waanzin.'

Ik liep langs hen heen en ging met de voorhamer in mijn hand de voordeur uit. Ik voelde me groot en sterk in mijn vertwijfeling.

Ik stapte in mijn auto, maar toen ik weg wilde rijden, ging het portier aan de passagierskant open.

'Nina.'

'Ik heb geen tijd,' zei ik.

Hij stapte in en deed het portier dicht.

'Dan ga ik met je mee. Waar je ook heen gaat. Ik laat je zo niet alleen gaan.'

Ik haalde mijn schouders op en reed weg. In mijn ooghoek zag ik hem ineenkrimpen omdat we ineens zo hard gingen.

'Ik ken Olivia Mullen niet, ik heb geen idee wie het is.'

'Dat zeg jij,' zei ik.

'Je moet me geloven, Nina. Hoe kan ik je helpen als je me niet gelooft? En hoe is het mogelijk dat je mij niet gelooft, na alles wat we…?'

'Dat is verleden tijd, Joel. Ik heb het helemaal gehad met al die beloften van mensen. Ik vertrouw je niet meer, wat je ook zegt.'

Er viel een korte stilte.

'Waar gaan we heen?'

'Het is niet ver.'

Ik sloeg af naar The Saltings en reed langs mijn huis. Opeens kreeg ik een idee.

'Als jij die week geen cursus gaf, van wie zou ze dan les hebben gehad?'

'Nee, zo gaat het niet,' zei Joel. 'Er zijn hier 's zomers tientallen mensen die als instructeur werken bij het zeilen, kajakken en windsurfen. Sommigen zijn lid van de zeilvereniging, sommigen zijn gewoon studenten die hier een zomer werken, en weer anderen komen met hun groep mee. En dan heb je nog mensen van het eiland die soms inspringen. Het zijn er veel die dat doen, al is het maar voor een dag of zo. Ik doe het natuurlijk, en Bill meestal ook, maar ja, hij zit in de botenbusiness. En dan heb je nog Rick, al is het een beetje een heet hangijzer dat Eamonn nooit mee wil doen. Tom doet het ook wel eens, en de kinderen vinden het soms een giller als ze erachter komen dat hij dominee is. En zelfs Alix heeft in haar vrije weekenden wel eens een bootje opgetuigd. Als je wilt weten van wie dit meisje les heeft gehad, zou ik niet weten waar je moest beginnen. We kunnen morgenochtend wel naar de zeilvereniging gaan als ze open zijn, maar het wordt een hele uitzoekerij.'

'Ik kan niet wachten tot morgenochtend.'

Alles wat vertrouwd was geweest, zag er nu vreemd uit. Laag aan de donkere hemel stond de maan, en ik zag de eerste vage sterren fonkelen boven het inktzwarte water, dat voortdurend in beweging was. Ik had het altijd fijn gevonden om op het eiland rond te dwalen als het donker was: de stilte, het klotsen en kabbelen van het water, de zoute lucht en de geur van de slikken, het klepperen van de lijnen op de zeilboten en de eenzame roep van de vogels. Nu vond ik het alleen maar angstaanjagend.

Ik ging de bocht door, reed langs de werf met de karkassen van de boten en bovenlangs langs het zandstrand. Toen zette ik de auto aan de kant en stapte uit. De voorhamer sjouwde ik met me mee.

'Neem de zaklantaarn mee,' riep ik over mijn schouder naar Joel.

'Nina, wat ga je doen? Waar gaan we heen? Wacht. Laten we het even bespreken. Nina!'

Joel liep achter me; met zijn zware laarzen gleed hij steeds weg in het rulle zand. Ik besteedde geen aandacht aan hem en beende in de richting van de strandcabines. Bij elke stap schoot de pijn uit mijn enkel door mijn been naar boven. De huisjes stonden er in het halfduister bij als een rij schildwachthuisjes. Ze zagen er niet uit zoals op de pastelkleurige ansichtkaart van Olivia. Sommige waren mooi en pas geverfd, met een naam boven de deur – 'Pitlochry', 'Avalon' of 'Nellies Nestje' – alsof het de clou was van een grap die je gemist had. Andere waren bouwvallig, met afbladderende verf en roestig hang- en sluitwerk. Ze waren genummerd, net als woonhuizen in een straat. Heel veel waren het er niet – twintig of dertig misschien.

Ik begon met nummer één, een groen huisje met gordijntjes voor het raam en een witte deur met daarop een klopper in de vorm van een zeemeeuw. Nadat ik even aan de deur had gevoeld of hij afgesloten was, zwaaide ik de voorhamer opzij alsof het een cricketbat was en ramde er zo hard mogelijk mee tegen de deur. Er klonk een bevredigende dreun, gevolgd door een geluid van versplinterend hout, waarna de hele deur uit elkaar viel. Toen Joel eindelijk uit zijn woorden kon komen, klonk zijn stem zwak en afgeknepen.

'Nina! In godsnaam, wat…?'

'Richt die zaklantaarn eens naar binnen.'

Joel knipte de zaklantaarn aan. Zijn gezicht lichtte spookachtig op in het schijnsel ervan, en toen werd de lichtstraal bij huisje nummer één naar binnen gericht. Ze hadden alles keurig opgeborgen voor de winter, alles stond of lag op de juiste plaats, er mankeerde niets aan.

'Je kunt niet zomaar…'

'Ja, dat kan ik wel. Charlie had hier kunnen zijn.'

Ik liep achteruit, pakte de voorhamer weer op en liep de paar passen naar huisje nummer twee, dat betere tijden had gekend. Het was uitgebleekt rood van kleur, en de gaten waren afgedicht met stukken golfplaat. Ik legde de zaklantaarn met de straal op de deur gericht op de grond en haalde weer uit met de voorhamer. Deze keer mikte ik verkeerd en miste ik de deur, zodat ik doordraaide en mijn arm door de kracht die ik op de hamer had uitgeoefend bijna uit de kom schoot. De voorhamer schampte langs de deur en liet een lelijke deuk achter in het hout.

'Ben je van plan al die huisjes open te breken?'

'Dat was m'n idee, ja.'

'Het zal wel geen zin hebben dat ik je erop wijs dat moedwillige vernieling van andermans eigendommen en poging tot inbraak strafbaar zijn, hè?'

'Nee.'

'Kom,' zei Joel. 'Geef hem eens aan mij.'

'Laat los.'

'Nina, geef mij die hamer.'

'Nee.'

Hij legde zijn hand op de steel, en even worstelden we om het bezit van de voorhamer. Ik zag Joel in het licht van de zaklantaarn; zijn gezicht lichtte witachtig groen op, en zijn mond en ogen waren zwarte gaten. Toen rukte hij hem uit mijn handen.

'Ik moet het weten,' zei ik.

'Ga achteruit.'

Hij hief de voorhamer op, en na één welgemikte klap op het slot vloog de deur open.

'Het komt erop aan dat je hem op het goede punt raakt,' zei hij met een zweem van trots in zijn stem.

Ik raapte de zaklantaarn op en tuurde naar binnen. Het was er een bende – oude handdoeken, plastic flessen en lege chipszakken op de grond, een overmaatse zwembroek en een t-shirt vol met vlekken op een stoel – maar niets wat je sinister zou kunnen noemen. Maar wat had ik dan verwacht? Dat Charlie daar geboeid en met een prop in haar mond op me zou liggen wachten?

'Nummer drie?' vroeg Joel.

Ik knikte, en ook die deur sloeg hij in. Er speelde een flauwe glimlach over zijn gezicht toen het hout versplinterde.

'Niet tegen Alix zeggen, hoor,' zei hij. 'Ik geloof niet dat ze hier veel begrip voor zou hebben.'

Ik reageerde niet. Ik kon geen woorden bedenken voor iets anders dan waar ik op dat moment mee bezig was. Ik kon geen 'alsjeblieft' of 'dank je wel' of 'sorry' zeggen. Het enige wat ik kon, was de zaklantaarn pakken en er elke keer weer mee in een mij onbekend huisje naar binnen schijnen, mijn blik over de vertrouwde spulletjes van een ander laten gaan en me dan weer omdraaien.

Joel kreeg de smaak te pakken en sloeg deur na deur in. Ik liep achter hem aan. De golfjes lekten over het strand en het licht van de zaklantaarn wierp lange, beverige schaduwen over de rimpelige zandvlakte en de zee. De maan boven ons hoofd wierp zijn bleke licht op ons. De ingeslagen deuren van de strandhuisjes klapperden zinloos in de wind. Ergens ver weg blafte een hond. De hele wereld was onwerkelijk als een nachtmerrie.

'Dat was het dan,' zei Joel ten slotte.

'Ja,' zei ik onaangedaan.

'Zijn we klaar?'

Ja, ik ben klaar, dacht ik op dat moment. Het idee om in de strandhuisjes te kijken had me een heel goede ingeving geleken, een briljante vondst, en ik had al voor me gezien hoe ik Charlie weer in mijn armen zou sluiten. Nu drong het tot me door dat het niet meer was geweest dan een laatste, uit nutteloze wanhoop geboren actie die niets had opgeleverd.

'Ik geloof het wel,' zei ik.

'Het spijt me, Nina,' zei hij. 'De politie is bezig informatie te verzamelen, dat weet je. Maar als wij hier klaar zijn…'

'Ja, Joel, ik zal je thuis afzetten.'

We stapten in de auto. Nadat ik de motor had gestart zeiden we een paar minuten lang niets.

'Ik zal niemand vertellen dat we die huisjes kapot hebben geslagen,' zei Joel ten slotte.

'Ik wel,' zei ik. 'Ik ga zo naar de politie. Ik zal het ze vertellen.'

'Niet doen,' zei hij. 'Ze zullen het aan vandalisme wijten, wat meestal het geval is. En de verzekering draait er toch voor op.'

'Joel,' zei ik, 'het kan me niet schelen.'

Weer viel er een stilte. Stilte en duisternis buiten, en verderop alleen de zee. Alle hoop was eigenlijk vervlogen, en ik bedacht dat ik nu alleen nog maar bezig moest blijven om te voorkomen dat ik na zou denken over de duisternis buiten, de duisternis in mijzelf en de verschrikking die de rest van mijn leven zou zijn. Ik zag mijn mobiele telefoon telkens oplichten ten teken dat de batterij werd opgeladen.

'Zou je Rick voor me willen bellen?' vroeg ik.

'Zeker.'

'Hij staat in mijn telefoon,' zei ik.

'Ik weet het nummer wel,' zei Joel, die het meteen intoetste. Hij hield de telefoon tegen zijn oor. 'Hallo, Rick, met Joel. Ik zit bij Nina in de auto. Nee, nog niks. Ik weet het, ja. Nog nieuws van Karen? Oké. Nou, laat het me weten als je iets hoort.' Hij keek mij aan. 'Wat wou je tegen hem zeggen?'

'Zeg maar tegen hem dat ik over een paar minuten langskom om Jackson op te halen.' Toen schoot me nog iets te binnen. Maar deed het er nog toe? Nou ja, ik had toch niks anders te doen. 'Vraag hem het mobiele nummer van Eamonn. In het handschoenenvakje ligt wel een balpen.'

Joel noteerde het nummer op de opgerolde krant. De korte rit voltrok zich verder in stilte. Ik stopte voor de deur van zijn huis.

'Ik hoop dat het een beetje goed zit tussen jou en Alix,' zei ik.

'Niet al te best,' zei hij. 'Zoals je gemerkt hebt.'

'Ik zal het er niet beter op hebben gemaakt.'

'Nou, slechter dan het op dit moment is kan het geloof ik niet.' Hij opende het portier en maakte aanstalten om uit te stappen, maar bleef nog even zitten. 'Nina, ik weet eigenlijk niet of ik je ooit echt heb verteld hoeveel…'

'Joel,' zei ik, om te voorkomen dat hij zou gaan zeggen wat ik wist dat hij van plan was, 'daar is het op het ogenblik op allerlei manieren niet het geschikte moment voor. Ik moet verder.'

Hij stapte uit, deed het portier dicht en liep langzaam het pad naar zijn voordeur op. Ik knipte het lampje boven de achteruitkijkspiegel aan om Eamonns nummer te kunnen lezen en in te toetsen. Nadat de telefoon een paar keer was overgegaan, werd er opgenomen.

'Eamonn? Met Nina Landry. Waar ben je?'

Hij leek het niet precies te weten. Ik hoorde hem aan iemand het adres vragen. Ik hoorde een stem het adres heel langzaam en nadrukkelijk zeggen, zoals je tegen een hardhorende praat. Het was aan Grendell Road, net om de hoek als je het dorp uit ging. 'Zeg maar niks, ik heb het al gehoord,' zei ik. 'Ik ben er over een paar minuten. Wacht buiten maar op me.'

Er zijn straten op het eiland die goed in een buitenwijk van een willekeurige Engelse stad zouden passen. Met huizen die voor de oorlog zijn gebouwd, bepleisterd met grindsteen, met fleurige nieuwe serres en opritten van natuursteen en tegen weer en wind beschut door een rijtje coniferen. Je zou er niet op het idee komen dat je je op een eiland in de Noordzee bevond als je niet hier en daar een boot op een trailer in de voortuin zou zien staan. Minder dan een minuut nadat ik Eamonn had gesproken arriveerde ik bij nummer veertien, en toen ik goed keek, zag ik dat de voordeur op een kier stond. Terwijl ik het portier dichtdeed, zag ik het silhouet van iemand rechts van het portaal. Ik zag de vuurkegel van een sigaret oplichten. Ik duwde het tuinhek open en liep het grindpad op.

'Eamonn?' zei ik.

'Ja.'

Hij deed een stap naar voren zodat hij uit de schaduw in het licht van de lamp in het portaal verscheen. Van binnen hoorde ik het geluid van stemmen en de muziek die ik onder mijn voeten voelde dreunen. Terwijl ik op Eamonn afliep, realiseerde ik me dat ik niet had bedacht waar het me om te doen was, wat ik van hem wilde weten. Hij nam nog een laatste trek van zijn sigaret en gooide die weg. Hij keek anders uit zijn ogen dan de laatste keer dat ik hem had gezien; zijn pupillen waren groot.

'Ben je stoned?' vroeg ik.

Hij haalde zijn schouders op.

'Ik heb een paar jointjes gerookt,' zei hij. 'Gaat u het aan mijn vader vertellen?'

Ik hief mijn rechterhand op en gaf hem een harde klap, en toen nog een met mijn linkerhand. Ik was zo kwaad. Omdat hij niets had gezegd, om de uitvluchten die hij had verzonnen, maar ook omdat hij hier was, met zijn vrienden, zijn muziek en zijn dope, op deze avond der avonden, omdat hij mijn dochter had aangeraakt, omdat hij haar had bemind maar nu niet op de slikken haar naam stond te roepen, omdat het leven voor hem doorging terwijl zij in gevaar verkeerde, omdat hij jong en onbezonnen was, omdat hem niets mankeerde en hij gewoon doorademde. Hij reageerde nauwelijks en zuchtte alleen diep, terwijl zijn ogen begonnen te tranen.

'Stomme idioot die je bent,' zei ik. 'Wat kan mij jouw vader schelen! Waarom heb je het me verdomme niet verteld van Charlie en jou?'

'Ik weet niet wat u bedoelt.'

'Hou daarmee op,' zei ik. 'Ik weet het. Ik weet dat Charlie en jij met elkaar naar bed zijn geweest. Waarom heb je het me niet verteld?'

'Waarom zou ik het verteld moeten hebben?' zei hij.

'In hemelsnaam, Eamonn, Charlie is vermist. Zoek. Weg. Dat is het enige wat ertoe doet. Dat is iets wat ik moest weten. Uren geleden al, niet nu.'

'Het heeft toch niets te maken met het feit dat Charlie weg is,' zei hij. 'Waarom zou ik het u hebben moeten vertellen? Ik heb Charlie beloofd dat het altijd ons geheim zou blijven en dat ik het nooit aan iemand zou vertellen. Ze zou het me nooit vergeven als ze wist dat ik het u had verteld.'

'Charlie is in gevaar. Het doet er niet toe wat je haar toen hebt beloofd. Dat soort regels geldt nu niet meer.'

'Het gebeurde gewoon,' mompelde hij met een diepe frons. 'Het gebeurde gewoon, en toen had ze er spijt van dat het gebeurd was, en ik... ik heb er alleen niks over gezegd omdat het helemaal niet ter zake deed.'

'Niet ter zake?' zei ik met stemverheffing – voor nieuwsgierige buren hoefde ik dankzij de herrie binnen niet bang te zijn. 'Wie ben jij dat je daarover kunt oordelen? De politie zal je binnenkort willen spreken. En ze zullen jou zeker verdenken als ze horen dat je kort geleden naar bed bent geweest met een meisje dat vermist is en daar niets over hebt gezegd.'

'Het spijt me,' zei hij. Hij verplaatste zijn gewicht van het ene been op het andere en keek gekweld. 'U weet dat ik erg op Charlie gesteld ben. Ik hou van haar, als u het per se weten wilt. Het was bij mij liefde op het eerste gezicht. Ze is anders dan anderen. Maar zij houdt niet van mij. Ze vindt me maar een mafkees. Ze heeft medelijden met me.'

Hij draaide zich plotseling om en schopte een paar keer tegen de muur van het huis, waardoor er stukjes pleisterwerk van zijn zware zwarte laars sprongen. Toen hij zich weer omdraaide en me aankeek, liepen de tranen over zijn wangen.

'Je moet wel zorgen dat je jezelf een beetje beheerst voordat ze je gaan ondervragen. Maar voordat ze dat doen, wil ík jou eerst een paar dingen vragen.'

'O?'

'Weet jij waar Charlie is?'

'Nee.'

'Wie wisten het van Charlie en jou?'

'Niemand,' zei hij. 'Het was een geheim.'

'Dat is om te beginnen al niet waar,' zei ik. 'Er waren meer mensen op dat feestje. Zij wisten het ook.'

'Ze wisten het niet echt,' zei Eamonn. 'Ik heb er niet over gepraat. Misschien waren er wel geruchten.'

'Wist Jay het?'

'Ik geloof het niet. Tenzij Charlie het hem heeft verteld. En dat zou wel kunnen. Ze is altijd heel eerlijk.'

'Als ze zo eerlijk is, waarom is ze dan met je naar bed geweest?'

Er viel een stilte. Het leek alsof Eamonn daar werkelijk over nadacht.

'Zoals ik al zei, ik geloof dat ze medelijden met me had,' zei hij. 'Ik was me daar op het moment zelf al van bewust. En ze was een beetje dronken.'

'En wat voor gevoel gaf dat jou?' vroeg ik. 'Werd je daardoor boos op haar?'

'Nee, ik was niet boos. Ik denk dat ik dankbaar was. Klinkt sentimenteel, hè? Het kan zijn dat ik wel een beetje boos was toen ze tegen me zei dat het een vergissing was geweest. Maar eigenlijk had ik niet anders verwacht. Het was te mooi om waar te zijn.'

'Wisten je ouders het?'

'Mijn vader is erachter gekomen.'

Ik kreeg ineens het afschuwelijke, bijna fysieke gevoel dat ik wegzakte in een peilloze diepte van ellende, alsof er iemand in mijn maag stond te beuken. Wist iedereen meer van mijn dochter dan ik? Dit had Rick me wel mogen vertellen. Dat was hij me toch wel verschuldigd. Ik had meer behoefte aan iemand die oprecht was dan aan iemand die een rammel in mijn auto verhielp.

'Wat zei je vader ervan?'

'Hij zei wat hij altijd zegt; het komt erop neer dat ik een stuk vuil ben dat geen knip voor de neus waard is. En daar heeft hij misschien nog gelijk in ook.'

Dat bedoelde hij waarschijnlijk als aangevertje voor mij om iets geruststellends en positiefs te zeggen, maar voor dat soort dingen had ik geen tijd.

'Ken jij een meisje dat Olivia Mullen heet? Haar vrienden noemen haar Liv.'

'Wie is dat?'

'Ik geloof dat Charlie haar van de zomer heeft leren kennen. Ze hebben samen de cursus windsurfen gedaan.'

'Ik wist niks van dat gedeelte van haar leven,' zei Eamonn met een flauwe glimlach. 'Ik kom niet zo vaak op het strand, zoals u ziet. Dat is ook een van de klachten van mijn vader. Dat ik niet aan buitensporten doe zoals de anderen. Zoals hijzelf.'

'Nog één ding,' zei ik ten slotte, en ik lette op zijn gezicht. 'Hebben jullie die avond een voorbehoedsmiddel gebruikt?'

Hij werd vuurrood en ontweek mijn blik.

'Eamonn?'

Hij mompelde iets.

'Betekent dit dat dat niet het geval was?'

'We hadden geen van tweeën verwacht dat dit zou gebeuren,' mompelde hij.

'Niet dus?'

'Nee.'

'Heeft Charlie er naderhand nog iets over gezegd? Ik bedoel niet onmiddellijk erna, maar de laatste dagen?'

'Zoals?'

'Dat ze zich zorgen maakte, bijvoorbeeld.'

'Zorgen waarover? Waar wilt u naartoe?' Ineens verscheen er een lichtje in zijn glazige ogen, afschuw leek het, of misschien zelfs een waanzinnig soort trots. 'U bedoelt dat ze misschien dacht dat ze...?'

'Heeft ze iets gezegd?'

'Nee,' zei hij. Hij leek tegelijkertijd versuft en geagiteerd. 'Nee. Ik zweer het.'

Ik kon geen andere vragen meer bedenken. Ik moest maar op hem vertrouwen, op deze trieste, vreemde jongen.

'Goed,' zei ik. 'Nou, je moest maar eens een kop koffie nemen of iets anders om een beetje helder te worden, want ik denk dat je een paar zware dagen voor de boeg hebt. Ik rij nu naar jouw huis om Jackson op te halen. Wil je meerijden?'

'Nee,' zei hij. 'Ik rij niet mee.'

'Als je je nog iets herinnert, bel me dan mobiel. Je hebt nu mijn nummer.'

'Goed. Ik wou nog wat vragen.'

'Ja?'

'Heeft de politie nog iets gevonden?'

'Nee,' zei ik, terwijl ik al wegliep. 'Ze hebben helemaal niets gevonden.'

Toen ik op Grendell Road keerde en terugreed naar The Street had ik een gevoel alsof ik niet echt een mens was maar alleen het uiterlijk van een mens had. Alsof ik wel kon autorijden en praten en van alles doen, maar dat ik vanbinnen leeg was. Het enige wat ik nu kon doen, was Jackson ophalen en dan naar het politiebureau gaan en de confrontatie daar aangaan. Hun tijd verknoeien. Moedwillige vernieling van andermans eigendommen. En waarschijnlijk nog een hoop andere zaken. Terwijl ik afsloeg naar het huis van Rick en Karen zag ik de lichtjes op het vasteland. Overal stonden huizen waar de dag die nu ten einde liep een dag als alle andere was geweest. Alleen lag Karen in het ziekenhuis, en was ik... ja, wat was ik eigenlijk? Ik sloeg af, reed langs de kust en stopte voor hun huis. Er brandde nog steeds licht. Ik belde aan en hoorde binnen stemmen. Toen Rick opendeed, zag ik Jackson achter hem staan. Ik vroeg me af wat een normaal mens met normale, menselijke emoties op een moment als dit zou zeggen. Zich verontschuldigen en dank je wel zeggen, dacht ik.

'Het spijt me,' zei ik, maar het klonk niet gemeend. 'En bedankt dat Jackson bij jou kon blijven. Vooral na wat Karen en jou vandaag is overkomen.'

'Dat is helemaal geen probleem, Nina. Jackson en ik hebben het hartstikke naar ons zin gehad, nietwaar grote jongen?'

Jackson reageerde niet. Hij kwam bij me staan, pakte mijn hand stevig vast en schurkte zich tegen me aan, iets wat hij alleen maar deed als hij heel erg moe was. Ik voelde me er bijna weer een beetje mens door.

'Het spijt me,' zei ik. 'Ik was al eerder aan de deur, maar toen waren jullie er niet.'

'We hebben boodschappen gedaan,' zei hij. 'Het is heel gezellig met die zoon van jou.' Op zijn gezicht verscheen een wezenloze blik van bezorgdheid die ik nu al zo vaak had gezien. 'Nog nieuws over Charlie?'

Ik schudde alleen mijn hoofd.

'Ik heb het gehoord, van Charlie en jouw zoon,' zei ik.

Er viel een lange stilte. Ik probeerde van zijn gezicht af te lezen wat hij voelde – verbazing, minachting, woede. Even had ik het gevoel dat hij een vreemde voor me was.

'Rick, dat had je me wel eens mogen vertellen!'

Hij streek met een hand over zijn gezicht, en toen hij me weer aankeek, zag hij er gewoon vermoeid uit. 'Misschien heb je gelijk, Nina. Natuurlijk heb ik er op dat moment wel aan gedacht, want ik maakte me er zorgen over. En vandaag heb ik er weer aan gedacht, maar toen vroeg ik me af of het er wel toe deed. En ik geloof oprecht dat dat niet het geval is. Die jongen is een ramp, Nina. Altijd al geweest. Ik was op dat moment woedend op hem, maar zelfs toen... Hij maakt er een puinhoop van, zoals jongens van zijn leeftijd dat zo goed kunnen. Ik dacht dat Charlie het je misschien verteld zou hebben... Wist je echt nergens van?'

'Nee. Maar ik kom er langzamerhand achter dat ze me heel veel niet heeft verteld.'

'Had ze geheimen voor je?'

'Ja,' zei ik. 'Dat kun je wel zeggen.'

'Het spijt me. Het spijt me van alles.' Hij legde zijn hand op mijn schouder en kneep er even in. Jackson rukte aan mijn hand en probeerde me weg te trekken.

'Hoeft niet,' zei ik. 'Ik geef jou nergens de schuld van. Ik loop de hele dag al tegen mensen te schreeuwen.'

'Geeft niet,' zei Rick. 'Je weet dat ik alles zal doen om je te helpen. Het maakt niet uit wat.'

'Als ik iets kon bedenken, zou ik het je wel vragen,' zei ik vermoeid. 'Maar er is niks meer te doen. Je hebt trouwens al genoeg gedaan. Ik zal je nu wat rust gunnen. Kom mee, Jackson. Ik breng je naar huis. Bedankt, Rick.'

'Ze duikt wel weer op,' zei Rick. 'Ik weet het zeker.'

'Ik hoop het maar,' zei ik. 'Heb jij ooit ene Olivia Mullen ontmoet? Of Liv Mullen. Charlie heeft haar afgelopen zomer leren kennen.'

Rick dacht even na en schudde zijn hoofd.

'Zegt me zo niks, die naam,' zei hij. 'Maar er komen 's zomers zoveel mensen naar het strand dat het niet bij te houden is. Wie is dat?'

'Daar probeer ik juist achter te komen. Joel zei het ook al. Het lijkt wel alsof niemand haar heeft gekend, alleen Charlie. Nou, in elk geval bedankt voor alles.'

'Al goed, joh,' zei Rick. 'Ga naar huis en ga maar eens lekker slapen. Je ziet eruit alsof je wel een goede nachtrust kunt gebruiken. Het komt allemaal wel in orde, Nina.'

Ik vond dat hij na al het gedoe van die dag, met het ongeluk van zijn vrouw en het bezoek aan het ziekenhuis, een rustige, evenwichtige indruk maakte. Misschien was het wel een opluchting voor hem dat Karen er de komende nacht niet zou zijn. Toen hij de deur dichtdeed, liep ik met mijn arm om Jackson heen naar de auto. Ik drukte hem zo dicht mogelijk tegen me aan en voelde zijn warme, stevige lijf tegen het mijne. Ik opende het portier aan de passagierskant voor hem. Hij pakte de krant op die daar lag en sloeg die open op zijn schoot. Ik startte de auto en reed weg.

'Wat heb je gedaan met Rick?' vroeg ik.

'Spelletjes op de computer.'

'En toen zijn jullie de deur uit gegaan.'

'Ja.'

Ik stelde me voor hoe Rick Jackson mee uit had genomen en hem had getrakteerd, zoals de oom die hij niet had gedaan zou hebben.

'Heeft hij nog iets leuks voor je gekocht?'

'Nee, niks. Alleen een of ander boekje dat hij zelf nodig had. Hij had er in alle laden naar gezocht en zei toen dat hij net zo goed een nieuw kon kopen.'

'O, juist,' zei ik. 'We zijn thuis.'

Toen ik het portier opende, ging het lampje in de auto aan. Jackson keek in de krant die hij op zijn schoot had.

'Wat is dit?' vroeg hij.

'O, gewoon de streekkrant,' zei ik. 'De dominee heeft hem laten liggen. Hij heeft de auto gerepareerd. Eerst, toen er eigenlijk niks aan mankeerde, heeft Rick hem geprobeerd te repareren, en toen hij later niet wilde starten, heeft de dominee hem gemaakt. De hele dag zijn er al mensen bezig dingen te repareren.'

'Ik bedoel, waarom staat haar foto in de krant?' vroeg Jackson.

'Wie bedoel je?'

'Hier.'

Hij hield de krant op. Op de voorpagina stond een foto van een meisje, van voren genomen, dat met een glimlach op haar gezicht in de camera keek. Ze droeg een strak T-shirt. De foto was in het volle zonlicht genomen, en omdat ze verblind werd door de zon had ze haar ogen half dichtgeknepen. Ze had donkerbruin haar en ze zag er jong en gelukkig uit. Boven de foto stond als kop: 'Meisje (16) vermist' met daaronder in een kleinere letter: 'Politie start zoektocht.' Ik keek naar het onderschrift bij de foto en las wat ik al verwachtte: 'De 16-jarige scholiere Olivia Mullen, die sinds vorige week wordt vermist.'

Ik legde mijn hand op die van Jackson.

'Heel triest,' zei ik. 'Ze hebben vandaag haar lichaam gevonden.'

'Zij was degene die de foto heeft genomen.'

'Welke foto?'

'Die van Charlie en mij. Die foto die ze per post naar je had opgestuurd.'

De foto die ik aan de politie had gegeven. Mijn hoofd tolde. Mijn gedachten waren als blubber. Ik boog me voorover en pakte hem bij zijn arm.

'Je vroeg wie het was, en toen wist ik het niet, maar zij was het.'

'Liv,' zei ik.

'Ja, zo heette ze. Nu weet ik het weer. Ze was aardig. Lacherig.' Ineens rukte hij zich van me los. 'Wat bedoel je, haar lichaam?'

'Is zij vorige week bij Charlie en jou geweest?'

'Is ze dood?'

Ergens in een uithoek van mijn geest was een reservoir aan het ontstaan van zaken waarover ik op een goede dag verantwoording zou moeten afleggen, wist ik – achteloze uitingen, kwetsende opmerkingen, beledigingen en aan anderen toegebracht leed, geheimen die ik had onthuld, wonden die ik weer opengereten had, vertrouwen dat ik had beschaamd, vooral tegenover Jackson, mijn kleine jongen, die zich helemaal in zijn eentje door deze afschuwelijke dag heen had moeten slaan. Ooit, niet nu. Nog niet.

'Jackson, lieve schat,' zei ik. 'Zij is dood, ja. Maar ik moet Charlie vinden…'

'Wat heeft Liv ermee te maken dat Charlie zoek is?'

'Ik moet nadenken,' zei ik. 'Even niks zeggen. Wacht.'

Ik sloot het portier, knipte het licht in de auto aan en las het artikel snel door. Olivia was sinds vorige zondag vermist. Ze had tegen haar ouders gezegd dat ze met een vriendin ging winkelen en was goedgehumeurd de deur uit gegaan, maar haar ouders hadden haar sindsdien niet meer gezien en ze hadden ook niets meer van haar gehoord.

Veranderde hierdoor iets? Ik probeerde alles wat niet ter zake deed uit mijn gedachten te bannen. Ik had het gevoel alsof ik alles wist wat ik weten moest, maar dat ik er niet in was geslaagd er een logisch geheel van te maken. De poging om de stukjes van de puzzel met elkaar te verbinden deed me fysiek pijn. Ik kon bijna mijn hersenen horen zoemen en sissen van oververhitting.

Buiten passeerde een jong stel. Ze hielden elkaar stevig vast en lachten. Ze rookten allebei een sigaret. Ik staarde een paar seconden naar hen, opende toen het portier en stapte snel uit.

'Neem me niet kwalijk, kan ik misschien van jullie een sigaret bietsen?'

'Wat zegt u?' De jongeman staarde me aan, en het meisje om wie hij zijn arm heen had geslagen gniffelde. In een flits zag ik wat hij zag: een vrouw van middelbare leeftijd met een woest kapsel, rode ogen, vuile handen en sjofele, gekreukte, viezige kleren die zo nodig moest roken.

'Ik snak ernaar,' zei ik.

Zonder iets te zeggen reikte hij me er een aan. Ik pakte de sigaret aan en boog me voorover terwijl hij een lucifer afstreek, zijn handen om het tere vlammetje kromde en het mij voorhield. Ik zoog aan het filter totdat het uiteinde van de sigaret opgloeide en ik de prikkeling in mijn longen voelde.

'Bedankt.'

Ik bleef met mijn rug naar het huis staan en dacht aan Jackson, die nog in de auto zat, in elkaar gedoken, moe, hongerig, miserabel en bang. Ik keek uit over de berijpte grond en de zee, die verderop in het donker bijna onzichtbaar voor me lag, en ik rookte.

Olivia Mullen was op zondag 12 december bij Charlie op bezoek geweest. Dat wist ik omdat de datum stond afgedrukt op de foto. Ik wist zelfs hoe laat die was genomen: om 11.07 uur. Volgens de krant was dat de dag waarop ze verdween. Ze was dus na haar bezoek aan mijn dochter verdwenen. Ze had gezegd dat ze het ging 'uitmaken'.

En toen – ik zoog hard aan de sigaret en voelde me even duizelig en misselijk – toen stond er in een krant die Charlie rond-bracht een artikel over Olivia's verdwijning, en vervolgens was ook Charlie verdwenen. Die twee met elkaar samenhangende feiten waren steeds in mijn gedachten – Olivia was verdwenen nadat ze op bezoek was geweest bij Charlie, en Charlie was ver-dwenen op de dag dat er een artikel over de verdwijning van Olivia in de krant stond.

Wat wist ik nog meer? Dat Charlie last had gehad van peste-rijen en dat haar zogenaamde vriendinnen gisteravond zonder dat ze het wist alcohol in haar glas hadden gedaan.

Ik wist dat ze een vriendje had, dat ze dat maandenlang ge-heim had gehouden en afspraakjes met hem maakte op de bo-ten.

Ik wist dat ze een keer met Eamonn naar bed was geweest en misschien bang was dat ze zwanger was, of daar misschien zelfs wel zeker van was.

Ik wist dat Eamonns vader ervan op de hoogte was.

Ik wist dat er, terwijl mijn mislukte verjaardagsfeestje aan de gang was, iemand in mijn huis was geweest die de spulletjes van Charlie had weggehaald, maar dat het Charlie niet zelf geweest kon zijn. Waarom had die persoon dat gedaan? Dit was gebeurd nadat ze halverwege haar krantenwijk haar fiets had laten lig-gen. Zou het de bedoeling zijn geweest om ons zand in de ogen te strooien? Om de indruk te wekken dat Charlie was wegge-lopen, terwijl dat niet het geval was? Degene die haar spullen had weggehaald, had dit alleen gedaan om een bepaalde indruk te wekken. Er waren alleen dingen weggehaald die in het zicht lagen – dingen waarvan de afwezigheid opgemerkt zou worden.

Ik wist dat Rory vanmorgen in het geheim hier was geweest en dat hij Charlie was tegengekomen toen ze haar krantenwijk deed. En dat hij daarover tegen mij en vervolgens tegen de poli-tie had gelogen en dat alleen maar had bekend nadat ik Charlies sjaal en tas achter in zijn auto had gevonden.

Ik wist dat Olivia en Charlie elkaar afgelopen zomer hadden leren kennen tijdens een cursus windsurfen waar Joel instructeur was geweest. Net als tientallen anderen. Ze hadden daar aan het strand met zijn honderden gezeild en gesurft.

'Wacht,' zei ik binnensmonds, en ik gooide de sigaret op de grond, waar hij met een rood oog naar me bleef knipogen. 'Wacht eens even.'

Als een rooksliertje ging er een gedachte door mijn hoofd, als een soort mistflard. Wat? Ik staarde naar de in het donker glinsterende zee en probeerde er vat op te krijgen. Ja, er komen 's zomers zoveel mensen naar het strand dat het moeilijk bij te houden is. Wie had dat gezegd? Wie had dat kort geleden gezegd?

'Ik heb het helemaal niet over het strand gehad,' fluisterde ik voor me uit. 'Ik heb helemaal niet gezegd dat Liv op het strand was geweest.'

Denk na. Denk na. Joel had gezegd dat 's zomers veel eilandbewoners lesgaven in kajakken en zeilen – hijzelf, Alix, Rick, Bill, Tom... Ik herinnerde me dat Rick een rustige, evenwichtige indruk had gemaakt. Vanwaar ineens die rustige, evenwichtige indruk? Wat wilde hij daarmee bereiken?

De golven rolden een paar meter van de plek waar ik stond het kiezelstrand op; het gaf een zacht knerpend geluid. En dat was voor mij het antwoord op mijn vraag: hij was rustig omdat de vloed nu bijna op zijn hoogste punt was en de tijd die mij nog restte om Charlie te vinden bijna om was. Ik deed het autoportier open en boog me naar binnen.

'Jackson.'

'Mama? Mag ik...?'

'Wat heeft Rick gekocht toen je met hem de deur uit ging?'

'Hè?'

'Wat heeft hij gekocht? Je had het over een boekje.'

Ik wist wat hij zou gaan zeggen, en hij zei het.

'Met de getijden. De tijden waarop het eb en vloed is.'

Ik rukte het handschoenenvakje open en trok het stapeltje kaarten en reparatiebonnen eruit, en ja, een getijdenboekje zat er ook in. Met trillende handen sloeg ik het open en liet mijn vinger langs het lijstje gaan totdat ik de tijdstippen voor zaterdag 18 december vond. Het was laagwater om 10.40 uur, hoogwater om 04.22 en 17.13 uur. Naast de tijden van eb en vloed stond bij vandaag een zwart stippellijntje ten teken dat de vloed relatief hoog was. Ik wierp een blik op het schermpje van mijn mobiele telefoon. Het was 16.56 uur.

Rick had Charlie vlak voordat het eb werd achtergelaten en was vervolgens – doordat Karen naar het ziekenhuis moest, doordat hij op Jackson (nota bene!) had moeten passen – de hele dag verhinderd geweest terug te gaan naar de plek waar hij haar had achtergelaten. Maar nu, nu de vloed zijn hoogste punt naderde en de golven nauwelijks hoger het strand op kwamen, had hij zich kunnen ontspannen. Het zou nog maar een kwartier duren voordat het water zijn hoogste punt zou bereiken. En daar had Rick zich rustig bij gevoeld.

Ik toetste het nummer van het politiebureau op mijn mobiel in. Een vertrouwde stem meldde zich.

'U spreekt met…' begon ik, maar prompt brak ik mijn zin af en verbrak de verbinding.

Ik was ineens in staat om volkomen helder na te denken. Ik wist wat er zou gebeuren. De politie zou Rick aanhouden, hij zou er uren voor uittrekken om een verklaring af te leggen waarin hij niets bekende. En ondertussen zou de zee zijn werk doen, waardoor alles voor niets zou zijn geweest. Ik wist maar weinig zeker, maar ik was van één ding bijna absoluut zeker, en dat was dat als ik de politie belde, ik toch nog elke kans om Charlie te vinden zou verspelen.

'Nee,' zei ik.

Ik keek Jackson aan. Ik haalde diep adem en zorgde ervoor dat mijn stem kalm en geruststellend klonk.

'We gaan het anders aanpakken, lieverd. Je zult thuis op me moeten wachten.'

'Nee,' zei hij klaaglijk.

'Het is heel belangrijk dat je dat doet, en ik ben erg trots op je, schat.'

'Nee!' riep hij met een hoge hysterische stem. 'Ik doe het niet.

Dan loop ik weg. Ik ga met jou mee. Je kunt me niet nog een keer alleen laten. Dat is gemeen.'

In mijn wanhoop speelde ik even met de domme gedachte om hem dan maar mee te nemen. Dan moest hij zich maar op de achterbank verstoppen. Hij kon wel stil zijn. Misschien zou hij in slaap vallen. Ik dacht erover na, hoewel ik daar op dat moment geen tijd voor had. Toen werd ik in mijn overwegingen onderbroken doordat ik twee gestalten langs zag lopen, een volwassene en een kind. De volwassene torste een aantal boodschappentassen met zich mee. Ze kwamen van de bushalte, zag ik. En toen herkende ik hen. Het waren Bonnie en haar zoon Ryan.

'Bonnie,' riep ik, nadat ik het portier had geopend.

Ze herkende me en glimlachte.

'We zijn eindelijk klaar,' zei ze. 'We hebben er vijf uur voor nodig gehad en we hadden geen tijd om te eten, maar we hebben cadeautjes voor iedereen, hè Ryan? We hadden het zelfs zo druk met het bekijken van onze aankopen dat we onze halte voorbij zijn gereden.' Maar toen veranderde haar gelaatsuitdrukking. 'Maar jij zou onderhand toch op weg moeten zijn naar Florida? Nina, wat zie je eruit!'

'Geen tijd,' zei ik. 'Het is dringend. Heel dringend. Wil jij nog even op Jackson passen? Het spijt me. Charlie is verdwenen.'

'Verdwenen?'

'Geen tijd om het uit te leggen. Neem jij Jackson mee. Ik bel wel. Jackson, schiet op. Snel.'

'Maar...' zei Jackson.

'Leuk!' zei Ryan.

'Oké,' zei Bonnie meteen, en ze trok Jackson aan zijn armen uit de auto. Toen keek ze mij aan. 'Ga maar gauw.'

Zodra ze het portier had dichtgeslagen, spoot ik weg in de richting waaruit ik net gekomen was. Een paar meter voor het huis van Rick kwam ik tot stilstand. Ik knipte mijn koplampen uit, maar liet de motor draaien.

Ik wachtte en deed een schietgebedje dat ik niet te laat was, dat ik het niet mis had, of dat ik het desnoods wél mis had maar dat ik in mijn ergste nachtmerrie alleen een griezelverhaal zou blijken te hebben verzonnen dat geen relatie had met de werkelijkheid. Het was voor mij een gok, de laatste worp van de dobbelsteen. Met de kans dat ik het mis had stelde ik het leven van mijn dochter in de waagschaal. Ik wist nu dat Rick Charlie had ontvoerd. Ik dacht dat hij haar ergens had verstopt waar ze bij vloed door het water zou worden verzwolgen, en het water stond nu bijna op het hoogste punt. En bovendien zette ik er alles op dat hij nog thuis was, dat hij zo meteen naar haar toe zou gaan en dat het me zou lukken hem te volgen en te verhinderen dat hij zijn plan zou uitvoeren. Het was een onwaarschijnlijk fragiel fundament waar ik al mijn hoop op bouwde! Ik wist dat ik het heel goed mis kon hebben. En als ik het mis had, zou ik de hele rest van mijn leven kunnen nadenken over deze ogenblikken, zou ik het hele verhaal steeds weer kunnen nalopen en bedenken wat ik had moeten doen als ik een beter overzicht van alles had gehad. Maar ik kon niet anders dan hiervan uitgaan, ik had niets anders. Ik was gevangen in een donkere mist, ik tastte om me heen naar een waarheid waarvan ik niet meer zag dan een paar kleine stukjes.

Ik weet niet hoe lang ik daar zat. Misschien maar een paar minuten. Toen zag ik beweging, de voordeur ging open en Rick kwam naar buiten. Ik omklemde het stuur met mijn beide handen. Hij droeg een zak over zijn schouder die er, voor zover ik kon zien, uitzag als een nylon plunjezak die zeelieden gebruiken. Hij liep naar zijn auto, slingerde de plunjezak in de kofferbak en startte de motor. Ik wachtte totdat hij wegreed en ik zijn rode achterlichten de hoek om zag verdwijnen. Ik prentte zijn kenteken in mijn geheugen en nam de vorm van de achterkant van zijn oude grijze Volvo in me op voor het geval ik hem uit het oog mocht verliezen, hoewel er op deze winteravond verder niemand op de weg was. Iedereen zat lekker binnen in de warmte bij de kerstboom, de televisie en de open haard. Beschut tegen de storm.

De weg maakte een bocht naar rechts, en ik zag Rick voor me uit rijden. Ik volgde hem op een afstandje en hoopte maar dat hij mijn auto niet herkende als hij in zijn achteruitkijkspiegeltje keek. We kruisten The Street, waarna hij rechtsaf sloeg en The Barrow in reed, waar hij linksaf sloeg naar Lost Road. Het was pikdonker, afgezien van de rode achterlichten voor me. Ik ging langzamer rijden en deed mijn lichten uit. Nu kon ik nauwelijks nog de weg zien waarop ik reed, af en toe reed ik hobbelend de berm in en één keer gleed ik bijna naar beneden. Ik huiverde bij de gedachte dat ik van de weg zou raken en in een greppel terecht zou komen. Maar ook als Rick me zou zien en besloot om zijn tocht af te breken en naar huis te gaan, zou dat het einde van alles betekenen.

Ik boog me voorover en concentreerde me op de weg vlak voor me, maar lette er intussen wel op dat ik de twee rode lichtjes bleef zien. Mijn vingers waren verstijfd van de kou, het zweet parelde op mijn voorhoofd en er liep een straaltje tussen mijn borsten door. Ik hoorde mezelf ademen met korte, hijgerige uithalen. Inmiddels lag er rechts van me akkerland, en voor me uit, in de verte, tussen de bomen die er als windkering omheen waren geplant, ving ik af en toe een glimp op van de boerderij van Birche. Links van me lagen uitgestrekte stukken moerasland waarop niets te zien was. Voor me kwam de zee weer in zicht, die onder de donkere hemel als een muur van duisternis opwees. De maan spreidde een gelige, golvende baan over de baren uit.

Alix en ik waren hier nog maar een paar uur geleden geweest. De weg boog af naar links en leidde langs een paar huizen. De rode achterlichten volgden de bocht en gingen langzaam naar beneden, een flauwe helling af. In weerwil van alles wat me instinctmatig voortdreef, besloot ik op dat moment de auto stil te zetten. Ik kon het risico niet nemen dat Rick me zou zien. Hij naderde de kustweg, en even stopte hij op het kruispunt. Als je de route zou volgen die Charlie voor haar krantenwijk zou hebben genomen, zou je naar rechts gaan, waar de weg op den duur overging in een karrenspoor en vervolgens in een drassig pad dat naar de verraderlijke moerassen en zeedijken liep. Naar links voerde de weg langs de lage, langzaam uitlopende rotsen en dijken, langs land dat overging in de zilte slikken en het zoute water, en vervolgens terug naar de dam.

Over het stuur gebogen keek ik toe, klaar om de auto weer in beweging te zetten. Ik voelde wel dingen, maar het was net alsof ze heel ver weg waren – de scherpe pijn van mijn steeds verder opzwellende enkel, de kou en stijfheid in mijn vingers en tenen, het pijnlijke schuren van mijn jas in mijn hals, het holle gevoel in mijn maag, de druk op mijn blaas en het bonzen in mijn hoofd. Het was net alsof mijn huid te dun en te teer was. Het ademen deed me pijn, het denken deed me pijn, het deed pijn om in leven te zijn en me niet te mogen bewegen, me niet als een reus met zevenmijlslaarzen voort te bewegen, als een draak met monsterlijk op en neer slaande vleugels af te stormen op Rick, die daar zat te overwegen wat hij met mijn dochter zou doen.

'Nog even volhouden, Charlie, lieverd. Ik kom eraan. Ik kom je halen. Even volhouden.' Ik wist niet of ik het hardop zei of niet. Haar naam klopte in mijn aderen.

De twee achterlichten voor me verdwenen uit het zicht, en in plaats daarvan zag ik nu de koplampen van de auto oplichten in de mist. Rick was linksaf geslagen. Mijn ogen waren inmiddels aan het donker gewend, en ik zag de weg vaag lopen. Toen ik bij de kruising kwam en linksaf sloeg, zag ik de rode achterlichten weer voor me. Ik kon onmogelijk schatten hoe ver hij voor me uit was, en even verkeerde ik in de illusie dat de twee lichtjes voor me op een scherm op en neer dansten. Maar ik bevond me nu aan de oostkant van het eiland en reed naar het noorden. Achter de wolken waren nog een paar lichtvegen te zien. Het zou nu niet lang meer duren of het was volstrekt donker.

Waar ging Rick heen? We bevonden ons op het meest afgelegen, meest verlaten deel van het eiland. Ik kende het eigenlijk niet en probeerde me te herinneren hoe de wegen hier ongeveer liepen. Zoals Rick reed, langs de kust, zou je uiteindelijk bij de dam naar het vasteland komen, maar ik was er bijna zeker van dat de weg niet zo ver doorliep. Hij ging op een gegeven moment over in een karrenspoor en vervolgens, waar de zeewering het had begeven, verdween hij in onbegaanbaar moerasland.

Ineens schrok ik op. De rode lichtjes waren verdwenen. Ik zette de auto stil, knipperde met mijn ogen, wreef erin en staarde in de duisternis. Aan de hemel was nu niets anders meer te zien dan het grijs achter de wolken, en aan de horizon zag je de lichtjes van de huizen op het vasteland. Ik dwong mezelf de mogelijkheden tegen elkaar af te wegen. De lichtjes konden verdwenen zijn doordat de weg naar beneden liep. Hij kon weer afgeslagen zijn. Hij kon zijn auto stilgezet en de lichten uitgedaan hebben. Of zou hij mijn auto gezien hebben en stond hij me op te wachten? Wat moest ik doen? Wachten totdat ik de lichtjes weer zag leek de veiligste optie, maar dat was misschien ook de meest rampzalige. Als ik ze niet weer zag opduiken, kon het zijn dat ik Rick helemaal kwijt was. Nee. Ik moest doorgaan en het risico nemen. Hij zou de auto misschien niet kunnen zien in de duisternis, maar zou hij hem kunnen horen? Ik draaide het raampje naar beneden. De wind vanuit de delta blies regendruppels in mijn gezicht. Ik was ervan overtuigd dat hij de auto niet zou kunnen horen, tenzij die zo dicht bij hem kwam dat hij erdoor zou worden overreden.

Ik reed langzaam vooruit, nauwelijks harder dan stapvoets. Ik staarde zo aandachtig in de duisternis dat mijn ogen er pijn van deden. Dat ik me moest inhouden ergerde me zo dat het bijna ondraaglijk was. Ik zou het liefst mijn grote licht aanzetten en het gaspedaal diep intrappen, maar ik was ervan overtuigd dat als ik dat deed, ik de kans om Charlie nog terug te vinden voor eeuwig zou verspelen.

Ricks auto dook ineens uit de duisternis voor me op, en zelfs nu ik stapvoets reed, botste ik er nog bijna tegenaan. Ik remde en voelde mijn banden doorglijden op het fijne grind. Zou Rick iets gehoord hebben? Ik zette de motor af en bleef een paar seconden stil zitten. Ik keek om me heen en verwachtte elk moment Ricks gezicht voor mijn raampje te zien opduiken. Maar ik zag niets. Buiten was niets anders dan duisternis. Ik pakte mijn mobiele telefoon, zocht het nummer van het politiebureau op en belde. Toen er opgenomen werd, vroeg ik niet om doorverbonden te worden. Dat zou te veel tijd kosten. Met een stem die ik zo kalm mogelijk liet klinken om te voorkomen dat ze zouden denken dat ik nu eindelijk volslagen hysterisch geworden was, zei ik:

'Met Nina Landry. Ik heb mijn dochter gevonden, maar ze verkeert in levensgevaar. Komt u onmiddellijk naar het einde van Lost Lane. U moet bij de kruising met de kustweg linksaf slaan en zo ver mogelijk doorrijden. Waar de weg ophoudt, zult u twee auto's zien staan. Daar zijn we. Komt u meteen, hebt u dat begrepen? Aan het einde van Lost Lane naar het noorden rijden, in de richting van de dam. Het is dringend. Een kwestie van leven of dood. En stuurt u ook een ambulance.'

Ik beëindigde het gesprek. Lag er in de auto iets wat ik kon gebruiken? Er schoot me iets te binnen. Ik opende het handschoenenvakje en werd bijna verblind door het licht dat daarin aanfloepte. Er lagen een wegenkaart, het gebruikershandboek van de auto en een kleine zaklantaarn in. Ik probeerde of hij het deed. Ik richtte hem op mijn voeten, zodat er van buiten niets te zien zou zijn. Een dun lichtstraaltje scheen op mijn hardloopschoenen. Godzijdank, godzijdank, godzijdank. Ik liet hem in mijn zak glijden.

Ik deed het autoportier open en probeerde zo weinig mogelijk geluid te maken. Weer ging er een lichtje aan in de auto, en ik stapte snel uit en deed het portier dicht. Het lichtje bleef branden. Ik vloekte binnensmonds. Hij zou dan misschien niets kunnen horen, dat lichtje zou kilometers in de omtrek te zien zijn. Ik haalde diep adem, opende het portier een paar centimeter en sloeg het toen opnieuw dicht. Het lichtje doofde. Er was weer duisternis om me heen, maar helemaal zonder kleerscheuren was ik er niet af gekomen. Ik had het idee dat mijn ogen vol lichtgevende micro-organismen zaten.

Op mijn tenen liep ik om Ricks auto heen. Niemand. Hij was

weg. Ik probeerde te bedenken of er in mijn auto nog iets anders lag wat ik kon gebruiken. Ik sloop terug naar mijn kofferbak en deed die open. Weer ging er een lichtje branden, maar deze keer verborgen onder de achterklep. Ik wist niet of ik moest lachen of huilen toen ik daar de bagage zag staan die ik voor onze reis had gepakt, lang geleden, vele jaren geleden, toen we nog op vakantie zouden gaan. Ik zocht iets zwaars, iets massiefs. Aan de zijkant lag de langwerpige plastic zak waar de krik in zat. Ik had hem nooit opengemaakt. Ik trok de sluiting open en wrikte de lange ijzeren slinger eruit. Die leek me wel geschikt. Ik drukte de klep naar beneden en keek om me heen.

Ik wist eigenlijk niet eens welke kant Rick op was gegaan. Nadenken, Nina, even goed nadenken. Hij was de weg overgestoken en had zijn auto aan de rechterkant neergezet, dus hij zou hoogstwaarschijnlijk aan die kant via het grasland, het moerasgebied en de slikken naar het water van de delta zijn gelopen. Slechter kon het niet. Hoewel hij een getijdenboekje had gekocht, had ik toch gehoopt dat Rick van het water vandaan zou zijn gegaan, naar een of andere schuur of een bijgebouw van een boerderij. Ik kende het landschap niet goed, maar ik had hier op winderige dagen wel met Sludge gelopen en ik wist dat er geen enkel gebouw stond; er was hier niet eens een bosje waar je even uit de wind kon staan. Niets waar je iemand gevangen kon houden. Ik wist dat ik hier niet over na moest denken. Ik moest doen wat ik kon.

Maar welke kant was hij opgegaan? Rory had me om mijn gebrek aan richtingsgevoel altijd uitgelachen en gezegd dat ik zelfs in mijn eigen huiskamer kon verdwalen. Nu kon ik me geen enkele vergissing veroorloven. Ik ging in de duisternis op weg. Mijn hele wereld scheen nu tot deze duisternis beperkt te zijn. Ik zou hebben kunnen denken dat ik in de ruimte zweefde als ik niet door nat, drassig gras liep waarin mijn schoenen doorweekt raakten en ik de zeewind tegen mijn huid voelde blazen. Toen ik dan eindelijk het opflakkerende lichtje zag, was dit zo klein dat ik even dacht dat ik nog een nabeeld op mijn netvlies zag van het lampje in mijn auto. Maar nee, daar zag ik het weer, een vuur-vliegje dat zo heen en weer bewoog dat je er misselijk van werd, soms even uit het zicht als het achter een graspol of een varen verdween, soms was het helemaal weg, maar steeds kwam het weer terug. Het was echt.

Ik hield de zaklantaarn onder mijn knieën en richtte hem op de grond. Om me heen zag ik ruig gras, maar ik bevond me op een smal pad. Ik liep voorovergebogen en zo snel als ik kon. Ik zag niets van wat er links en rechts van me was, maar ik had het gevoel dat het pad in de richting van het licht voerde. Mijn hou-ding was een ongemakkelijke, maar ik had geen andere keuze. Ik moest de zaklantaarn aan houden. In het donker over een weg rijden, in de zekerheid dat je asfalt onder je wielen had, was één ding, maar op een nauwelijks te onderscheiden pad lopen dat tussen het moerasland en de slikken door kronkelde, was heel wat anders. Eén misstap, onverschillig welke kant op, en ik liep de kans naar beneden te storten en voor altijd onvindbaar te zijn. Maar dat Rick een glimp zou opvangen van het licht moest ook tot elke prijs worden voorkomen. Zo haastte ik me dus over het pad voort als een krab.

Nadat ik een paar minuten zo had gelopen, stopte ik, knipte de zaklantaarn uit en ging rechtovereind staan. Ik moest mijn gehijg onderdrukken, want ik was vlak bij hem. De zaklantaarn die Rick bij zich had, had hij inmiddels op de grond gelegd en hij was neergeknield en was iets aan het doen wat ik niet kon zien. Ik hurkte weer neer en hoopte dat het bosje naast me me enigszins aan het oog zou onttrekken.

Hij had de zaklantaarn blijkbaar zo neergelegd dat de licht-kegel op hem gericht was. Ik vroeg me af waar we waren. Zo te horen was de zee heel dichtbij. Ik pakte de slinger over met de hand waarmee ik ook de zaklantaarn vasthield en tastte met mijn vrije hand naar de grond. Ik voelde fijn grind, zand zelfs. En het was nat. Ik voelde het zeewater, dat bijna op zijn hoogste punt was, om mijn voeten. Maar wat was dit dan, net voorbij het opkomende water? Het was moeilijk om voorbij de lichtkegel nog iets te onderscheiden, maar toen ik mijn ogen half dichtkneep en goed keek, zag ik hoe zich een uiterst vage, zeer donkere vorm tegen de bewolkte hemel aftekende. Wat kon dat zijn? Het was iets heel groots, met rechte lijnen. Maar er waren hier op het zand en de slikken toch geen gebouwen? Rick bezat een boot. Zou hij die hier ergens hebben liggen? Had hij daar Charlie op vastgebonden?

Maar zelfs in mijn opgewonden toestand wilde dat er bij mij niet in. Die boot kon niet aangemeerd liggen op een plek waar het water zelfs bij vloed maar een paar centimeter diep was. Ik was geen zeeman, maar dit wist ik zelfs wel. Maar wat was dat dan, dat daar in de duisternis zo massief voor me opdoemde?

Ik groef in mijn geheugen. Ik dwong mezelf terug te denken aan die afschuwelijke winterse dagen vlak nadat Rory was weg-gegaan, dagen waarop ik met Sludge over de afgelegen paden van het eiland had gedwaald, dagen ook waarop de noordooster zo hevig was geweest dat ik niet wist of de tranen die over mijn wangen liepen veroorzaakt werden door verdriet of woede of gewoon door de wind. Ik dacht daaraan terug en herinnerde het me, en ineens wist ik het. Toen ik er weer naar keek, zag ik dui-delijk wat het was. Het was een van de bunkers die nog resteer-den van de verdedigingswerken uit de oorlog. Meteen ook zag ik volstrekt duidelijk voor me wat me te doen stond en wist ik dat ik het onmiddellijk moest doen. Er was sowieso al bijna geen enkele hoop meer, maar als ik het niet meteen deed, was er helemaal geen hoop. Ik pakte de ijzeren slinger weer in mijn rechterhand en omklemde hem stevig. Waar het nu op aan-kwam, was dat ik niet meer nadacht. Ik moest voelen en hande-len. Ik stond op en deed een paar stappen naar voren. Meer was er niet nodig om de afstand tussen ons te overbruggen, en ter-wijl ik op hem afliep, bewoog ik mijn rechterarm naar achteren. Rick keek vanuit zijn knielende houding op, net op het mo-ment dat ik de ijzeren slinger op zijn hoofd liet neerkomen, zo-dat ik hem vlak boven zijn linkeroog raakte. Hij gaf geen kik. Ik hoorde alleen een dreun en gekraak toen de ijzeren slinger op zijn schedel terechtkwam, waarna hij op de grond ineenzeg. Ik wilde doorgaan, zijn schedel tot moes slaan, maar zelfs daar had ik geen tijd voor.

Ik wendde me af van Rick, gooide de slinger op de grond en liet het licht van mijn zaklantaarn over het water gaan. Het zwakke licht scheerde over de inktzwarte golfjes en viel vervolgens, toen ik het wat verder omhoog richtte, op de massieve vorm van de bunker. Ik rende erop af, wadend door het ijskoude water, dat al snel tot aan mijn knieën en vervolgens tot aan mijn middel reikte en mijn pas vertraagde. Ik hapte naar lucht door de plotselinge kou, die me de adem benam. Mijn spijkerbroek kleefde aan mijn benen, mijn voeten zakten weg in het modderige zand, het zoute water prikte in mijn gezicht en mijn ogen begonnen te tranen.

'Charlie!' riep ik zo hard als ik kon, terwijl ik door de brekende golven waadde en mijn dikke, doorweekte jas vervloekte omdat die mijn voortgang belemmerde. 'Ik ben hier. Nog even. Lieverd, lieverd, nog eventjes.' Ik had het gevoel dat het nu aankwam op elke seconde, op elke fractie van een seconde. Zoals atomen gespleten worden, zo kon de wereld elk ogenblik in stukken uiteenvallen.

Mijn stemgeluid rolde over de golven en brak ergens in de verte. Er kwam geen antwoord. Ik kreeg geen antwoord. Ik stortte me naar voren om de laatste meters af te leggen en hield de zaklantaarn boven mijn hoofd, zodat hij niet nat zou worden. Ik staarde in de duisternis om te zien of ik een opening zag, maar ik kon bijna niets onderscheiden. Zwart op zwart was het. Peilloze diepte na peilloze diepte. Ik stak mijn vrije hand uit en tastte, en eindelijk voelde ik de muur, ruw en korrelig onder mijn vingers. Ik liet de straal van de zaklantaarn eroverheen gaan totdat ik de opening zag, en ik baande me met geweld een weg door het snel stijgende water totdat ik eindelijk bij de ingang was. De bunker, die vroeger boven op de rotsen had gestaan, lag nu schots en scheef onder aan de rotswand, zodat de smalle ingang enigszins naar boven gericht was. Dit betekende dat het opko-

mende water, dat eerst tegen de muren van de bunker had ge-
klotst, nu snel naar binnen stroomde.

Ik liet de straal van mijn zaklantaarn, die zwakke lichtkegel,
naar binnen schijnen. Maar daar was niets te zien. Niets anders
dan water, dat woest door de opening naar binnen stroomde en
verderop tot rust leek te komen.

'Charlie!' riep ik met brekende stem. 'Charlie!'

Toen stuitte de lichtstraal op een donkere, vage vorm als van
een plompenblad. Ik boog me voorover om de lichtstraal direct
op de vorm te richten. Ik hoorde hoe mijn adem in mijn keel
stokte, want wat in het licht van mijn zwakke straal te zien was,
was iets bleeks dat nog maar net boven het oppervlak van het
binnenstromende water uitkwam. Een klein eilandje van men-
selijk vlees in de vloedstroom, net de buik van een ondersteboven drijvende vis. Een mond die leek te fungeren als een kieuw
en die naar zuurstof hapte.

Even was ik niet in staat om me te bewegen. Toen schoof ik
pijnlijk langzaam en omzichtig de smalle opening van de bunker in. Ik voelde mijn jas scheuren, voelde het ruwe beton aan
mijn handen en mijn gezicht, proefde bloed en zout in mijn
mond. De zee kwam al tot aan mijn middel en toen ik verder
de bunker in ging tot aan mijn hals. Maar ik durfde geen abrup-
te bewegingen te maken uit angst dat ik dat deerniswekkende
mondje vol water zou doen stromen. Ik was doodsbang dat door
de waterverplaatsing van mijn lichaam de waterspiegel zo zou
stijgen dat de mond erdoor onder water zou verdwijnen. Met
kleine stapjes schuifelde ik naar mijn dochter, ik hield de zaklantaarn nog steeds omhoog in mijn ene hand, terwijl ik de andere
naar voren stak, klaar om haar vast te pakken, net nu ze bezig was
te verdrinken.

En toen raakten mijn vingers haar eindelijk, ik voelde haar
uitgestrekte hals en de op zeewier lijkende wirwar van haar haren.

'Het komt allemaal goed, lieve schat,' fluisterde ik.

Ze staarde me aan met nietsziende ogen. Haar lippen hapten

naar een laatste restje lucht. Het water kabbelde om haar omhoog rijzende kin.

'Ik haal je hieruit.'

Ik moest de zaklantaarn neerleggen. In paniek liet ik mijn blik rondgaan in de vochtige ruimte totdat ik een gaatje zag waar de steen was afgebrokkeld. Ik klemde de zaklantaarn erin vast, zodat die horizontaal de ruimte in scheen, waardoor ik Charlie helemaal niet meer kon zien. Ik sloeg onder water mijn armen om haar heen, klemde haar vast en trok. Ze was zwaar als een lijk en gaf niet mee, en ik slaagde er ternauwernood in haar een paar centimeter omhoog te krijgen voordat ze ineens tot stilstand kwam. Ze leek vast te zitten, maar het was me onduidelijk met wat of waaraan.

'Wacht,' fluisterde ik.

Ik liet me onder water zakken. Mijn jas ging open en functioneerde als een rem. Ik deed mijn ogen open, maar zag niets anders dan het troebele zeewater aan me voorbij kolken. Ik tastte voor me uit en voelde haar benen en vervolgens haar enkels. Ze bleek aan haar enkels vastgebonden te zijn met iets wat dik en stevig aanvoelde. Een touw. Ik rukte er tevergeefs aan. Ik liet mijn handen langs het touw gaan tot waar het ophield en vastgeknoopt was aan iets wat zwaar en koud was. Ik rukte aan de dikke knoop en probeerde die met mijn vingers los te maken, maar ik begreep meteen al dat me dat niet zou lukken. Niet zonder dat ik de knoop kon zien, niet hier onder water, niet op tijd. En er was geen tijd meer. Het was een kwestie van seconden. Charlie had nog maar een paar seconden.

Proestend en hijgend kwam ik weer boven. Ik trok mijn dikke, doorweekte jas uit, vouwde die op tot een dik pakket en dook weer onder water. Ik blies alle lucht uit mijn longen, zodat ik zonder al te veel moeite onder water bleef terwijl ik mijn handen om Charlies enkels klemde en haar naar boven duwde totdat het touw strak kwam te staan. Ik propte de opgevouwen jas zo onder haar schoenen dat ze zo ver mogelijk omhoog geduwd werd en ook nog zo dat ze niet weer naar beneden zou glijden als ze haar voeten bewoog. Nu had ik in elk geval een minuut of zo gewonnen.

Weer ging ik naar boven, ik stak mijn hand uit en pakte de zaklantaarn, die ik op mijn eigen gezicht richtte.

'Wacht,' zei ik. 'Niet bewegen. Stil blijven staan. En ademhalen. Ik ben met een paar seconden terug. Ik haal je hieruit, ik zal je redden, ik zweer het je.'

Ze sperde haar ogen open. Uit haar mond klonk een langgerekt, proestend, klaaglijk gekrijs, dat niets menselijks meer had.

Ik draaide mijn dochter de rug toe en trok mezelf door de smalle opening naar buiten. Ik waadde door de golven en bokste tegen de wind in. Langs Rick, tegen wiens op de grond uitgespreide lichaam de golven nu aan klotsten, en verder naar mijn auto. Onder het rennen speurde ik de omgeving af of ik de koplampen van een auto zag. De politie zou er nu toch bijna moeten zijn. Maar het was donker op de weg.

Ik rukte de achterklep open. Het licht sprong aan en verblindde me. Ik boog me voorover, ritste de nylon sporttas open en haalde het kerstcadeautje voor Christian eruit, dat ingepakt was in met sterren versierd zilverpapier. Ik stopte de zaklantaarn in mijn mond omdat ik nu beide handen nodig had. Ik draaide me om en rende weer in de richting van de zee, en ondertussen rukte ik het papier van het cadeautje en frunnikte aan de dikke plastic verpakking die erin zat. Een snorkel was het. Met een duikbril eraan. Ik rukte de snorkel uit de verpakking en liet de rest in de modder vallen. Ik haalde met mijn vrije hand de zaklantaarn uit mijn mond, terwijl ik met de andere de snorkel omklemde, en met beide handen boven mijn hoofd waadde ik door het water dat voor me uiteenweek weer naar Charlie toe.

Weer de smalle opening door. Mijn zaklantaarn begon langzaam uit te gaan. De lichtstraal flakkerde. Maar ik vond de halfgeopende lippen van mijn lieve schat met haar langzaam zwakker wordende ademhaling. Met één hand duwde ik de snorkel in haar mond en zorgde ervoor dat het mondstuk goed om haar lippen zat. Haar huid voelde koud en rubberachtig aan, onwer-

kelijk. Ik zette haar de duikbril op en trok de sluiting over haar
hoofd.

'Klem die vast met je tanden, Charlie,' zei ik hard en met
vaste stem. 'Klem hem vast en adem erdoorheen. Als je met je
gezicht onder water gaat, moet je niet in paniek raken, hoor je
me? Dan kun je gewoon doorgaan met ademhalen. Je redt het.
Nu ga ik iets halen om je los te snijden.'

Makkelijk gezegd, maar ik had niets om dat dikke, natte touw
mee door te snijden. Geen mes, geen schaar, niets waarmee ik
kon snijden. Maar toen bedacht ik dat er nog iemand was, en dat
hij misschien iets bij zich had. Ik liet Charlie nogmaals alleen in
die afschuwelijke kolkende duisternis en waadde door het water
terug.

Ricks lichaam lag nu half in het water, half op het strand. Zijn
plunjezak hing nog over zijn schouder, en ik moest hem een halve slag omdraaien om erbij te kunnen. Zijn lichaam was zwaar
en onhandelbaar, en mijn handen kwamen onder het bloed te
zitten. Maar ik had de plunjezak te pakken. Hij zat dichtgeknoopt met een touw, dat ik met mijn koude, verstijfde vingers
geduldig moest losknopen. In de zak zaten een handdoek, een
verschoning en een hoop rommel, voornamelijk spullen die iets
met zijn boot te maken hadden – een paar kikkers, dunne nylon
lijntjes, een klein plastic hoosvat, een moersleutel, een harpje,
een combinatietang – die ik misschien kon gebruiken om de
knoop losser te maken. Een kleine snoeischaar: daar zou het mee
kunnen lukken. En wat was dit? Ik haalde het uit de plunjezak
en hield het op in het laatste lichtstraaltje van de zaklantaarn –
een zakmes.

Ik nam de combinatietang, het zakmes en de snoeischaar
mee en waadde voor de derde keer naar de bunker. Het licht in
het westen was nu helemaal weg en het was volstrekt donker.
Maar toen ik bij de bunker aankwam, verscheen vanachter een
wolk de maan, die een zwak, zilverachtig schijnsel op het water wierp. Even kon ik alles om me heen zien – de zich voor me
uitstrekkende ijskoude zee, de hoge, koude hemel, het over-

stroomde strand en de slikken, waaruit als een vlek de bunker omhoogstak te midden van de vloedstroom. Het water moest nu bijna zijn hoogste punt bereikt hebben. De onderstroom trok aan het zand en de kiezels onder mijn voeten, de golven om me heen krulden om en braken. Mijn broek kleefde aan mijn benen, mijn schoenen waren zwaar als bakstenen, maar ik had geen tijd om mijn veters los te maken en ze uit te trekken.

Toen ik bij de opening in de bunker was aangekomen en me erin liet zakken, tastte ik met mijn voeten naar een steunpunt. Het water kwam omhoog en spoelde om me heen. Ik kon bijna niet meer staan en moest een zo hoog mogelijk standpunt zoeken, en zelfs daar moest ik op mijn tenen staan om goed te kunnen ademen. Het lukte me nog altijd om de zaklantaarn boven mijn hoofd te houden, en ik liet de steeds zwakker wordende straal door de doodse ruimte gaan. Niets te zien. Charlie was weg. Ik voelde een schreeuw in me omhoogkomen, maar onderdrukte die en staarde naar de plek waar ik haar het laatst had gezien. En daar zag ik een stukje pijp boven het water uitsteken, een paar centimeter maar. En daar onder aan dat pijpje, onder water, bevond zich mijn dochter. Zou ze nog ademen?

De zaklantaarn flakkerde nog even en doofde toen. Ik liet hem vallen, en met een lichte plons verdween hij onder water. Eventjes wierp de maan nog een spoortje licht naar binnen, maar toen bevond ik me in volstrekte duisternis. Ik stopte de combinatietang onder water in mijn strak zittende broekzak, klemde de snoeischaar tussen mijn tanden en klapte het grootste lemmet van het zakmes open. Nadat ik nog één keer diep had ingeademd, liet ik me onder water zakken. Ik stak mijn vrije hand naar voren en tastte naar Charlie. Ik voelde haar middel, haar doorweekte bomberjack, haar dijen, haar benen, haar enkels. Ik moest oppassen dat ze niet van mijn opgevouwen jas gleed. Ik voelde het touw en hield het goed vast met mijn linkerhand. Mijn gezicht was nu naar beneden gericht als dat van een duiker, terwijl de rest van mijn lichaam naar boven dreef. Ik begon met het mes aan het touw te zagen. Ik moest ademhalen, maar ik kon nu niet ophouden. Het touw was doorweekt en dik, het mes klein en bot. Mijn longen krompen in elkaar en deden pijn. Zo meteen zou ik gaan ademen en ze volzuigen met grote teugen zout water. Er ging een siddering door me heen, ik liet het touw los en kwam proestend en hijgend boven water, waarbij ik nog bijna de snoeischaar liet vallen. Maar toen pakte ik die stevig vast, opende hem, en met de snoeischaar in de aanslag en het mes tussen mijn tanden dook ik weer naar beneden.

Beneden pakte ik het touw weer vast. Met mijn vingers zocht ik de snee waar ik geprobeerd had het door te snijden. Ik hield de snoeischaar erbij en maakte er knippende bewegingen naar, waarbij ik soms het touw miste en hem in het water dichtsloeg. Ik voelde de pijn in mijn longen weer toenemen, elke kubieke millimeter deed me pijn. Ik stelde me voor dat de vezels van het touw een voor een braken, ik voelde het touw langzaam dunner worden. Nog een paar keer knippen, maar het duurde zo lang, zo verschrikkelijk lang, en ik had geen tijd meer en geen adem meer, en mijn lichaam klapte zowat uit elkaar van pijn. En al die tijd zweefde Charlies lichaam boven me, zachtjes heen en weer bewegend op de golven.

Toen ik dacht dat ik het niet langer kon verdragen, trilde het touw even en brak. Mijn lichaam, dat geen houvast meer had, schoot een stukje naar boven. Ik drukte me tegen Charlies lichaam aan terwijl ik op het wateroppervlak af ging. Moeizaam duwend aan haar passieve, zware lichaam duwde ik haar hoofd omhoog, de lucht in. Ze viel tegen me aan, en ik kon haar niet goed vasthouden omdat ik geen vaste grond onder mijn voeten voelde. Haar hoofd viel terug in het water toen ik haar van opzij probeerde vast te pakken, en terwijl ik zelf met grote teugen lucht inademde, legde ik mijn handen aan weerszijden van haar hoofd, over haar oren, en op mijn rug liggend trok ik haar het korte stukje naar de ingang door het water. Eén keer dacht ik even dat ze een schokkerige beweging maakte, als in een soort reflex, maar afgezien daarvan reageerde ze nergens op. Haar benen sloegen onder water tegen de mijne aan, en haar armen dreven doelloos heen en weer.

Bij de ingang aangekomen probeerde ik mezelf achterwaarts omhoog te werken, met één arm om haar romp wrikte ik haar slappe, door haar passiviteit loodzware lichaam omhoog, maar haar bovenlichaam boog zich naar opzij, alsof ze terug de bunker in wilde glippen. Ik kon niet goed grip krijgen op haar kleren en haar vochtige huid. Haar vingers waren net stukjes slijmerig drijfhout en haar ledematen leken onder allerlei onmogelijke hoeken gebogen te kunnen worden. Op een gegeven moment moest ik een pluk haar van haar vastpakken om haar hoofd boven water te houden. Ik schraapte met mijn gezicht langs het beton en voelde een warme stroom bloed langs mijn wang naar beneden sijpelen. Ik struikelde over de drempel onder water en viel in de open zee. Mijn voeten zonken diep weg in de modder, maar ik sleepte haar mee. De maan scheen op ons neer en wierp een rimpelend spoor over het water. De golven spoelden om mijn hals, en Charlies lichaam dreef achter me als een net vol dode vissen. Ik stak mijn handen onder haar oksels door en haakte ze in elkaar. Ik kon haar niet goed zien, ik zag alleen de vage omtrekken van haar lichaam en de doodsbleke vlek op de plek waar haar gezicht moest zijn. Ze hield haar ogen nu gesloten.

'Je bent er! Je bent er!' riep ik terwijl ik haar aan land sjorde. Ik sleepte haar langs Rick en trok haar vervolgens aan haar beide armen het droge zand en de rotsen achter hem op, waar we samen neervielen. Ik voelde hoe koud en nat ze was en probeerde overeind te krabbelen. In het maanlicht zag ik dat haar gezicht grijs was en dat haar lippen dezelfde kleur hadden als haar huid. Haar mond stond open, maar hing er slap bij. Haar lichaam was net zo koud als het zand waarop ze lag.

Ik sloeg mijn armen om haar heen, drukte haar gezicht in mijn hals en hield mijn oor tegen haar mond om te horen of te voelen dat ze ademde. Maar het enige wat ik hoorde was de gestage branding van de zee achter me en het stormachtige gieren van de wind. Met duim en wijsvinger kneep ik haar neus dicht en ik zette mijn mond op de hare. Ik blies een keer, en toen nog een keer. Ik probeerde me te herinneren wat ik nog wist van de eerstehulpcursus. Ik maakte een paar keer pompende bewegingen op haar borst en blies toen nog eens lucht in haar mond. En toen nog een keer, en nog een keer.

'Niet doodgaan, mijn engel,' zei ik. 'Blijf bij ons.' Ik riep haar naam en fluisterde haar onzinwoordjes toe zoals je bij een baby doet.

Plotseling verscheen er tussen haar kleurloze lippen een luchtbelletje en klonk er een kort gegorgel, gevolgd door een klein, hulpeloos geluidje alsof ze stikte. Ik trok haar overeind zodat ze zat. Haar hoofd bungelde voorover, en ze braakte in mijn schoot. Ik trok haar tegen me aan en drukte mijn lippen op haar voorhoofd. Binnen in me voelde ik hoe een afschuwelijke, schrijnende hoop zijn vleugels uitsloeg, me de adem benam en mijn hart tegen mijn ribbenkast deed bonzen. Ik voelde haar lichaam beven. Ik sloeg mijn armen zo stevig als ik kon om haar heen, wreef over haar rug en drukte mijn ijskoude lijf tegen het hare in een poging om mijn lichaamswarmte aan haar over te dragen. Lagen er maar dekens in de auto, of kleren.

Ik herinnerde me ineens wat ik allemaal in Ricks plunjezak had gevonden. Ik legde Charlie even op de grond, sprintte door het zand, pakte de zak en liep toen struikelend terug naar de plek waar zij lag. Moeizaam trok ik haar het jack dat ze droeg uit, haalde de grote handdoek en het sweatshirt tevoorschijn en sloeg die om haar heen. Toen schudde ik de rest van de inhoud uit de plunjezak en sloeg ook de nylon zak zelf om haar heen. Haar zware, nu met verschillende lagen textiel ingepakte lichaam drukte ik tegen me aan terwijl ik haar overeind probeerde te sjorren.

'Kom op, Charlie,' hijgde ik in haar door het zout ruw aanvoelende krullen. 'Je bent gered, mijn lieve, dappere kindje.' Ik sloeg een krachteloze arm om haar heen. 'Ik heb je terug. De ziekenauto komt eraan, en ik zal je nu naar de auto dragen.'

Charlie opende haar ogen en keek me even aan. Toen keek ze langs me heen. Er kwam geen geluid uit haar mond, maar ik zag dat ze haar ogen opensperde, en op hetzelfde moment voelde ik een pijnscheut die zo hevig was en zo plotseling dat het meer was dan alleen maar een gevoel. Ik kon de pijn zien, een witte flits was het, met vervolgens blauwe en rode uitstulpingen, en ik kon hem horen ook, hij galmde in mijn oren. Ik voelde niet dat ik neerviel en op de grond terechtkwam. Ik zag alleen de grond op me afkomen en tegen me opbotsen, de slijmerige modder sloeg tegen mijn wang en drong mijn mond binnen. Er kwam maar één woord bij me op: Rick.

Ik rolde opzij en voelde een pijn in mijn linkerbeen, die omhoogschoot en vervolgens omlaag naar mijn voet en toen weer terug mijn hele lichaam door. En terwijl ik me omdraaide, zag ik Rick. Hij zat op zijn knieën, en zelfs in het donker kon ik zien dat hij bedekt was met modder en bloed, dat van zijn gezicht afdroop. Het gebeurde allemaal heel snel, maar toch had ik het gevoel dat ik alle tijd had om na te denken. Ik realiseerde me dat hij van achteren op me af was gekropen en dat ik hem niet had gezien. Hij had me op mijn rechterknie geraakt met iets wat ik niet kon zien en waardoor ik in elkaar was geklapt, en ik zag dat hij het opnieuw optilde om me er nog een keer mee te raken, op mijn hoofd deze keer. Ik dacht aan Charlie, ik bedacht dat ik haar had laten vallen en bedacht dat het nu, na alles wat er gebeurd was, voor niets was geweest. Ik had de politie gebeld en die zou Rick vinden, maar dan zou het te laat zijn. Maar in elk geval had ik Charlie teruggevonden, al was het maar voor even. Ze was nu niet meer alleen. En terwijl ik dit alles bedacht, hief ik mijn arm op om de slag af te weren. Toen volgde weer een explosie van licht en geluid en ik schreeuwde het weer uit, maar ik stak mijn linkerhand uit en graaide ermee in de lucht en omklemde de ijzeren staaf die hij in zijn hand had.

Hij was dan wel gewond, maar Rick was veel groter en sterker dan ik. Ik dacht echter aan Charlie, ik omklemde de staaf en wist zeker dat ik die pas zou loslaten als ik dood was, en dat ze daarna mijn vingers er een voor een van zouden moeten losmaken. Mijn rechterarm gloeide van de pijn, maar met mijn rechterhand klauwde ik naar zijn gezicht. Ik voelde huid onder mijn nagels, en ik begroef ze erin. Van dichtbij hoorde ik een schreeuw. Ik had aan de ijzeren staaf getrokken, maar ineens werd de beweging omgekeerd en was ik niet meer bezig hem los te rukken, maar werd hij van bovenaf op me neergedrukt, op mijn hals, en begon ik te stikken. Ik duwde ertegen en probeerde me uit alle macht los te wurmen, maar Rick keek me alleen maar aan. Ik probeerde iets te zeggen, tegen hem te zeggen dat het allemaal voorbij was, dat de politie eraan kwam, maar dat lukte niet met de staaf die op mijn luchtpijp drukte. Ik zag dat hij zijn hoofd naar me schudde, alsof hij me een verwijt maakte, en hij zei ook iets tegen me, maar ik hoorde niets meer. En ik zag ook niets meer. De duisternis werd nog zwarter, het licht was nu helemaal weg. Terwijl ik het bewustzijn verloor, hoorde ik een geluid, dat wil zeggen, ik voelde het eigenlijk meer dan dat ik het hoorde. Het was het geluid van iets zwaars dat op de grond valt, en ineens was ook zijn gewicht dat me naar beneden drukte verdwenen.

Het duurde een paar seconden voordat ik iets kon zien. Voor me zag ik een vage vorm die maar heel langzaam meer contouren kreeg en waarvan ik dacht dat het Charlie was. Ze was maar nauwelijks herkenbaar als de dochter die ik de vorige dag voor het laatst had gezien. Haar huid was bleek als die van een lijk. Ze was kletsnat, en haar haren en kleren waren plat tegen haar aan geplakt. In haar hand had ze een stuk beton van de afbrokkelende bunker. Ze liet het vallen en keek met dode ogen dwars door me heen. Ze zwaaide heen en weer als een boom die geveld wordt. Ik keek om me heen. Van Rick was geen spoor te bekennen.

Ik riep haar naam en kwam overeind. Ik wist dat ik de pijn moest voelen van mijn verwondingen aan mijn arm en mijn been, maar het was net alsof wat ik voelde niet meer was dan een vage herinnering aan iets als pijn. Ik sloeg mijn armen om haar heen en hield haar dicht tegen me aan. We beefden allebei heftig van kou en angst. Ik keek haar in de ogen.

'Charlie,' zei ik luid. 'Hoor je me?'

Ze gaf geen antwoord. Ze rolde met haar ogen alsof ze onder

invloed van medicijnen of doodmoe was. Ik dacht opeens aan Rick. Waar was hij gebleven? Liepen we het gevaar dat hij ineens weer uit de duisternis zou opdoemen en ons opnieuw zou belagen?

Toen zag ik hem. Doordat Charlie met zo'n kracht op hem in had geslagen, was hij van de zandbank waarop de bunker stond gevallen. Hij was in het water en de modder gegleden. Ik zag zijn lichaam in het water liggen en nu eens de ene kant, dan weer de andere kant op rollen in het kolkende water, dat nu op zijn hoogste punt was. Het was doodtij, en het zou lang duren voordat het weer eb werd. Hij lag op zijn rug, met zijn benen in de zachte, kleverige modder. Ik dacht dat hij bewusteloos was, maar toen zag ik zijn ogen flikkeren; hij keek naar me. Hij hief zijn in elkaar geslagen, bloedende hoofd zo ver op als hij kon. Af en toe sloeg er een golf over hem heen en maakte hij een afschuwelijk gorgelend geluid, maar hij was niet in staat zich te bewegen. Ik keek hoe hij erbij lag. Ik zou hem moeten haten om wat hij gedaan had. Hij had Olivia Mullen vermoord. En hij was van plan geweest Charlie te vermoorden, ofwel om werkeloos toe te kijken hoe ze zou verdrinken. De hele dag had ik de onbekende gehaat die Charlie had ontvoerd, en nu wist ik dat die onbekende Rick was.

Mijn eerste gedachte was om te blijven staan kijken hoe hij doodging, maar ik kreeg het koud en werd misselijk bij die gedachte. Ik legde Charlie voorzichtig op de grond, stond op en kromp ineen van de pijn waarmee dat gepaard ging. Mijn omgeving leek heen en weer te wiegen, en in mijn hoofd spatten kleine lichtjes uit elkaar. Half schuifelend en nu en dan wegglijdend liet ik me van de zandbank glijden naar de plek waar hij lag. Voorzichtig zette ik een voet op het slik om te kijken of die mijn gewicht zou houden, maar ik zakte meteen tot boven mijn knie in de prut. Alleen door een stekelig bosje vast te grijpen kon ik mezelf eruit trekken. Door de pijn in mijn andere been schreeuwde ik het uit. Ik kon niet bij hem komen.

Weer maakte hij een gorgelend geluid alsof hij stikte. Ik weet niet of hij mij te hulp riep of dat het niet meer was dan het geluid van een man die alle hoop verloren heeft. Met mijn verstijfde vingers maakte ik mijn riem los en trok die uit de lussen van mijn spijkerbroek.

'Pak hem vast en trek je eraan op,' zei ik.

Ik hield de gesp vast en gooide het andere uiteinde van de leren riem over de afstand die ons van elkaar scheidde. Hij hief zwakjes zijn hand op, maar greep mis. Ik probeerde het nog een keer, en deze keer pakte hij hem beet.

'Hou goed vast,' zei ik. 'Kom op.'

Hij sloeg de riem om zijn hand en trok me iets verder naar zich toe. Ik trok zo hard als ik kon en voelde hoe zijn gewicht zich iets in mijn richting verplaatste. In zekere zin keek ik zelf ontzet toe hoe ik het leven trachtte te redden van de man die mijn dochter had geprobeerd te vermoorden.

Ineens verschoof zijn gewicht weer naar achteren. Ik merkte het doordat de riem weer aangetrokken werd en door het zuigende geluid dat ik hoorde. Het tij was aan het keren, het water begon weer landafwaarts te bewegen en sleurde de kiezels, het zand en alles wat er verder nog lag mee de zee in. Ook Rick werd meegetrokken. Zijn lichaam dreef van me weg.

'Hou vast,' hijgde ik, terwijl ik me inspande om hem naar me toe te trekken. 'De politie kan elk moment komen.'

Nu voelde ik hoe Ricks gewicht mij van mijn plaats trok. Ik voelde mezelf mee glijden, en ik begreep dat als ik vast bleef houden, ik bij hem in de zuigende modder terecht zou komen. Even keken we elkaar aan, terwijl de riem tussen ons in strakker kwam te staan.

Toen liet ik los. De riem schoot zijn kant op, hij gleed achteruit en werd meegezogen door de sterke getijstroom. De golven spoelden over zijn gezicht, en algauw zag ik hem niet meer. Op de plek waar hij zojuist nog had gelegen scheen alleen nog het maanlicht op het wateroppervlak. Er was niemand meer te zien.

Ik keek om me heen. Charlie was opzij gegleden. Ik wankelde naar haar toe, hurkte neer en wiegde haar in mijn armen. Ze had haar ogen weer dicht. Haar lichaam voelde nat en koud aan. Ik hield haar in mijn armen en probeerde overeind te komen, maar schreeuwde het uit van de pijn. Op een been kon ik nauwelijks nog staan, maar ik moest haar naar de auto zien te brengen, waar het warm was. Ik sloeg mijn armen om haar middel en probeerde achteruitlopend haar mee te slepen, hoe zwaar ze door haar passiviteit ook was. Ik had het ijskoud en voelde me misselijk en ziek, en ik vorderde heel langzaam, steeds maar een paar centimeter. Toen viel ik op de grond, en Charlies lichaam viel boven op me. Ik voelde haar haren in mijn mond, en het gewicht van haar slappe, zware lichaam. Ik wurmde me onder haar vandaan, pakte haar weer vast en voelde haar lichaam doelloos tegen me aan stoten. Ik legde twee vingers in haar hals op de plek waar ik haar hartslag zou moeten voelen, maar mijn vingers waren te verstijfd om iets te voelen. En terwijl ik daar zat, terwijl de zee zich met zuigende bewegingen terugtrok van zijn hoogste stand en de wind schraal uit het oosten blies, voelde ik mijn laatste krachten wegebben. Mijn ledematen gehoorzaamden me niet meer. Ik voelde me kwetsbaar als een gebroken schelp en tegelijkertijd loodzwaar. Ik wilde eigenlijk niets anders dan me op de koude grond naast mijn dochter oprollen en eindelijk mijn ogen dichtdoen.

'Nee, dat doe je niet, Nina,' gromde ik hardop, terwijl ik mijn ogen met een ruk opende. Mijn stem klonk hees en zwak. Ik herkende hem zelf niet eens. 'Nu niet opgeven.'

Weer pakte ik Charlie vast en trok haar slappe lichaam overeind, zodat ze vlak voor me kwam te zitten, tussen mijn gespreide benen. Zo begon ik ons beiden met schokjes in de richting van de auto te bewegen, die zo dichtbij was en tegelijkertijd zo oneindig ver weg. Als ik die zou weten te bereiken... als we de warmte daarbinnen maar om ons heen hadden... Gedurende een paar minuten was mijn hele wereld beperkt tot die kwellende pogingen om met kleine schokjes de helling op te komen. Ik wist dat ik er niet toe in staat was, en toch wist ik dat het moest. Alles in me kwam er jankend tegen in opstand, en het was net alsof mijn lichaam het begaf...

Een lichtbaan die langs ons beiden heen op het zwarte water scheen – zo zag ik het eerst. Alsof er een tweede maan aan de hemel was verschenen. Ik hield op met bewegen en keek achterom. Aan de horizon waaierde een gele lichtstraal uiteen, die zich vervolgens weer versmalde. Er kwam een auto de heuvel op. Daarachter volgde een tweede paar koplampen, en ook nog een derde. Ik zag blauwe zwaailichten, en van veraf klonk tussen het gieren van de wind over het moerasland het loeien van een sirene.

Ik legde mijn kin boven op Charlies hoofd en wiegde haar heen en weer.

'Ze komen ons redden,' zei ik. Ik veegde haar samengeklitte haren uit haar gezicht, streek ze achter haar oren en pakte toen haar koude handen en begon die tussen de mijne warm te wrijven. De koplampen waren nu zo dichtbij dat ze ons bijna beschenen, de sirene was inmiddels aangezwollen tot een gegil dat toen ineens ophield. Ik hoorde remmen piepen, autoportieren opengaan, stemmen die bevelen riepen. De levenloze omgeving was ineens vol lawaai en actie. Ik veegde de dikke streep modder van haar wang. 'Lieverd,' zei ik, 'ga alsjeblieft niet dood.'

Ze kwamen de heuvel over als een leger, figuren van wie je alleen het silhouet zag achter de zaklantaarns waarvan de priemende stralen op ons gericht waren. Ik legde mijn hand over Charlies ogen om haar ertegen te beschermen, ook al lag ze met haar hoofd onbeweeglijk op mijn schoot, en ik keek uit over het landschap waar onze strijd op leven en dood zich had afgespeeld. Onder de afgebrokkelde rotsen stonden in hun groei geremde boompjes, waarvan de wortels zinloos in de lucht hingen nu het water zich eindelijk aan het terugtrekken was over de bubbelende moddervlakte, waar het om het aangespoelde hout, de rommel en de stenen klotste. De ruïne van de bunker stond erbij als een gapende mond in het landschap, en de golven kolkten om de ingang. Morgen zou alles er in het winterse licht weer uitzien als het landschap dat ik kende, met de kalme, blauwgrijze zee, het kiezelstrand en het zand met de poelen waarin de strandlopers op hun lange poten rondwaadden. Ik keek naar de zee, maar zag alleen het op en neer rijzende, glinsterende water-oppervlak. Ik dacht aan het gezicht van Rick, aan de golven die over hem heen rolden. Maar er was geen spoor van hem te bekennen. Hij was door het afgaand getij meegevoerd.

Toen waren ze bij ons, tussen ons in. Er werden zaklantaarns op ons gericht, men vouwde brancards open en rolde dekens uit, er werd in mobilofoons gepraat, en ondanks de haast maakte het geheel een indruk van een goede organisatie die met beheerste spoed deed wat gedaan moest worden. Om me heen klonken kalmerende stemmen, ik voelde warme handen op mijn ijskou-de ledematen, er werd iets zachts om me heen geslagen. Iemand noemde mijn naam. Mijn ogen brandden. Ik had niemand in mijn armen. Ik riep de naam van mijn dochter.

'Ontspan je nu maar,' hoorde ik zeggen. Ik zag een gezicht voor me opdoemen. 'Probeer maar niet te praten.'

Ik riep nog een keer Charlies naam.

Ik lag op een brancard. De deken kriebelde onder mijn kin. Ik werd over het ruige terrein gedragen, en omdat ik op mijn rug lag had ik het gevoel alsof ik een stuk drijfhout was dat op de ge-tijstroom werd meegevoerd. Ik wilde mijn ogen dichtdoen, maar ik kon het niet. Het leek alsof mijn gezichtshuid zo schraal was dat mijn oogleden weer opengetrokken werden, en ik keek omhoog naar de witte maan die sereen aan de hemel voorbij zeilde.

'Rick,' fluisterde ik.

'Nina.' Ik kneep mijn ogen half dicht om het gezicht te zien dat zich over me heen boog. 'Nina, ik ben het, Andrea. Luister even naar me. Alles is…'

'Rick!' herhaalde ik, en ik verhief mijn stem ondanks het kloppen en de pijn in mijn knie, mijn been, mijn hoofd en mijn hart. 'Rick ligt in het water. Help hem.'

Ondanks alle pijn die ik voelde en de onzekerheid of Charlie wel of niet in leven was, had ik getracht de man te redden die ons beiden had geprobeerd te vermoorden. Het was alsof ik me had vastgeklampt aan het laatste restje menselijkheid dat ik in me had.

'Nina, als je zo meteen in de ambu…'

'Wat zei u?' Te midden van alle drukte klonk ineens een scherpe stem, die van inspecteur Hammill. Ik stak mijn hand uit en klemde die om zijn arm.

'Hij ligt in het water, hij verdrinkt,' zei ik.

Ik hoorde bevelen roepen, mensen rennen. Ik zag nog meer koplampen aan de horizon opdoemen. Lichtbundels en lange schaduwen bewogen over me heen. Te midden van alle nerveuze activiteit werd de onbeweeglijke gestalte van Charlie op een brancard door de geopende deuren van een ambulance naar binnen getild. Haar gezicht was bleek en vredig. Ze zag er klein en kwetsbaar uit. Ik werd neergedrukt op de brancard waarop ik lag.

'Het is mijn dochter,' zei ik. 'Ik moet haar zien.'

'U zult haar zien,' zei de stem. 'We moeten nagaan hoe het met u is. Dan mag u naar haar toe. Maar als u steeds beweegt, valt u van de brancard.'

Ik liet me achterover zakken, en ineens zag ik de sterren. Het steelpannetje, de Grote Beer. En die andere, die kleinere, de Kleine Beer. Ik voelde me wazig, ik gleed weg en viel in slaap, maar ineens hoorde ik geroep. 'Doe die deur dicht,' werd er gezegd, en: 'Pas op.' De hemel was weg, ik werd verblind door felle lampen. Het was ook ineens warmer. Ik zag groene uniformen om me heen bewegen. De brancard werd ergens op gelegd. Vlak voor me verscheen het gezicht van een jonge vrouw.

'Hoe voelt u zich, mevrouw Landry?' vroeg ze, net iets te langzaam en te luid, alsof ik een klein kind was.

'Hoe is het met Charlie? Wat zijn ze met haar aan het doen?'

'Ze is hier,' zei de vrouw. 'Ze wordt goed verzorgd. Mevrouw Landry, we moeten u nu even onderzoeken, oké?'

'Met mij is alles in orde,' zei ik. 'Ik wil alleen mijn dochter zien en…'

Op dat moment brak ik mijn zin af en schreeuwde ik het uit

omdat de vrouw haar handen langs mijn been liet glijden. Ik hoorde ook andere stemmen roepen, maar het was moeilijk om door de mist van angst en pijn die om ik me heen voelde heen te dringen.

'We moeten gaan. Nu.'

'Is iedereen binnen?'

'Mogen wij ook mee?'

'Ze zijn nu met hen bezig.'

'Het is dringend.'

'Zorg verdomme gewoon dat je niet in de weg loopt.'

Autoportieren werden dichtgeslagen. Met een schok kwam ik in beweging, een pijnscheut schoot door me heen. Ik realiseerde me dat ik in een ambulance lag en dat we wegreden.

'Charlie!' riep ik. 'Waar is ze?'

Vlak voor me verscheen een gezicht. Een mooi gezicht van een jonge vrouw met kortgeknipt haar met een kleurspoeling en met een groene hes aan.

'Ik ben Claire,' zei ze op de iets te luide toon waarop men doorgaans jonge kinderen, oude mensen en zwaargewonden aanspreekt. 'We moeten u onderzoeken, oké?'

'Waar is Charlie?' vroeg ik. 'Wat gebeurt er allemaal?'

Met inspanning slaagde ik erin me half om te draaien en zag toen twee mensen in groene hessen, die over een brancard naast me gebogen stonden.

'Is ze dood?' fluisterde ik.

'We moeten u eerst al onze aandacht geven,' zei Claire. Ze legde een hand op mijn schouder, maar die schudde ik van me af.

'Nee. U doet niets totdat u het me verteld hebt. Hoe is het met haar? Komt het goed met haar? Is ze dood?'

'Mevrouw Landry.' Ze kwam nog dichterbij, zodat ik kon zien dat ze bruine ogen had. 'Uw dochter is sterk onderkoeld geraakt. Haar lichaamstemperatuur is drastisch gedaald, en die moeten we weer omhoog zien te krijgen. We doen wat we kunnen.'

Het meelevende in haar blik maakte me doodsbang. 'Haal Rory,' zei ik. 'Nu meteen. Haal haar vader erbij.'

Bij Charlies brancard klonk geroep.

'Ik meet geen bloeddruk!'

Het inwendige van de ambulance begon langzaam vorm aan te nemen, ik begon de dingen weer scherp te zien. Ik zag Andrea Beck bij de achterdeuren. Ze zwaaide heen en weer met de bewegingen van de ambulance. Ze keek gespannen en hulpeloos. Hoe het met Charlie was kon ik niet zien. Ze had een zuurstofmasker over haar gezicht. Haar lichaam werd aan het oog onttrokken door het verplegend personeel.

'Wat gebeurt er?' riep ik. 'Zeg toch wat!'

De mensen bogen zich over haar heen, maar ik had niet de indruk dat ze veel deden. Een van hen draaide zich om en keek mij aan, een jonge man met rossig haar en een lichte huid.

'Uw dochter heeft ernstige hypothermie,' zei hij. 'We zijn haar aan het opwarmen.'

'Daarnet liep ze nog rond,' zei ik radeloos. 'Ze heeft mij het leven gered. U moet haar redden.'

'We doen wat we kunnen.'

'Kunt u haar niet een of andere injectie geven?'

'Medicijnen werken niet nu ze zo onderkoeld is, die kunnen zelfs gevaarlijk zijn. We hebben warmtekompressen. Ze moet gewoon warm worden.'

Ik maakte aanstalten om van de brancard op te staan.

'Laat mij maar helpen,' zei ik. 'Ik zal…'

Maar hij hield me tegen. Hijgend viel ik achterover op de brancard.

'Spaar uw krachten,' zei hij. 'Die zult u nog nodig hebben, voor u beiden. En laat Claire nu haar gang gaan met u.'

'Nee! Ze mag niet doodgaan. U mag haar niet dood laten gaan.'

'We doen al het mogelijke,' zei hij vriendelijk. 'Maar u moet ook een beetje aan uzelf denken.'

'Nee,' zei ik. 'Nee. Ik moet bij Charlie zijn.'

Maar er werd een hand op mijn borst gelegd, en ik ging achterover liggen. Toen hoorde ik een scheurend geluid en voelde iets gloeiends langs mijn been gaan, en ik realiseerde me dat mijn kleren werden weggeknipt. Ik werd opgetild en omgedraaid. Ik had een gevoel alsof ik van al mijn schillen werd ontdaan, zodat van mij alleen een roze, naakt en schraal wezen overbleef. Er schoot een pijn door me heen als een diepe, snelstromende rivier.

'Met mij is alles in orde,' fluisterde ik. 'Maar mag ik alsjeblieft…?'

Plotseling stopte de ambulance.

'Wat gebeurt er? Zijn we er?'

'Het tij is te hoog, de dam staat nog onder water. We kijken of we er al overheen kunnen.'

'Mogen we met haar praten?' vroeg Andrea Beck.

'Ze heeft rust nodig,' zei Claire. 'En wij moeten een paar onderzoekjes doen. Het kan zijn dat ze in shock is.'

'Het is heel belangrijk.'

Claire keek me aan.

'Kunt u het aan dat ze u een paar vragen stellen?'

'Nee, ik wil Charlie zien. Wat gebeurt er met haar? Waarom vertelt niemand mij wat?'

Claire draaide zich om naar de mensen die bij mijn dochter stonden. Er werd wat gemompeld, en even later keek ze mij weer aan en hurkte naast me neer.

'Ze houden haar temperatuur in de gaten. Ze warmen haar op. We kunnen niet anders dan afwachten.'

'Hoe ernstig is het? Ik moet het weten. Vertel het me alsjeblieft.'

Claire leek onzeker, haar ogen schoten heen en weer, alsof ze mijn blik wilde ontwijken.

'Ze doen hun best.'

'Gaat ze dood?'

Maar daar gaf ze geen antwoord op.

De ambulance kwam weer in beweging. Ik dacht terug aan

wat er allemaal was gebeurd, hoe ik mijn dochter uit het ijskoude water had getrokken en dat ik nu de kans liep haar kwijt te raken. Ik zag de gezichten van de politiemensen vlak voor me. Het leken net figuren uit een ver verleden. Nauwelijks herkenbaar waren ze.

'Bel Rory,' zei ik nog eens. 'Nu meteen.'

'Ze brengen hem direct naar het ziekenhuis.'

Zo zouden de van elkaar vervreemde ouders ten slotte toch weer samenkomen aan het ziekbed van hun dochter. Of aan haar doodsbed.

'Kunt u praten?' vroeg Andrea Beck.

Ik zag haar gezicht het ene moment wel scherp en het volgende niet, en de pijn in mijn hoofd leek uiteen te vallen in talloze kleine stukjes. 'Waarvoor? Er is niks meer aan te doen. Het is allemaal voorbij.'

'Is hij ontkomen?' vroeg Andrea Beck.

'Wie?'

'De man die uw dochter had ontvoerd.'

'Hij ligt in het water,' zei ik. 'Ik heb nog geprobeerd hem eruit te halen. Ik kon het niet. Ik moest Charlie redden.'

'In het water?' zei Andrea Beck. 'Toen we wegreden was de politie bezig het lichaam van Blythe uit het water te halen. Maar hoe zit het met de dader?'

'Hè?'

'Lag hij ook in het water?'

Ik had het gevoel dat alles om me heen wazig werd.

'Rick was de dader,' zei ik. 'Er was niemand anders.'

'Rick Blythe?'

'Natuurlijk,' zei ik vertwijfeld. 'Wat heb ik nou steeds gezegd? Wat zei ik toen ik opbelde?'

'Weet u het zeker?' vroeg Andrea Beck. 'Maar ik dacht dat u bij meneer Blythe was op het moment dat Charlie verdween.'

Ik keek haar aan en hoorde de woorden die ze zei, maar in mijn ooghoeken zag ik dat een van de mensen bij de brancard waar Charlie op lag een stap achteruit deed en iets tegen zijn collega's zei. Wat had hij gezegd? Wat gebeurde er?

'Mevrouw Landry?'

'Wat doen ze met Charlie?' Mijn woorden klonken als een afschuwelijke schreeuw.

Claire wurmde zich langs Andrea, kwam naast me zitten en pakte mijn hand.

'Mevrouw Landry,' zei ze, en ze keek me in de ogen.

Alles om me heen leek in een ontzaglijk gebulder weg te schuiven; mijn bloed raasde door mijn aderen; mijn hart bonsde in mijn borst. Toen werd alles onheilspellend stil en helder. Ik wist wat ze ging zeggen, en ik wachtte op de woorden die ik al vreesde te zullen horen sinds het moment dat Charlie verdwenen bleek te zijn.

'Ja.'

'We zijn er bijna. Probeert u rustig te blijven.'

'Komt het goed met haar?'

'We doen wat we kunnen. En ze is een sterke jonge vrouw.'

'Ik had moeten weten waar ze was.'

'Probeert u rustig te blijven.'

'Ik had het moeten weten. Als ik eerder bij haar was geweest... Ik was te laat.'

Ik hield mijn handen voor mijn gezicht, en in die duisternis die ik zelf opriep gingen mijn gedachten weer uit naar het gezicht van Charlie zoals het als een waterlelie net boven het woelige, donkere water uitstak, en naar haar zware lichaam toen ik het op het strand trok – koud, slap en doods. Ik kon de gedachte aan de verschrikkingen die ze vandaag had moeten meemaken nauwelijks verdragen, en ik moest er eigenlijk niet aan denken wat ze gevoeld moest hebben toen ze daar lag te wachten en ze het steeds donkerder zag worden, het water steeds verder omhoog zag komen. Ik wilde alleen dat ze zou weten dat ik er nog was, dat ik nog bij haar was, en dat ze niet meer alleen was.

Ik voelde de ambulance hotsen en stoten terwijl hij de bochten nam. Er werd een hand op mijn voorhoofd gelegd en in de verte hoorde ik gedempte stemmen, maar ik kon met geen mogelijkheid onderscheiden wat de woorden die gezegd werden betekenden. Ik dacht dat ik het woord 'verloren' hoorde zeggen, maar het was allemaal erg verward, en ik zonk langzaam weg in de duisternis achter mijn ogen. De stemmen werden scheller. Toen deden ze iets met me, maar ik had het gevoel dat mijn lichaam niet het mijne was, dat het iemand anders toebehoorde, dat ik er maar een tijdelijke bewoner van was. Ik voelde dat de ambulance langzamer ging rijden en een bocht maakte. Het wegoppervlak werd ongelijkmatiger en toen weer vlakker. Ik zag lichten buiten en hoorde geluiden. De deuren werden geopend en een golf koude lucht stroomde naar binnen. Buiten stonden mensen met brancards, twee waren het er. In de ambulance had het leven zich vertraagd afgespeeld, het ging er alleen maar om in leven te blijven en te wachten. Nu ging alles ineens weer veel sneller, met lawaai en drukte en een ruwheid die me verbaasde. Toen Charlies brancard werd weggereden, wilde ik roepen dat ze voorzichtig met haar moesten zijn. Dat ze haar niet moesten laten vallen. Omdat ze breekbaar was.

'Ik wil met haar mee,' zei ik zwakjes.

'U mag later naar haar toe,' zei de rossige man, terwijl hij een paar dekens over me heen legde. 'Maar ze moet nu goed verzorgd worden. En u ook.'

Terwijl ze mij uit de ambulance tilden, keek ik of ik Charlie nog zag, maar ze was al weg. Ik werd langs een aantal politieagenten gereden, door een paar klapdeuren en vervolgens een kleine, met gordijnen afgesloten ruimte in, waar een verpleegster met een klembord achter me aan kwam en me onmiddellijk vragen begon te stellen. Het was allemaal zo bureaucratisch en formalistisch dat ik het wel kon uitschreeuwen. Ze vroeg me mijn naam en adres en mijn geboortedatum.

'Mij mankeert niks,' zei ik, maar ik hoorde dat ik met slepende tong sprak en wist niet of ze me wel verstond. 'Ik ben alleen moe, en ik heb het koud. Is Rory hier?'

Ze vroeg of ik ergens allergisch voor was, of ik medicijnen gebruikte, of ik de afgelopen vier uur iets had gegeten.

'Ik wil niet geopereerd worden,' zei ik. 'Daar geef ik geen toestemming voor.'

'Mevrouw Landry,' zei ze streng. 'Uw dochter wordt goed verzorgd. Niemand heeft er iets aan als u ons niet toestaat ook voor u goed te zorgen. Om te beginnen moet ik uw temperatuur opnemen en nagaan of uw...'

'Ik moet naar de wc,' zei ik. 'Nu.'

'Ik zal vragen of ze u een ondersteek geven.'

'Nee, dank u. Ik kan het heel goed op eigen kracht.'

'Ik geloof niet dat dat een goed idee is,' zei ze, zo bars en onheilspellend dat ik op elke willekeurige andere dag gedaan zou hebben wat ze wilde. Maar ik moest Charlie zien. Ze hadden gezegd dat ze sterk was, maar ik had gezien hoe bleek ze zag toen ze daar met haar ogen dicht lag, en ik herinnerde me hoe haar lichaam had aangevoeld toen ze log en slap in mijn armen hing. Hoe kon ik me ontspannen voordat ik wist dat alles goed met haar was? Waarom zou ik beter worden als zij het niet werd?

Ik werkte mezelf dus omhoog totdat ik overeind zat. De felle lampen om me heen brandden in mijn oogkassen, en mijn hoofd was wazig en deed pijn. Ik zwaaide mijn benen opzij en zette ze op de vloer, pakte de deken om mijn bijna geheel blote lichaam te bedekken en stond op. Een ontstellende pijn schoot in mijn gewonde been naar boven, mijn knie klopte en stuurde venijnige pijnscheuten door mijn hele lijf, en mijn hoofd tolde zo erg dat ik steun moest zoeken en me aan de rand van de brancard moest vasthouden. De vloer leek omhoog te komen, en de muren leken op me neer te zullen storten. Ik dacht dat ik zou gaan overgeven, en enkele ogenblikken stond ik alleen maar te hijgen en naar mijn vieze blote voeten op het smoezelige linoleum te kijken. Ik zag dat er op de hand waarmee ik me aan de baar vasthield een grijze veeg zat, dat één nagel was afgescheurd en dat mijn knokkels ontveld waren en bloedden.

'Waar is het?' vroeg ik toen ik weer kon praten.

'De gang door en dan aan uw linkerhand. Zal ik u helpen?'

'Nee. Ik red het wel. Ik red het prima.'

Ik klemde de deken om me heen en schuifelde naar de dames-wc. Andrea Beck stond bij de balie met een arts te praten en drif-tig te knikken, en even verderop, bij de deur, stonden twee ge-uniformeerde politiemannen. Ik wendde me af en liep hinkend de wc in en deed de deur achter me op slot. Even leunde ik tegen de muur, ik deed mijn ogen dicht en ademde de gedesinfecteer-de lucht in. Alles om me heen was voor mijn gevoel vreemd en onwerkelijk. De dag die achter me lag was een aaneenschakeling van rampen geweest, en uiteindelijk waren we hier aangespoeld.

Ik liet de deken op de grond glijden en ging met veel pijn op de wc zitten. Even later kwam ik door me aan mijn handen op te trekken weer overeind en liep naar de wasbak. Ik hief mijn hoofd en uitte bijna een kreet van schrik toen ik mijn spiegel-beeld zag. Dat was ik toch niet! Die vrouw met woeste strengen nat zwart haar, bloeddoorlopen ogen, een grote blauwe plek op haar met modder besmeurde wang en een opgezwollen neus. Er zat een veeg bloed in een mondhoek, en haar lippen waren op-gezwollen. Ze zag er oud uit.

Charlie mag me zo niet zien. Ik draaide de kraan open, en toen het water warm begon te worden, trok ik een papieren handdoekje uit het apparaat en hield dat eronder tot het door-weekt was, waarna ik voorzichtig het bloed en de modder van mijn gezicht veegde. Toen vormde ik met mijn handen een kommetje en gooide water over mijn gezicht. Ik boog me voor-over en hield mijn gezicht opzij, zodat het water over mijn haar liep, waar een dikke laag zand en gruis in zat. Toen ik weer over-eind kwam, zag ik er niet veel beter uit, maar veel meer dan mijn haar wat afdrogen en het vervolgens achter mijn oren strijken kon ik niet doen.

Ik sloeg de deken weer om me heen en deed de deur voorzich-tig open. De strenge verpleegster was nergens te bekennen, dus liep ik de gang op en keek om me heen. Aan het einde van de gang zag ik mensen druk in de weer – een jongeman in een wit-te hes kwam een deur uit, en een verpleegster die een brancard voortduwde ging er naar binnen – waaruit ik afleidde dat Char-lie daar lag.

Het leek alsof ik er heel veel tijd voor nodig had en er heel veel moeite voor moest doen om er te komen, en terwijl ik door die hol klinkende gang liep, bedacht ik dat dit de laatste etappe van mijn tocht was. Ik had me de hele dag van hot naar haar over het eiland gehaast om mijn dochter te zoeken, ik had over stranden en akkers en door sloten gelopen, ik was op halfvergane scheepswrakken geklommen, ik had in haar bezittingen gesnuffeld, ik had haar vrienden en vriendinnen aan een kruisverhoor onderworpen, ik had strandhuisjes opengebroken en ik was door kou en duisternis gegaan. En nu was ik hier aanbeland en schuifelde ik voetje voor voetje door een ziekenhuis op weg naar Charlies bed. Nog een paar stappen, en dan kon ik nergens meer heen en kon ik niets meer doen.

Net toen ik bij de deur aankwam, ging deze open en kwam inspecteur Hammill naar buiten. Ik zag hem verbaasd opkijken toen hij mij als een dronken bokser langs zag schuifelen, mijn deken achter me aan slepend en ademend met hoge, hese, hijgerige halen. Hij stak zijn hand uit om me tegen te houden, maar bedacht zich en liet me passeren. Ik zag zijn gezicht, zoals ik ook de gezichten zag van de figuren in witte jassen die naast Charlies bed stonden, maar het leek net of ik droomde. Ik had alleen oog voor Charlie, die daar onder een wit laken en een aantal dikke dekens op een ijzeren bed lag met in haar dunne arm een met tape vastgeplakte naald en om zich heen allerlei apparaten. Haar gezicht op het kussen was bleek en klein.

Ik wankelde de resterende meters naar haar toe en liet me naast haar op mijn knieën zakken. Ik pakte haar koude hand in de mijne en hield die tegen mijn wang.

'Charlie?' zei ik. 'Ik ben het. Ik ben hier.'

'Wat doet u hier?' hoorde ik een stem zeggen. 'Wie heeft u hier binnengelaten?'

'Ik ben haar moeder,' zei ik.

'Ik weet wie u bent.'

'Hoe is het met haar?'

De dokter keek me met een flauw, geïrriteerd lachje aan.

'Ze was ernstig onderkoeld. Maar haar lichaamstemperatuur gaat omhoog. Ze is een vechtertje. Ze reageert nog niet helemaal volledig, maar…'

Op dat moment deed Charlie haar ogen half open. 'Mama?' fluisterde ze.

'Ik ben hier,' zei ik. 'Je bent nu in goede handen.'

Haar oogleden vielen weer dicht. Haar vingers ontspanden zich in de mijne. En net toen ik dacht dat ze sliep, mompelde ze: 'Hartelijk gefeliciteerd met je verjaardag.'

'Ja, het was een aparte dag, dat moet ik zeggen,' zei ik. 'Volgend jaar wil ik het wel weer wat rustiger aan doen. Hé verdorie, jij hebt mijn horloge om. Dus jij had het. Ik heb het vandaag gemist.'

Ze maakte een gesmoord geluid, en toen ademde ze weer gewoon regelmatig. Ze sliep. Ik dacht aan de tijd dat ze nog een baby was. Soms sloop ik dan midden in de nacht naar haar toe en boog ik me over haar wieg om te horen of ze nog ademde. En al was ik vaak urenlang bezig geweest haar in slaap te wiegen, toch maakte ik haar dan wel eens wakker, alleen om zeker te weten dat ze nog leefde. Nu streek ik echter alleen zo voorzichtig als ik kon over haar haar. Ik moest haar aanraken om mezelf gerust te stellen en ervan te overtuigen dat ik niet de kans liep om plotseling wakker te worden in een modderige uithoek van het eiland en dan weer een eeuwigheid lang voort te moeten rennen om haar te zoeken. Daarom streek ik over haar samengeklitte haar. Ik deed mijn ogen dicht.

Ik had verwacht dat dit een moment van vreugde zou zijn, van euforie zelfs, maar ik voelde alleen een vredigheid zoals ik nooit eerder had meegemaakt. Het leek nog het meest op het mooie, mysterieuze moment wanneer je net een kind hebt gebaard, als de strijd gestreden is en je niets meer hoeft te doen.

'Ik dacht wel dat ik u hier zou vinden,' hoorde ik een stem zeggen. Ik deed mijn ogen open en glimlachte wazig naar haar.

De strenge verpleegster klemde haar hand stevig om mijn bovenarm en voerde me mee terug door de gang. Terwijl ik naast haar voortschuifelde, zei ze tegen me dat ik misschien in shock was, dat een shock dodelijk kon zijn, en dat als ik doodging, zij erop aangesproken zou worden. Nederig, als een peuter, zei ik dat het me speet, maar het lukte me niet de glimlach van mijn gezicht te halen, hoewel die me pijn deed.

Het ziekenhuis leek voornamelijk te bestaan uit gangen en zijgangen, en in een daarvan zag ik een paar mensen bij elkaar staan. Inspecteur Hammill zag ik, en Andrea Beck, en nog iemand. Rory. Ze stonden zo ver weg dat toen ze mij ook zagen, we niet iets tegen elkaar konden zeggen. De twee politiemensen keken opgelaten. Rory was duidelijk ontzet om mij daar te zien, en voor de tweede keer die dag begon hij te huilen. Hij deed een paar stappen in mijn richting en begon toen te rennen. Hij sloeg zijn armen om me heen, maar deinsde achteruit toen hij me in elkaar zag krimpen.

'Sorry,' zei hij. 'Neem me niet kwalijk. Je ziet er... Maar met Charlie komt alles goed, hè? Ze gaat het redden.' De tranen stroomden over zijn wangen en liepen zijn mond in.

'Ja. Ze gaat het redden,' zei ik. 'Ik dacht dat ik haar kwijt was, Rory, maar het komt allemaal goed.'

'Wij,' zei hij.

'Hè?'

'Je dacht dat wíj haar kwijt waren. Wij. Jij en ik. Ik ben nog steeds haar vader, hoor. Gaat het echt goed met haar?'

'Prima,' zei ik. Ik stak mijn vrije hand uit en veegde de tranen van zijn gezicht.

'Ik had er eigenlijk ook moeten zijn,' zei Rory. 'We hadden het samen moeten doen. En ik zou er ook geweest zijn als ze me niet aangehouden hadden. Ik hoop dat je nu inziet dat ik de waarheid sprak.'

'Je hebt niet...' begon ik, maar toen zweeg ik. Het deed er niet toe. Niets deed er nog toe. Charlie was gered. Ze had haar ogen opengedaan en naar me gelachen. Ik had mijn hand op haar hoofd gelegd en zij was rustig in slaap gevallen, met naast zich dat apparaat dat opflakkerde met de regelmaat van haar hartslag. Artsen en verpleegkundigen waakten over haar.

'Je zou naar haar toe moeten gaan,' zei ik. 'Ze zullen het wel goedvinden als je bij haar gaat zitten. Het is misschien wel goed om tegen haar te praten, ook al slaapt ze.'

'Het spijt me,' zei hij. 'Het was niet mijn bedoeling om…'

'Dat geldt voor ons allemaal,' zei ik. 'Het spijt mij ook. Alles. Maar zij leeft, zij is gered.'

'Ja.'

'Wil je iets voor me doen? Jackson bellen. Hij is bij Bonnie. Het nummer is…'

'Daar kom ik wel achter.'

'Ik moet hem spreken,' zei ik. 'Hij heeft een vreselijke dag achter de rug. Je hebt geen idee hoe ellendig.'

'Ik bel hem wel.'

'Nu.'

'Nu,' zei hij. 'En ik kom je gauw opzoeken. Als je dat wilt.'

Ik antwoordde niet. Ik wist niet of ik wel wilde dat hij me kwam opzoeken. Het enige dat ik wilde was mijn armen om Jackson heen slaan, tegen hem zeggen dat ik trots op hem was en dan mijn gezicht naar de muur draaien en mijn ogen dichtdoen. Ik verwachtte dat Rory tegen me zou zeggen dat ik het goed had gedaan, maar hij haalde alleen op zijn karakteristieke manier zijn schouders op, alsof hij wilde zeggen dat hij er ook niks aan kon doen, en liep weg. Toen was ik dus alleen met de twee politiemensen en, zoals ik op haar naamplaatje zag, zuster Steph Bowles.

'Deze kant op,' zei ze.

'Hebben jullie Rick gevonden?' vroeg ik.

Hammill en Andrea Beck keken elkaar aan. Hun gezicht betrok.

'Het heeft lang geduurd,' zei inspecteur Hammill. 'Het was donker en modderig. Ze hebben hem niet meer bij kunnen brengen.'

We moesten opzij omdat een patiënt op een brancard langs ons werd gereden. Ik zweeg even.

'Ik heb hem geprobeerd te redden,' zei ik.

'Waarom?' vroeg Andrea Beck.

'Vindt u dat raar?' zei ik. 'Misschien is het dat wel. Ik weet het niet. Misschien wilde ik dat hij zou blijven leven, zodat hij kon nadenken over wat hij gedaan had.'

'Volgens mij is het maar het beste dat hij dood is,' zei Andrea Beck.

'Vindt u?' zei ik. Er ging een heftige rilling door me heen.

'Wij moeten gaan,' zei zuster Bowles met een bazige bezorgdheid waarvoor ik haar dankbaar was. 'Later zal er tijd genoeg zijn om vragen te stellen. We gaan mevrouw Landry nu in bed stoppen. Ze is er niet al te best aan toe, zoals u ziet.'

'Ik vind het niet erg,' zei ik. 'Ik wil het zo snel mogelijk achter de rug hebben. Dat heb ik het liefste.'

'U bent er niet aan toe,' zei ze. Ik voelde dat ik mijn evenwicht dreigde te verliezen. Ze klemde haar vingers nog eens extra stevig om mijn arm. Ze gebaarde naar een portier die langsliep en blafte hem toe dat hij een rolstoel moest halen.

'Ik hoef geen rolstoel,' zei ik, weinig overtuigend. Het enige dat ik werkelijk wilde, was in een bed liggen en het laken over mijn gezicht trekken, mijn ogen dichtdoen en alle beelden die ik voor me zag in het niets laten oplossen. Maar eerst moest ik Jackson spreken. Dan kon ik me laten gaan, dan kon ik me mee laten voeren met het afgaand getij.

De portier reed me door de gang, Steph Bowles beende voor me uit en de politiemensen kwamen achter me aan. Ik rilde inmiddels hevig en ik voelde een golf van vermoeidheid over me komen; mijn oogleden voelden aan alsof ze van lood waren en mijn ledematen waren slap als was. We gingen op de afdeling een kamer in, waar ik in een smal bed werd gelegd, waarna er een aantal dunne, lichtblauwe dekens over me heen werd gelegd. Inspecteur Hammill en Andrea Beck stonden aan het voeteneinde van het bed te dralen in afwachting van toestemming me verder te ondervragen.

'Ik zal u een paar minuten alleen laten,' zei Steph Bowles. 'En ik kom terug met de dokter. Dus weest u snel.'

Ze ging weg. Hammill fronste zijn wenkbrauwen en Andrea Beck knipoogde naar me en probeerde te glimlachen.

'Dus Rick is dood,' zei ik.

'Dat klopt,' zei Hammill.

Ik hield op met rillen, maar dat kwam alleen doordat ik het ineens nog kouder had gekregen, alsof in het hele ziekenhuis de temperatuur was gedaald. Ook leken alle kleuren ineens valer.

'Zijn vrouw is hier,' zei ik.

'Hè?'

'Karen. Zijn vrouw. Ze heeft vanmorgen een ongelukje gehad. Ze moet hier ergens liggen. U zult haar moeten gaan vertellen wat er gebeurd is.'

Er viel een lange stilte. Hammill wilde iets zeggen maar hield daarmee op voordat er iets zinnigs uit zijn mond was gekomen.

'Nee,' zei hij ten slotte. 'Wacht.' Hij klonk warrig, alsof hij een klap op zijn hoofd had gehad. 'Zij is hier? Ik snap het niet.'

'Ze is gevallen,' zei ik. 'Ze had vanmorgen te veel gedronken. Ze is gevallen en heeft haar arm gebroken. Rick heeft haar naar het ziekenhuis moeten brengen, en ze hebben haar gehouden. Ze ligt hier nog.'

'Hoe weet u dat?'

'Het gebeurde bij mij thuis,' zei ik. 'Dat was het juist. Hij moest terug naar Charlie, al was het alleen maar om haar te vermoorden. Maar toen moest hij ineens Karen naar het ziekenhuis brengen en bij haar blijven. En toen hij terug was op het eiland kwam hij mij tegen en moest hij op Jackson passen.'

'Wat?' zei Andrea Beck.

'Het lijkt wel een grap, hè?' zei ik. 'Hij had mijn ene kind ontvoerd, en ik heb hem gevraagd op het andere te passen.' Ik zweeg en dacht even na. 'Maar dat is niet het enige. Ik snap nu waarom hij naar het feestje bij mij thuis is gekomen. Dat was logisch.'

'Nee,' zei Hammill met een schorre stem waarin onbegrip doorklonk. 'Nee, wat was daar nou logisch aan?'

'Nou,' zei ik langzaam. 'Hij had Charlie ontvoerd, hij zal waarschijnlijk in paniek zijn geweest en zich hebben afgevraagd wat hij vervolgens moest doen. Toen belde ik hem op om te vragen of hij naar mijn auto wilde kijken.' Ik lachte even. 'Als ik geen rammel in mijn auto had gehad, was Charlie nu misschien wel dood geweest. En dat verschafte hem een soort alibi. Het leek alsof ze vermist was geraakt toen ik bij Rick was. En toen moet hij bedacht hebben dat hij toch naar mij toe zou gaan voor het feestje dat Charlie had georganiseerd. Hij moet gedacht hebben dat als hij iets deed waardoor het leek alsof Charlie was weggelopen, de politie in elk geval geen serieuze opsporingspogingen zou ondernemen voordat hij haar zou hebben vermoord en zich van het lichaam zou hebben ontdaan.'

Zo scherp alsof ik er een foto van voor ogen had herinnerde ik me dat ik op het feestje de trap opliep en Rick tegenkwam die op weg was naar beneden. Nu pas realiseerde ik me dat hij toen net op Charlies kamer die spullen van haar bij zich had gestoken, om de indruk te wekken dat ze overhaast vertrokken was.

'Ja,' mompelde ik, meer tegen mezelf dan tegen de twee politiemensen. 'Hij had die spullen uit haar kamer meegepikt, en als hij geluk had gehad zouden we pas na een paar dagen goed hebben gekeken, en in die tijd zou hij… zou hij zijn plan hebben uitgevoerd en zich van haar lijk en dat van Olivia Mullen hebben ontdaan. Niemand zou ooit op het idee zijn gekomen dat hij het had gedaan.'

Inspecteur Hammill schudde zijn hoofd.

'Maar ik begrijp niet wat de moord op Olivia Mullen met de poging tot moord op uw dochter te maken had.'

'Nee…' begon ik.

'De stijl van de dader is anders,' onderbrak hij me. 'En uw dochter had toch geen relatie met Rick Blythe?'

Het was allemaal zo vermoeiend. Ik zag in Hammill en Andrea Beck nu niet meer dan twee irritante muggen die me met hun gezoem uit mijn slaap hielden. Ik had zin om ze dood te slaan of de kamer uit te meppen.

'Hou op,' zei ik tegen Hammill. Het leek wel of mijn stem die van iemand anders was, een onbekende die een verhaal vertelde dat nu al onwezenlijk leek. 'Denkt u nou eens na. Het was een direct gevolg van de moord op Olivia Mullen. Rick kende haar. Hij heeft haar van de zomer leren windsurfen en ze hadden een relatie, een affaire waar niemand van mocht weten – hij was nota bene leraar, en zij nog maar een tiener. Het zal waarschijnlijk niet zijn bedoeling zijn geweest haar te doden, maar hij heeft haar in zijn woede de keel dichtgeknepen toen ze het uitmaakte. En Charlie heeft ontdekt wat er was gebeurd. Daarom heeft hij haar ontvoerd. Charlie kende Liv, ze wist van hun relatie, ze had haar zelfs nog gezien op de dag dat ze stierf, en ze wist dat ze toen een ontmoeting zou hebben met Rick om het uit te maken. Toen ze vanmorgen haar foto in de krant zag staan, moet ze zich hebben gerealiseerd wat er was gebeurd. En toen ze bij het rondbrengen van haar kranten Rick tegenkwam, heeft ze er waarschijnlijk iets over gezegd, waarna hij haar in paniek ontvoerd moet hebben. Als u tot morgen wacht, zal Charlie het u zelf kunnen vertellen. Dan zullen we allemaal weten wat er werkelijk gebeurd is.'

'Oké,' zei Steph Bowles, terwijl ze de kamer binnenkwam. 'Dokter Marker is onderweg naar u toe. Over een paar minuten is ze er.'

Het was een hint voor Hammill en Andrea Beck om weg te gaan. Stuntelig gingen ze de kamer uit, waarna Steph Bowles weer naar me toe kwam en zich over me heen boog met een zorgzaamheid waar bedrevenheid uit sprak en die me geruststelde. Aan het borstzakje van haar gesteven uniform hing een horloge. Ik zag dat het al over zessen was.

'We zouden nu opgestegen zijn,' zei ik.

'Wat zei u?'

'Naar Florida. Ik zou vandaag naar Florida gaan.'

'O.' Ze pakte mijn status, keek erop en mompelde: 'Oké.'

'En ik ben vandaag jarig.'

'Nou, van harte,' zei ze. 'Even de mond open, alstublieft.'

Ik opende mijn mond. De koude punt van de thermometer werd onder mijn tong geschoven, waardoor ik de neiging had om te kokhalzen.

'Nu even een tijdje niks zeggen. Zal ik een kop thee voor u halen?'

'Ja, graag,' zei ik. Het kwam eruit als een gebrouw.

'Knikt u maar alleen, of schud uw hoofd. Melk?'

'Mm-hm.'

'Suiker? Suiker is goed voor de shock.'

'Ik vind suiker in de thee vies,' probeerde ik te zeggen. 'Ik heb het zo koud.'

'Koud?'

'Mm-hm.'

'Wacht even. Zo, klaar. Eens even kijken.'

Ze haalde de thermometer uit mijn mond, fronste haar wenkbrauwen, keek me aan alsof ik iets verkeerds had gedaan en noteerde met een pen die ze uit haar zak trok iets op mijn status.

'Ik zal zo nog wat dekens halen. Thee en dekens. Wilt u een koekje bij de thee?'

'Ik ben vandaag veertig geworden. Ik had een verjaardagsfeestje,' vervolgde ik zonder me tot iemand in het bijzonder te richten. Mijn stem klonk warrig. Ik hoorde zelf hoe ik lettergrepen door elkaar haalde en oversloeg, maar ik moest wakker blijven. Ik moest Jackson zien, mijn kleine jongen, die de hele dag zo verloren had rondgelopen. 'Charlie had een feestje voor me georganiseerd. Als verrassing.'

'Een volkorenkoekje?' Steph Bowles was niet geïnteresseerd in mijn verhaal; zij wilde weten wat mijn temperatuur, bloeddruk en hartslag waren. Ze wilde me weer oplappen. Ik sloot mijn ogen. De kamer dwarrelde rond in mijn hersenpan.

'Het was geen succes,' vervolgde ik. 'Dat zijn ze maar zelden, dit soort onverwachte feestjes. In theorie is het wel leuk, maar… Nou ja, ik wilde mijn koffers pakken en alles klaarmaken voor de reis, en toen had ik ineens allemaal mensen over de vloer die ik niet kende. Ze zwermden door het hele huis, en toen is Karen van de trap gevallen, Renata was niet lekker en is naar bed gegaan, en ik was maar op zoek naar Charlie. Ze was nergens te vinden.' Ik kneep mijn ogen samen en keek naar haar gezicht dat ik nu eens scherp zag, en dan weer onscherp. 'Toen is het allemaal begonnen. Nee, geen koekje, dank u. Ik ben misselijk. Ik denk dat ik misschien ga overgeven. Misschien moet u me daar maar een bakje voor geven, voor het geval dat. Eamonn was ook op het feestje. Arme Eamonn, wat moet er nu van hem worden?'

Toen ik mijn ogen opendeed, was Steph Bowles er niet meer. Ik praatte tegen mezelf. Maar dat deed er niet toe.

'Waar zou Christian zijn?' vroeg ik tussen twee golven van misselijkheid in. 'Hij zit de hele dag al vast in het verkeer. Ze hebben de M25 in beide richtingen afgesloten. Ik heb niets anders gedaan dan aan één stuk door rondrennen, en hij heeft de hele dag vastgezeten. Als ik eraan denk, word ik weer bang. Het zal wel een tijdje duren voordat dat overgaat.'

'Mevrouw Landry,' hoorde ik zeggen. 'Ik ben dokter Marker. Hoe voelt u zich?'

Ze was slank en blond en maakte een nuchtere indruk in haar witte jas met de stethoscoop om haar nek.

'Ik heb me wel eens beter gevoeld,' zei ik.

'Hier.' Ze kwam naast het bed zitten en pakte mijn pols tussen duim en wijsvinger om mijn hartslag te meten. Ze keek op mijn status. Ze zette de stethoscoop op mijn borst en vervolgens op mijn rug. Ze liet haar vingers langs mijn been gaan en betastte mijn knie om te voelen waar het pijn deed. Ze nam mijn voet in haar hand en draaide eraan om na te gaan waar de enkel pijn deed. Ze streek het haar op mijn voorhoofd naar achteren en drukte haar vingertoppen op de blauwe plekken op mijn slaap en wang, en ik moest moeite doen om het niet uit te schreeuwen.

'Ik denk dat u er zonder hechtingen van afkomt. Dit doet zeker wel pijn?'

'Een beetje,' kreunde ik.

'Bent u misselijk?'

'Een beetje. Heel erg eigenlijk. Ik geloof dat ik moet overgeven.'

'De verpleegster zal u daar een bakje voor geven. Hebt u het koud?'

'Tot op mijn botten. Maar het gaat langzaam beter.'

'Duizelig?'

'Alleen moe, denk ik.'

'Hoe is uw geheugen? Hoe heet u?'

'Dat weet ik. Nina Landry.'

'Weet u wat voor dag het vandaag is?'

'Het is zaterdag 18 december natuurlijk,' zei ik. 'Want het is mijn veertigste verjaardag. Een dag om nooit te vergeten.' Ik glimlachte naar haar en zag haar gezicht nu eens scherp, dan weer onscherp.

'Mooi. Hoeveel vingers steek ik op?'

'Drie.'

'Prachtig.' Ze stond op en keek op me neer. 'U hebt warmte en rust nodig en verder niks, denk ik. U hebt waarschijnlijk een lichte hersenschudding, dus dat moeten we in de gaten houden. Een van mijn collega's zal straks bij u langskomen om dat na te gaan.'

'De thee,' zei Steph Bowles, terwijl ze een grote groene beker op het nachtkastje naast me neerzette. 'En ik heb een nachthemd voor u. Ik zal u er even mee helpen.'

Dokter Marker vertrok. Met verrassende tederheid hielp de verpleegster me half overeind, en alsof ik een klein kind was trok ze het dunne nachthemd over mijn hoofd en vervolgens omlaag over mijn pijnlijke, koude lijf. Het rook naar waspoeder. Ze trok het beddengoed weer over me heen en ging toen de kamer uit. Zonder mijn hoofd van het kussen te halen, nam ik een slok van de lauwwarme thee met melk. Mijn handen beefden zo dat ik in mijn hals morste.

Toen hoorde ik Bonnies stem.

'Kan hij zo naar binnen?'

En nog een stem, die 'Mam?' zei.

Daar stond Jackson in de deuropening, een kleine, bolle figuur, dik ingepakt in een rood, gevoerd windjack dat veel te groot voor hem was. Het reikte bijna tot zijn knieën en zijn handen waren geen van beide te zien. Hij keek me met gefronste wenkbrauwen aan.

'Ha, mijn grote held!' zei ik. Ik ging rechtop zitten en stak mijn armen naar hem uit, maar hij bleef stokstijf staan.

'Wat is er in hemelsnaam met je gezicht gebeurd?'

'Het is maar een blauwe plek. Kom hier, dan zal ik je vertellen hoe trots ik op je ben.'

'Het is helemaal blauw en scheef.' Hij had een uitdrukking van lichte gêne op zijn gezicht. Ik glimlachte naar hem, en mijn hart sloeg een paar keer over door de gekwetste tederheid die ik voor hem voelde.

'Straks is het helemaal geel en scheef, en dan zie ik er nog gekker uit. Is met jou alles goed?'

'Ik heb van Bonnie warme chocola met marshmallows gekregen. Waar is Charlie?'

'Ze is hier in het ziekenhuis,' zei ik.

'Leeft ze nog?'

'Ja.'

'Echt waar?'

'Echt waar.'

'Mag ik dan naar haar toe?'

'Ik denk dat ze nu slaapt. Je moet maar even tot morgen wachten, goed?'

'Ik wil haar zien.' Zijn stem trilde even, maar hij herstelde zich. 'Dat moet toch kunnen als het waar is wat je zegt en alles in orde is met haar?'

Ik keek naar zijn opgezette gezicht, de grote wallen onder zijn ogen en het belachelijk grote donsjack dat hij aanhad.

'Ik geloof niet dat ik mijn bed uit kan, maar zodra er een verpleegster komt, zal ik zorgen dat ze je erheen brengt.'

'Bonnie kan me naar haar toe brengen. Ze staat bij de lift te wachten.'

'Goed dan. Krijg ik nog wel een knuffel van je voordat je weggaat?'

Schuchter kwam hij naar voren. 'Waar was ze eigenlijk?'

'Charlie?'

'Ja. Was ze weggelopen?'

'Nee.'

'Gaan we nog naar Florida?'

'Vandaag niet.'

'Gaan we dan een andere keer?'

'Ja.'

'Wanneer dan?'

'Dat weet ik niet.'

Er viel een stilte. Hij kwam bij het bed zitten, en ik stak een hand in zijn mouw en pakte zijn warme vingertjes. Hij trok zijn hand niet terug, en ik voelde hoe hij zich langzaam ontspande. Na enkele ogenblikken zei hij:

'Sludge wordt vast helemaal wild zo in haar eentje. Ze zal het halve huis wel opgekauwd hebben.'

'Ja, dat zal wel.'

'Maar je wordt niet boos op haar, hè?'

'Nee. Ik zal niet boos worden.'

'Moet je heel lang in bed blijven?'

'Natuurlijk niet. Ik ben alleen een beetje moe.'

'Bonnie zei dat ik voor je moest zorgen.'

'Onzin.'

'O, goed. Over zes dagen en iets minder dan zes uur is het Kerstmis. Ik verga van de honger.'

'Rory kan je zo meteen meenemen naar het café en daar wat voor je bestellen.'

'Hebben ze daar chips?'

'Ik denk het wel.'

'Zal ik dan nu naar Charlie gaan?'

'Ja, ga maar. Maar blijf er niet te lang. Ze moet rusten, dat weet je.'

'Beloof je dat jij nog hier bent als ik terugkom?'

'Ik ga heus niet weg.'

Hij schoof van het bed, drukte behoedzaam een kus op mijn gehavende gezicht, draaide zich toen om en maakte aanstalten om weg te gaan.

Zuster Bowles kwam weer de kamer in, bijna geheel aan het oog onttrokken door de stapel extra dekens die ze voor zich uit droeg en die ze laag voor laag op mijn bed uitspreidde. Ik liet me met gesloten ogen achterover zakken en hoorde haar de kamer uit gaan en binnen een minuut terugkomen. Ik voelde haar onder de dekens rommelen alsof ze me wilde aanraken, maar even later voelde ik iets aan mijn voeten, iets warms. De warmte trok door mijn tenen en mijn voeten en vervolgens via mijn enkels door mijn benen omhoog.

'Een kruik,' zei ik slaperig.

'Hou het stil, hoor,' zei zuster Bowles. 'Anders willen ze er allemaal een.'

Ik zei niets en deed zelfs mijn ogen niet open. Ze ging de kamer uit, en ik was alleen. Ik bedacht dat voor het eerst die dag niemand me nodig had en liet me gaan, alsof ik op een boot was, de touwen losgooide en me de zee op liet drijven.

'Hallo.'

Ik wist niet of ik geslapen had of niet, ik wist niet eens of er wel tijd verstreken was. Het felle licht in de ziekenhuiskamer deed pijn aan mijn ogen toen ik ze opendeed. Een man van middelbare leeftijd stond met een klembord in de hand bij mijn bed. Hij zag er vermoeid uit, als iemand wiens dienst er bijna op zit.

'Bent u de dokter? Ik heb net een dokter gesproken die zei dat alles in orde was met me.'

'Ik ben dokter Siegel. Het spijt me als ik u wakker heb gemaakt. Ik moet weten hoe het met u is. U hebt een klap op uw hoofd gehad, dus u zult vannacht om de zoveel tijd wakker gemaakt worden. Alleen om te controleren of u niet bewusteloos bent.'

'Ik zie er afschuwelijk uit, dat weet ik,' zei ik.

Hij noteerde iets op het klembord.

'O, wacht u maar tot morgen,' zei hij. 'Dan zult u eruitzien alsof u hebt gevochten en het onderspit hebt gedolven.'

'Ik heb ook gevochten.'

'Ja,' zei hij. 'Dat lees ik hier. Maar u hebt gewonnen, hè? En ik ben net bij uw dochter geweest.'

'O ja? Hoe is het met haar?'

'Het valt mee,' zei hij. 'Maar ik denk vooral dat ze blij mag zijn dat ze u heeft. Dat mag u haar morgen gaan zeggen.'

'Ik denk niet dat ik dat zal doen,' zei ik. 'Ze heeft genoeg op haar bordje gehad.'

Dokter Siegel fronste zijn voorhoofd. 'Er wordt van mij verwacht dat ik uw begripsvermogen en uw reacties beoordeel. Wat denkt u daar zelf van?'

'Niet al te slecht,' zei ik. 'Ik weet het niet, hoor.'

Hij bromde wat en noteerde nog iets op het klembord.

'U woont op Sandling?'

'Ja, maar pas anderhalf jaar of zo.'

'Ik ben nog nooit op het eiland geweest. Gek hè? Ik werk er maar een paar kilometer vandaan en ik vind steeds dat ik er eens naartoe moet, een keer langs het kustpad lopen, oesters eten, het soort dingen doen dat je daar doet. Kunt u het mij aanraden?'

'Vandaag niet,' zei ik. 'Ik weet ook niet of ik er zelf weer heen zal gaan. Ik weet niet of ik het daar nog wel zo leuk vind.'

'U moet nu geen beslissingen nemen. Morgenochtend ziet alles er heel anders uit. Eens kijken of ik uw pols kan voelen.'

Hij pakte mijn pols in zijn linkerhand.

'Gefeliciteerd met uw verjaardag, trouwens.'

'Hè?'

'Het staat op het klembord,' zei hij. 'Veertig jaar jong.'

'Ja. Maar ik heb het niet echt gevierd. Ik geloof niet dat het de beste verjaardag van mijn leven was.'

Dokter Siegel legde het klembord op het bed en streek zachtjes over mijn hand. Het gaf me een heel troostrijk gevoel. Toen stond hij op.

'Ik weet niet of ik het daar wel mee eens ben,' zei hij. 'Maar goed, ik weet natuurlijk niet hoe uw vorige verjaardagen waren. Ik zie u morgenochtend weer. Probeert u te slapen. Dat wil zeggen, totdat de verpleegster u over een minuut of twintig weer wakker komt maken.'

Hij schreef nog iets op het klembord, en toen hij opkeek kruisten onze blikken elkaar. Even dacht ik zeker te weten dat hij iets belangrijks wilde zeggen, maar toen keek hij opzij en mompelde alleen: 'U hebt het goed gedaan.' Toen liep hij op een sukkelgangetje de kamer uit en knipte onderweg het licht uit.

Toen mijn ogen aan de duisternis gewend waren, zag ik pas dat de kamer een klein raam had. Vanuit mijn bed kon ik buiten niet veel zien. Een lichtstraal zwaaide over het plafond toen er een auto passeerde. Ik bleef naar de donkere nachthemel buiten liggen kijken. Was er een maan? Waren er sterren te zien? Niet meer dan een paar kilometer verderop was de zee. De vloed was voorbij, het water was aan het zakken, de golven werden minder hoog, de stukken drijfhout, de kapotte schelpen en alle rommel werden in het afgaand getij meegezogen. Daarbuiten op de verlaten vlakte van slikken en kiezels, onder de half weggezakte rotsen, lag de bunker, waar nu het zeewater uit wegliep, om er bij het aanbreken van de dag weer naar binnen te stromen. Het lijk was uit het zwarte water gehaald, het bloed was weggespoeld. Met het winterse zonnetje aan de horizon zou alles eruitzien zoals het er altijd had uitgezien, vredig, weids en ongerept.

Ik draaide me op mijn zij en drukte mijn gezicht in het kussen. Ik ademde lang en diep in, en begon eindelijk te huilen. Ik was hier, Charlie was hier, Jackson was hier. En straks zou het voor ons allemaal weer ochtend worden.